KB138157

실크로드 세계사

2

고대 제국에서 G2 시대까지

실크로드 세계사

피터 프랭코판 지음 | 이재황 옮김

2

A NEW
HISTORY
OF THE WORLD

Silk Roads

책과함께

차례

일러두기

1. 이 책은 Peter Frankopan의 THE SILK ROADS(Bloomsbury, 2015)를 완역한 것이다.
2. 각국의 인명과 지명은 기본적으로 외래어 표기법을 따랐다. 다만 한 가지 원칙이나 일관성을 지키기에는 이 책이 포괄하는 기간, 지역, 나라가 워낙 길고 많고 복잡하여 필요한 경우 병기를 하는 등 다소 융통성을 부여했다. 널리 알려져 익숙해진 표현이나 용례를 적용하기 어려운 경우에도 예외를 두었다.
3. 본문의 소제목은 독자의 편의를 돕기 위해 원문에 없는 내용을 추가하였음을 밝혀둔다.

죽음과 파괴의 길

이탈리아 도시들의 전성기

제노바와 베네치아는 레반트의 도시와 항구들이 함락되기 전부터 새로운 교역품 운송로와 물건을 사고파는 새로운 장소, 그리고 자기네가 밀려나지 않도록 보장하는 새로운 방법을 찾기 위한 수순에 들어갔다. 13세기에 군사적 긴장이 커지면서 성지를 통과하는 교역이 점점 어려워지자 두 나라는 흑해 북안 크림 반도와 특히 아조프해 입구, 그리고 실리시아의 아르메니아 왕국에 새로운 식민지를 건설했다. 실리시아의 소도시 아야스는 동방으로부터 오는 상품과 사치품들이 거쳐 가는 새로운 관문이 되었다.

돈을 벌 기회는 많았다. 흑해 북안과 남안의 곡물 가격 차이는 이들 도시국가에 자기네의 커다란 수송선을 이용할 수 있는 완벽한 기회를 제공했다. 배들은 대량으로 식료품을 수송할 수 있었다.[1] 이 배들은 또한 다른 상품들을 운송하는 데도 유용했는데, 사람도 그중 하나였다. 제노바인들과 베네치아인들은 모두 대규모 노예 교역을 다시 시작했다. 교황이 남자와 여자, 아이들을 무슬림 구매자들에게 파는 것을 금지했음에도 불구하고 포로를 사서 맘루크 이집트에 팔았다.[2]

해묵은 경쟁심은 한쪽에 치워놓기가 어려웠다. 제노바는 이미 경쟁자를 쳐부수기 위해 어디까지 갈 수 있는지를 보여준 바 있다. 그들은 1284년에 피사의 함대 거의 전부를 파괴하고 포로로 잡힌 사람들의 속환贖還을 거부했다. 피사는 경쟁자가 가한 타격에서 완전히 회복할 수 없었다. 여기서 포로가 된 사람 가운데 하나가 루스티켈로 다 피사Rustichello da Pisa다. 그는 10년 넘게 갇혀 있었는데, 수감 중에 역시 제노바 해군의 승전(이번에는 아드리아해에서 베네치아를 격파했다) 때 포로가 된 사람과 만나 의기투합했다. 그와 우정을 쌓은 루스티켈로는 친구의 놀라운 삶과 여행에 대한 기억을 적어나가기 시작했다. 그 마르코 폴로의 여행에 대한 기록 덕분에 우리는 제노바가 잔인했으며 중세의 세력 다툼에 집요하게 초점을 맞추었음을 알 수 있다.

무역 패권을 둘러싼 무자비한 싸움은 베네치아와 제노바가 충돌하는 곳은 어디에서나 폭발했다. 콘스탄티노플에서 폭력 충돌이 일어났고, 에게해와 키프로스에서 대결이 벌어졌으며, 아드리아해에서 피투성이의 전투가 치러졌다. 1299년 교황 보니파키우스 8세가 휴전을 중재할 무렵에는 양국이 서로 싸워 호각세를 이루고 있었다. 그러나 무엇보다도 이 위치에 도달하기 위해 쏟은 에너지와 노력과 비용은 아시아와 연결점을 만들려는 노력에 얼마나 많은 이익이 걸려 있었는지를 보여준다.

그럼에도 불구하고 그것은 그만한 가치가 있었다. 1301년 베네치아 최고위원회 청사가 확장되었다. 권력층인 그 성원들을 모두 수용하기에는 좁다는 데 만장일치로 합의한 결과였다. 위원 수는 도시의 부가 증가함에 따라 늘어나고 있었다.[3] 반면에 제노바의 경우, 13세기 말 무렵에 쓰인 한 시는 이 도시의 아름다움을 극찬하고 있다. "끝에서 끝까지 팔라초(저택)가 꽉 들어차" 있고, 수많은 탑들이 스카이라인을 이루고 있었다. 이 도시의 부의 원천은 동방에서 들어오는 풍부한 상품 공급이었다. 스텝 지대에서 사오는 흰족제비·다람쥐 등의 모피와 후추·생강·사향·향신료, 양단·벨벳과 금실로 짠 천, 진주·보옥·보석 등이었다. 저자는 이어 제노바는 자기네가 만들어놓은 네트워크 덕분에 부자가 되었으며, 그것은 갤리선 같은 배들로 유지되었다고 말한다. 제노바인이 전 세계에 퍼져 가는 곳마다 새로운 제노바를 만든다고 자랑했다. 정말로 하느님은 이 도시를 축복하고 그들이 번영하기를 바라고 계신다고 이 무명 작가는 썼다.[4]

베네치아와 제노바가 호황을 누린 한 가지 중요한 이유는 그들이 고객의 욕구, 그리고 유럽의 다른 도시들에서 그곳으로 물건을 사러 온 상인들의 욕구를 충족시키는 일에서 보여준 재능과 선견지명이었다. 이집트와 예루살렘이 불안정하고 경제적으로 위험해지면서 흑해가 금세 중요한 상업 지역으로 떠올랐다.

그러나 이탈리아 도시국가들이 흥성한 배후에는 몽골인들이 교역에 세금을 부과하면서 부린 세제상의 재주와 규제가 있었다. 여러 자료들은 흑해 항구들을 통과하는 수출품에 대한 세금이 전체 상품 가치의 3~5퍼센트를 넘지 않았음을 보여준다. 이는 알렉산드리아를 통과하는 상품들에서 뜯어내는 통행세 및 부담금과 비교하면 매우 낮은 것이었다. 자료에 따르면 알렉산드리아의 세금 부담은 10퍼센트에서 20퍼센트, 심지어 30퍼센트에 이르기도 했다.[5] 상인에게 가장 중요한 것은 이문이다. 따라서 흑해를 통과하는 운송은 상당한 매력이 있었다. 이 점이 이 지역을 동방으로 연결되는 중요한 통로로 만드는 데 기여했다.

세심한 가격 설정과 세금을 낮게 유지하는 정책은 몽골제국 관료 집단의 지혜를 보여주는 것이었다. 이는 폭력과 마구잡이 파괴의 이미지에 가려진 점이다. 사실 몽골의 성공은 무분별한 만행으로 거둔 것이 아니라 타협하고 협력한 덕분에 이룰 수 있었던 것이다. 이는 중앙의 통제력을 일신시킨 시스템을 유지하려고 부단히 노력한 덕분이었다. 후대의 페르시아 역사가들은 몽골인들이 제국을 다스리는 과정에서 발을 빼고 그런 일상적인 업무를 다른 사람들에게 넘기곤 했다고 주장했지만, 최근 연구는 그들이 일상생활의 세부 사항에 어떻게 관여했는지를 보여주고 있다.[6]

칭기즈칸과 그 후계자들이 이룬 업적은 대중의 상상을 더듬어내는 것이 아니라 꼼꼼하게 확인하는 것이었다. 그것이 역사상 가장 큰 제국을 건설한 이 나라를 이후 수백 년 동안 번영하게 만들었다. 따라서 러시아어에 몽골인의 통치와 관련된 어휘가 광범위하게 차용된 것은 결코 우연이 아니다. 특히 교역 및 의사소통과 관련된 단어가 많다. 바리시barysh(이익), 뎅기dengi(돈), 카즈나kazna(국고) 같은 단어는 모두 동방에서 온 새 지배자들과의 접촉에서 기원한 것이다. 러시아의 우편 시스템 역시 마찬가지다. 중계 역참 네트워크를 통해 제국의 한 지역에서 다른 지역으로 메시지를 신속하고 효율적으로 전달하는 몽골의 방법을 바탕으로 했다.[7]

종교적 관용

사실 이러한 것들은 몽골인들의 재능이었고, 장기적인 성공의 발판은 처음부터 만들어져 있었다. 칭기즈칸과 그 후예들은 영토를 확장하면서 새로운 민족들을 정연한 체계 안에 편입시켜야 했다. 종족은 의도적으로 해체되었고, 충성심은 군 부대에 대한 귀속감과 무엇보다도 몽골 지도부에 대한 헌신으로 중점이 옮겨지도록 했다. 머리 모양 같은 종족적 특성 구별을 없애고 그 대신 표준화된 방식을 강제했다. 당연한 일이지만 복속하거나 정복된 사람들은 몽골 영토 각지로 분산시켰다. 언어, 친족, 정체성의 끈을 약화시키고 쉽게 동화되도록 하기 위해서였다. 나라를 움직이는 새로운 방식을 분명히 드러내기 위해 종족 명칭 대신 새로운 이름들이 도입되었다. 그리고 이 모든 것은 전리품과 공물을 분배하는 중앙집권화된 보상 시스템으로 강화되었다. 그 시스템에서는 지배 왕조와 가까운 정도가 중요했고, 또한 광범위한 (또는 가차 없는) 성과제를 장려했다. 승리한 장수는 많은 보상을 받았고, 패배한 자는 재빨리 내쳐졌다.[8]

민족 정체성은 말살되었지만, 신앙 문제에서는 놀라울 정도의 관대함을 보였다. 몽골인들은 종교 문제에 관해서는 느슨하고 관대했다. 칭기즈칸의 시대 이래로 지도자의 수행원들은 원하는 종교를 갖는 것이 허용되었다. 후대의 한 페르시아 작가는 이렇게 썼다.

"[칭기즈칸은] 무슬림을 존경의 눈으로 바라보았으며, 기독교도들과 우상 숭배자(불교도를 말한다)들에 대해서도 높이 평가했다."

그의 후손들은 각자 자신의 방식과 생각에 따라 종교를 선택했다. 일부는 이슬람교를 택했고, 다른 일부는 기독교를 택했다.

"또 다른 사람들은 자기네 아버지와 조상들의 옛 규범을 고수하며 어느 쪽으로도 기울어지지 않았다."[9]

여기에는 약간의 진실이 들어 있었다. 개종시킬 사람들을 찾아 동방으로 몰려든 선교사들이 곧 발견했던 대로다.[10] 기욤 드 뤼브룩은 여행 도중 아시아 곳곳과 몽골 궁정에서 사제들과 마주쳐서 놀랐다. 매년 봄 말들이 카라코룸 부근에 모일 때 그들이 흰 말들에 대해 축복을 빌어주는 데 동의하는 것을 보고는 더 놀랐다. 더구나 그 축복은 기독교 교리보다는 이교적인 방식으로 진행되었다.[11] 그러나 약간의 편법을 사용하는 것은 분명히 가치가 있어 보였다. 개종자를 얻는 큰 그림에서 작은 세부 사항일 뿐이었다.

유럽과 중앙아시아 사이의 접촉이 증가하면서 동방에 다시 교구들이 나타나기 시작했다. 스텝 지대 깊숙한 곳에도 생겼다. 북부 페르시아 지역에는 수도원도 생겼다. 타브리즈 같은 곳이 대표적인데, 이곳은 번성하는 프란체스코회 수도사 공동체의 중심지가 되었다.[12] 기독교의 번성을 허용했다는 것은 그들이 많은 보호를 받았다는 사실과 몽골인들이 종교에 대해 관대하다는 사실을 드러내준다.

사실 일은 훨씬 더 성공적이었다. 13세기 말에 교황 니콜라우스 4세는 조반니 다 몬테코르비노를 쿠빌라이 카간에게 보냈다. "우리 주 예수 그리스도의 가톨릭 신앙을 받아들이도록 그에게 권유하는" 편지를 들려서였다. 조반니의 전도는 성공하지 못했지만, 그럼에도 불구하고 그는 될 수 있는 한 많은 사람들을 개종시키는 일에 착수했다. 포로로 잡힌 아이들의 몸값을 치러 풀어주고 그들에게 라틴어와 그리스어를 가르쳤으며, 직접 시편詩篇들을 써주었다.

이윽고 카간은 그들이 예배 도중 성가 부르는 것을 듣게 되고, 아름다운 노래와 성찬식의 신비로움에 매혹되었다. 조반니가 이렇게 성공을 거두자 교황 클레멘스 5세는 1300년대 초에 사람을 보내 그를 베이징 대주교로 임명했다. 이는 그의 성과를 반영하고 몽골제국 전역에 교회 조직 창설을 북돋기 위한 것이었다. 십자군은 실패했지만 기독교가 아시아에서 실패한 것은 아니었다.[13]

이 종교적 관용은 부분적으로 현명한 정책이었다. 일칸국의 지배자들은 종교계 인사들에게 그들이 듣고 싶어하는 말을 하는 데 특히 능숙했다. 예컨대 훌라구는 자신이 어렸을 때 세례를 받았다고 한 아르메니아 사제에게 말했다. 서방 교회들은 이를 열렬히 믿은 나머지 훌라구를 기독교 성인으로 묘사한 그림이 유럽에서 유포될 정도였다. 그러나 다른 사람들은 이런 이야기를 들었다. 예컨대 불교도들은 훌라구가 깨달음으로 인도하는 가르침을 따른다고 확신했다. 몽골의 고위인사들 가운데는 기독교도가 되었다가 다시 이슬람교로 개종하거나 그 반대의 과정을 밟는 사례도 많았다. 편의에 따라 종교를 바꾸는 것이다. 이 성의 없는 신도들은 모든 사람들의 비위를 맞추는 데 달인이었다.[14]

사람들의 마음을 얻는 것은 제국의 팽창을 원활하게 하는 데 긴요했다. 이는 알렉산드로스 대제가 페르시아를 무찔렀을 때 취했던 접근법과 흡사하다. 알렉산드로스의 이런 접근법은 타키투스 같은 비평가들의 인정을 받게 된다. 타키투스는 약탈을 하고 무분별하게 파괴하는 근시안적인 정책에 매우 비판적이었다. 몽골인들은 대제국 건설자가 되는 방법을 본능적으로 알았다. 군사적인 힘에 이어 관용과 세심한 관리를 베풀 필요가 있었다.

중요한 잠재적 동맹자를 다룰 때 취한 기민한 결정들도 멋지게 성공했다. 러시아에서 교회에 모든 세금과 병역을 전면 면제하여 환호를 받았는데, 이는 잔인한 정복 이후라도 세심하게 다루면 호의를 얻을 수 있음을 보여주는 사례다.[15] 마찬가지로 책무를 맡기는 것은 적대감과 긴장을 줄이는 매우 효과적인 방법이었다.

러시아의 경우는 다시 교훈적이다. 세금과 납입금 징수를 위해 선발된 한 지역 통치자에게 넉넉한 배당을 준 것이다. 그가 바로 '이반 칼리타(돈주머니 이반)'로 알려진 모스크바 대공 이반 1세다. 그는 세금과 부담금을 거두어 몽골의 국고를 채우는 일을 맡았는데, 일을 아주 잘했던 것으로 보인다. 이반 같은 믿을 만한 사람의 손에 부와 권력이 집중되자 의지할 수 있는 걸출한 왕조가 등장했다. 이 왕조는 경쟁 가문들을 제물로 삼아 번창했다. 그 효과는 상당했고, 오래 지속되었다. 일부 학자들은 러시아가 전제군주국으로 변모한 바탕에는 몽골의 통치 시스템이 있었다고 주장한다. 몽골은 소수의 개인에게, 같은 귀족들과 그 주민들 위에 군림할 권한을 부여했던 것이다.[16]

몽골은 군사적으로 우위에 있고, 정치적으로 약삭빠르며, 종교적으로 너그러웠다. 그 성공 모델은 몽골인에 대한 우리의 일반적인 인식과 큰 차이가 있었다. 그러나 그들이 매우 효율적이기는 했지만, 분명 타이밍 측면에서도 운이 좋았다. 중국에서 그들은 농업 생산이 급증한 결과로 인구가 늘고 경제가 확대되며 기술이 발전한 세계를 발견했다.[17] 중앙아시아에서 그들은 경쟁의 결과로 갈갈이 찢겨 통합 분위기가 무르익은 분열된 소국들을 만났다. 서아시아와 유럽에서는 화폐가 유통되고 점점 더 계층화하고 있는 사회들과 마주쳤다. 공물을 현금으로 지불할 수 있고, 그 주민들이 소비력과 사치품에 대한 엄청난 욕구를 가진 사회 말이다. 칭기즈칸과 그 후계자들이 아시아와 유럽 대륙 전역에서 많은 수입을 제공하는 세계를 우연히 만난 것은 아니었다. 그들은 황금기로 들어가고 있는 스스로를 발견하고 있었다.[18]

몽골이 세계에 미친 영향

7세기 이슬람 세력의 정복으로 세금과 납입금 등 돈이 세계 구석구석에서 중심부로 흘러들면서 세계 경제에 큰 영향을 미쳤던 것과 마찬가지로, 13세기 몽골의 성공 역시 유라시아 대륙의 통화 시스템을 변모시켰다. 인도에서는 스텝 세계로부터 새로운 의례와 취미가 전해졌다. 지배자가 지켜보는 가운데 화려하게 장식된 그의 말안장이 자랑스럽게 운반되는 공식적인 행렬 같은 것들이다.[19]

중국에서는 요리 풍습이 바뀌어 스텝 지대 출신의 새 지배자들이 좋아하는 맛과 재료, 요리 방식을 채용했다. "황제를 위한 음식과 음료"를 소개한 홀사혜忽思慧의 《음선정요飮膳正要》에는 유목민 요리와 입맛의 영향을 받아, 음식물을 끓이는 조리법이 많이 들어 있다.[20] 도살한 동물의 모든 부위를 남김 없이 사용하는 것(자신들의 삶에 필수인 가축을 다루는 사람들의 제2의 천성이다)이 일반적인 요리법이 되었다. 쿠빌라이 카간은 유목민의 전통음식을 좋아했다. 그는 궁중의 진미로 발효시킨 젖, 말고기, 낙타 혹, 곡물로 걸쭉하게 끓인 양고기 수프를 차려내게 했다고 한다.[21] 적어도 이 음식들은 14세기 요리책에 나오는 양의 허파나, 양의 꼬리와 머리의 비계로 만든 페이스트보다는 먹음직스럽게 보인다.[22]

유럽 또한 몽골 정복의 문화적 충격을 느꼈다. 공포의 첫 번째 파도가 지나간 뒤 몽골풍의 패션이 유행했다. 잉글랜드에서는 이 나라에서 가장 오래되고 가장 큰 기사단인 가터 기사단 휘장을 만드는 데 암청색의 '타타르' 직물 끈 250개가 사용되었다. 1331년 치프사이드에서 열린 기마무술 대회 개막식에서는 참가자들이 멋진 타타르 옷을 입고 몽골 전사처럼 보이기 위해 가면을 쓰고 행진했다. 동방으로부터의 영향은 심지어 르네상스 시기 유럽 전역에서 유행했던 헤닌 모자에까지 미쳤다. 여자들이 좋아했고 14세기 이후 초상화에 많이 보이는 이 원뿔 모양의 모자는 이 시기 몽골 궁정에서 썼던 특징적인 모자로부터 영향을 받은 것으로 보인다.[23]

그러나 몽골의 정복은 좀 더 근본적인 영향을 미쳤다. 그것이 유럽 경제를 변모시키는 요인으로 작용한 것이다. 사절들이 칸의 궁정으로 계속해서 파견되었고, 곧 선교사와 상인들이 그들의 발자취를 따랐다. 갑자기 몽골뿐만 아니라 아시아 전체가 유럽인들의 시야에 들어왔다. 동방의 이국적인 세계에 관해 더 많은 것을 알고자 하는 사람들은 여행자들이 동쪽에서 가지고 온 이야기들을 게걸스레 빨아들였다.

이 이야기들은 놀라움 속에 환영을 받았다. 마르코 폴로에 따르면 중국 너머에는 섬이 하나 있는데, 그곳 왕의 궁전은 황금 지붕이 덮여 있고 수십 센티미터 두께의 황금 벽으로 지어졌다. 인도에는 다이아몬드가 가득 찬 가파른 협곡(거기에는 뱀도 우글거린다)에 짐승의 고기를 던져넣는다고 했다. 독수리들이 보석이 박힌 고기를 물고 올라오면 나중에 쉽게 보석을 수집할 수 있기 때문이다. 또 다른 여행자는 후추가 악어로 가득 찬 습지에서 나는데, 악어는 불로 위협해서 쫓아야 한다고 적었다. 이 시기 여행자들의 기록에서 동방의 부는 믿기 어려울 정도였다.[24]

이런 결론은 놀라울 것도, 새로울 것도 없었다. 이 주제는 유럽 대륙에서 사회와 경제가 발전하고 지적 호기심이 돌아오면서 다시 읽기 시작한 고전기 문헌에서 친숙하게 등장한다. 마르코 폴로와 다른 사람들이 가져온 이야기는 헤로도토스, 타키투스, 대大플리니우스의 기록이나 심지어 《아가雅歌》를 떠올리게 한다. 발톱으로 계수나무가

자라는 습지를 지키는 박쥐, 아라비아의 향나무를 지키는 날개 달린 독사, 계피와 유향으로 둥지를 만들고 거기에 다른 향신료들을 가득 채우는 불사조 같은 이야기들 말이다.[25]

당연하게도 동방의 신비는, 그리고 희귀하고 매우 귀중한 물건들을 수집하기 위해 겪는 위험에 관한 이야기들은 그런 물건을 유럽에 가지고 왔을 때 얻을 수 있는 보상에 대한 기대와 밀접하게 연관되어 있었다. 만들거나 거두는 데 위험이 따르는 상품과 농산물과 향신료는 자연히 값이 매우 비쌌다.[26] 더 많은 정보를 얻기 위해 1300년 무렵에는 아시아로 여행하고 교역을 하는 방법과, 그리고 무엇보다도 좋은 가격으로 물건을 사는 방법을 안내하는 책들이 등장하기 시작했다. 이 시기의 가장 유명한 안내서 저자인 프란체스코 페골로티 Francesco Pegolotti는 이렇게 썼다.

"우선 수염을 길게 기르고 면도를 하지 말아야 한다."

그리고 안내자를 데리고 가라고 조언했다. 좋은 물건이라면 웃돈을 얹어주어도 그것을 상쇄하고도 남을 만큼 큰돈을 벌 수 있다고 말했다. 가장 중요한 정보는 어디에서 얼마나 세금을 내야 하는지, 도량형과 화폐는 지역마다 어떻게 다른지, 여러 가지 향신료들이 어떻게 생겼는지에 관한 설명이었다. 그리고 그 물건들이 얼마의 가치가 있는지도 빠질 수 없었다. 중세 세계에서도 현재와 마찬가지로 이런 안내서들의 요점은 실패를 피하고 악덕 상인들에게 바가지 쓸 가능성을 줄이는 것이었다.[27]

페골로티 자신이 13세기와 14세기에 유럽의 두 강자였던 베네치아나 제노바 출신이 아니라 피렌체 출신이라는 점은 의미심장하다. 피렌체 인근에는 동방에서 한몫 잡기 위해 열심인 신참들도 있었는데,

루카와 시에나 같은 곳이었다. 이곳 출신 상인들도 타브리즈, 아야스와 동방의 다른 교역 장소에서 눈에 띄었다. 그들은 중국, 인도, 페르시아와 그 밖의 지역에서 향신료, 비단, 직물을 사들였다.

시에나 공회당의 최고위원회 홀에 걸린 지도는 새로운 지평이 열리고 있다는 생각을 잘 드러내준다. 손으로 돌릴 수 있도록 만들어진 이 지도는 토스카나를 중심으로 지역 간의 거리와 운송망, 그리고 아시아 깊숙이까지 뻗어 있는 시에나의 대리인, 거래처, 중간상 네트워크가 표시되었다. 심지어 이탈리아 중앙부에 있는 무명의 마을까지도 자극과 이득을 위해 동쪽을 바라보면서 '실크로드'와의 독자적인 연결망을 구축할 방법을 모색하고 있었다.[28]

유럽의 팽창에 필수적이었던 것은 몽골이 제공한 아시아 전역의 안정이었다. 여러 갈래의 부족 지도부들 사이의 긴장과 경쟁심은 있었지만, 상업 문제에 관해서라면 법의 지배가 강력하게 보호되었다. 예컨대 중국의 도로망은 방문자들의 부러움을 샀다. 그들은 외부에서 온 상인들을 보호하기 위해 시행되는 행정 조치들을 감탄 어린 눈으로 바라보았다. 14세기의 탐험가 무함마드 이븐 바투타는 이렇게 썼다.

"중국은 가장 안전한 나라이며, 여행자에게 가장 좋은 나라다."

이곳은 분명히 이방인들을 매일매일 파악하는 보고 체계가 작동하는 나라였다.

"혼자서 많은 돈을 가지고 아홉 달 동안 여행해도 두려워할 일이 없다."[29]

페골로티도 같은 생각이었는데, 그는 흑해에서 중국까지 이르는 길이 "낮이든 밤이든 절대적으로 안전하다"라고 적었다. 이는 부분적으로 낯선 사람을 환대하는 유목민들의 전통적인 믿음의 결과이기도 했지만, 상업을 진흥해야 한다는 더 넓은 관점이 작동한 결과였다. 이런 의미에서 흑해를 지나가는 상품에 부과되는 세금을 낮춰 경쟁력을 확보한 일은 아시아의 반대쪽에서도 그대로 재연되었다. 그곳에서는 중국의 태평양 연안 항구들을 드나드는 해상 무역이 역시 증가했다. 관세 수입을 늘리려는 체계적인 노력 덕분이었다.[30]

이것이 효과를 발휘한 분야는 직물 수출이었다. 직물 생산은 13세기와 14세기에 큰 폭으로 증가했다. 네이샤부르, 헤라트, 바그다드의 직물산업은 계획적으로 증강되었고, 타브리즈는 불과 100여 년 만에 규모가 네 배로 확장되었다. 상인들과 숙련공, 기능공을 수용하기 위해서였는데, 이들은 몽골의 정복 이후 두드러지게 좋은 대우를 받았다. 동방의 시장에서는 고급 옷감과 직물에 대한 수요가 많아 늘 부족할 정도였고, 13세기 말 이후 점점 더 많은 양이 유럽으로 수출되었다.[31]

중국을 오가는 상인들

시야는 모든 곳에서 확대되었다. 중국에서는 광저우廣州 같은 항구들이 오랫동안 남부 아시아 세계를 향한 창구 노릇을 했다. 광저우는 주장珠江 삼각주의 천연 항구의 혜택을 받은 곳이었다. 그런 주요 상업 중심지들은 페르시아 상인들과 아랍 지리학자들, 무슬림 여행자들에게 잘 알려져 있었고, 이들은 해안은 물론 내륙 도시들의 북적거리는 거리에 관한 기록을 남기고, 거리를 오가는 세계화된 주민들에 관한 정보를 제공했다. 접촉과 교류가 활발했기 때문에 페르시아인들과 아랍인들에게서 차용한 단어와 관용구가 현대 중국에서도 널리 쓰이고 있다.[32]

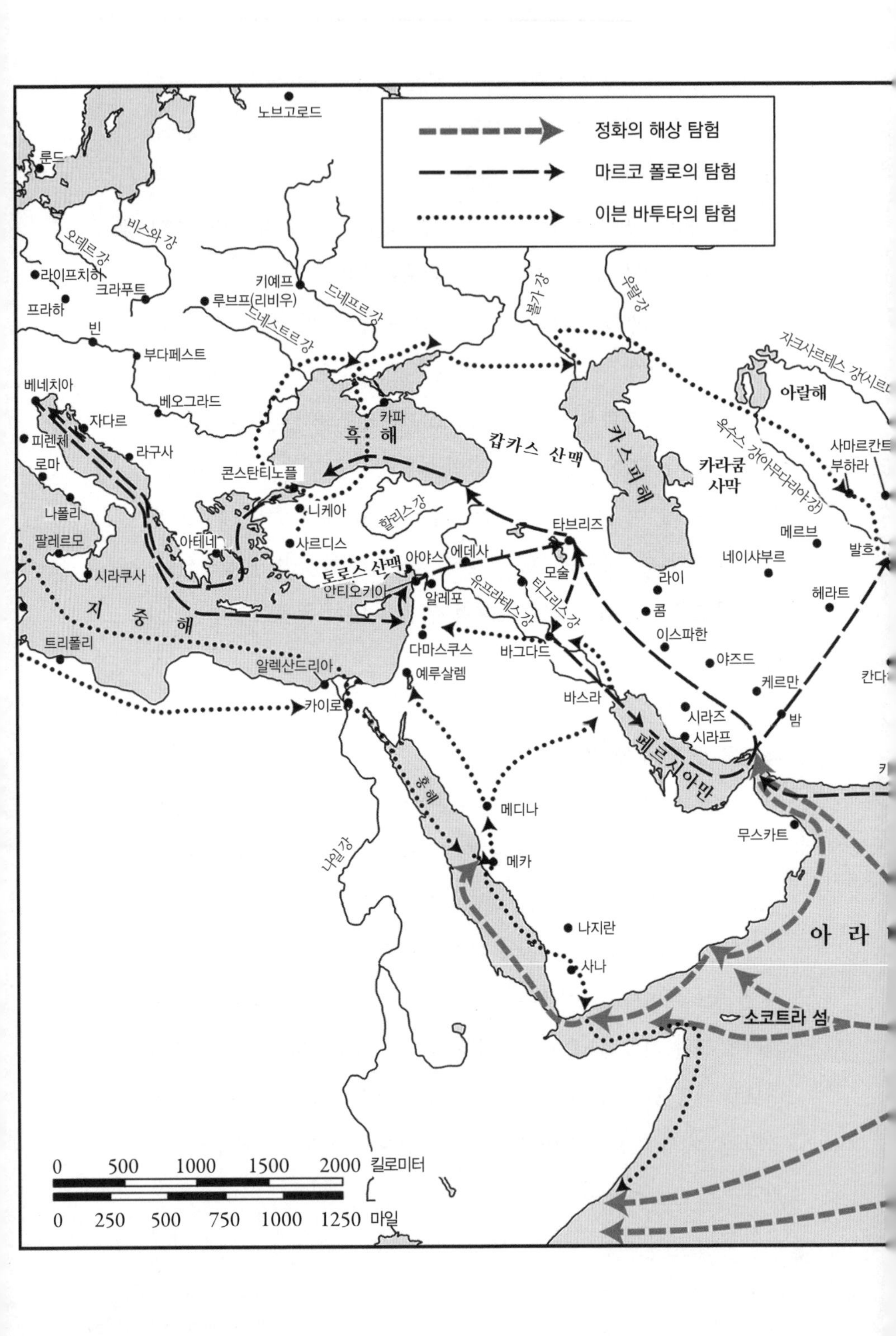

정화의 해상 탐험
마르코 폴로의 탐험
이븐 바투타의 탐험
노브고로드
룬드
비스와 강
오데르 강
라이프치히
크라푸트
프라하
키예프
루브프(리비우)
드네프르 강
드네스트르 강
볼가 강
우랄 강
빈
부다페스트
베네치아
베오그라드
자다르
피렌체
라구사
로마
나폴리
팔레르모
시라쿠사
흑 해
카파
캅카스 산맥
카스피 해
아랄해
자크사르테스 강(시르
옥수스 강(아무다리야 강)
카라쿰 사막
사마르칸트
부하라
발흐
메르브
네이샤부르
헤라트
콘스탄티노플
니케아
사르디스
할리스 강
아테네
타브리즈
아야스
에데사
토로스 산맥
안티오키아
알레포
모술
라이
콤
이스파한
야즈드
케르만
지 중 해
유프라테스 강
티그리스 강
다마스쿠스
바그다드
트리폴리
알렉산드리아
예루살렘
바스라
카이로
시라즈
시라프
밤
페르시아만
홍해
나일 강
메디나
메카
무스카트
나지란
사나
아 라
소코트라 섬
0 500 1000 1500 2000 킬로미터
0 250 500 750 1000 1250 마일

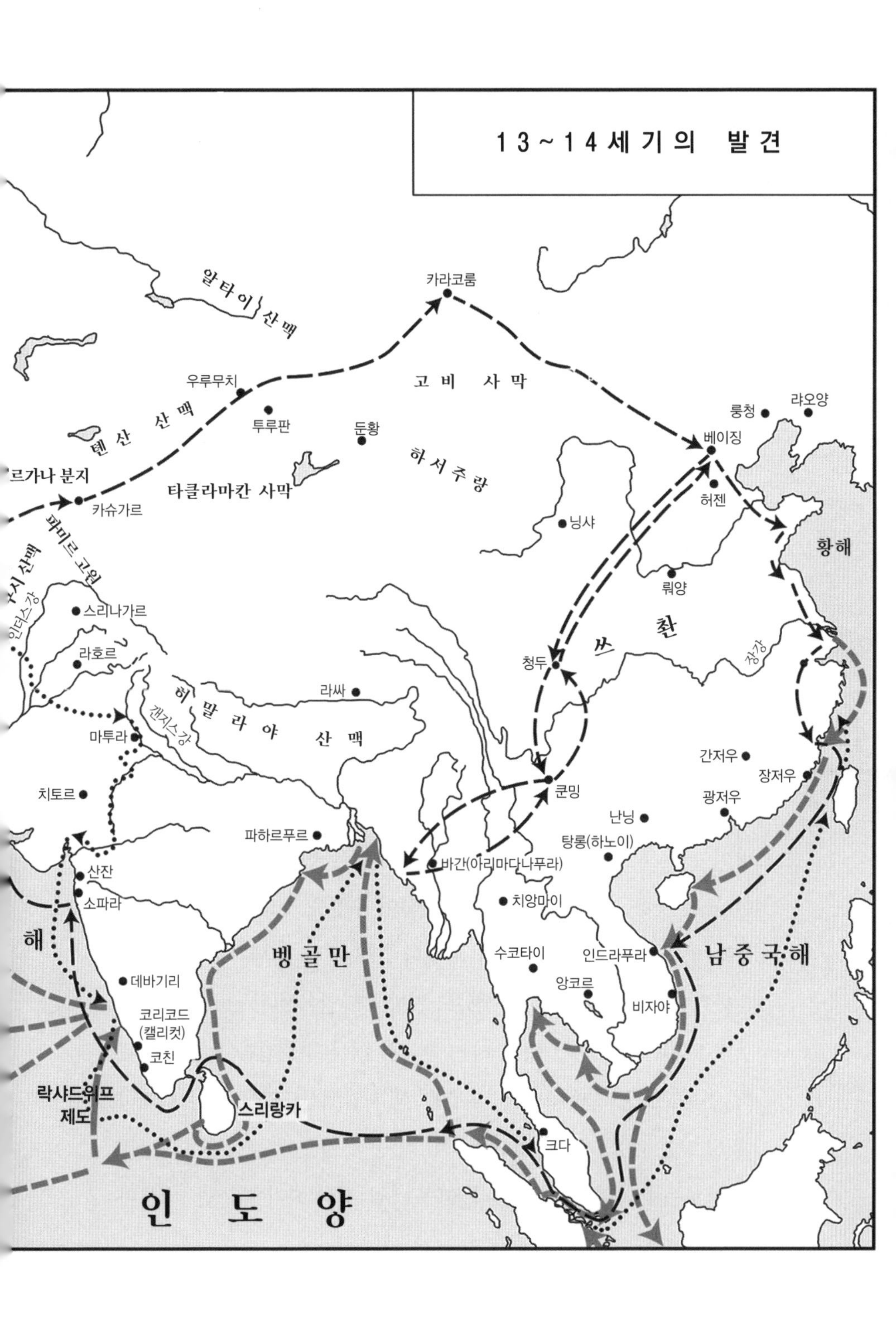

1 3 ~ 1 4 세 기 의 발 견
알타이 산맥
카라코룸
우루무치
고비 사막
톈산 산맥
투루판
둔황
하서주랑
르가나 분지
타클라마칸 사막
카슈가르
파미르 고원
쿠시 산맥
인더스강
스리나가르
라호르
히말라야 산맥
갠지스강
라싸
마투라
치토르
파하르푸르
산잔
소파라
해
데바기리
코리코드
(캘리컷)
코친
락샤드위프
제도
스리랑카
벵골만
인도양
바간(아리마다나푸라)
치앙마이
수코타이
앙코르
크다
쿤밍
청두
쓰촨
닝샤
뤄양
베이징
허젠
룽청
랴오양
황해
장강
간저우
장저우
광저우
난닝
탕롱(하노이)
인드라푸라
비자야
남중국해

반면 중국의 외부 세계에 대한 지식은 개략적이고 제한되어 있었다. 이는 1200년대 초에 남부 중국 취안저우泉州에서 대외 교역 사무를 맡고 있던 제국 관원이 쓴 책(남송의 조여괄趙汝适이 쓴《제번지諸蕃志》—옮긴이)에 잘 나타나 있다. 상인, 선원, 여행자를 위해 쓴 이 기록은 아랍어를 사용하는 세계와 그 너머의 거래 관행을 설명하는 용감한 시도를 한다. 또한 살 수 있는 물건을 나열하고, 중국 상인들이 좋아할 만한 것이 무엇인지 이야기한다. 그러나 이 책은 이 시기의 다른 많은 여행자들의 기록과 마찬가지로 부정확한 내용과 신화에 가까운 믿음들로 점철되어 있다. 예를 들어 메카는 붓다의 집이 있던 곳이 아니고, 불교도들이 1년에 한 번 순례를 가는 곳도 아니다. 여자들이 "거세게 부는 남풍에 벌거벗은 몸을 노출시켜" 아이를 배는 곳도 없다. 에스파냐의 멜론은 지름이 2미터 가까이 되는 것도 아니고, 남자 스무 명 이상이 먹을 수 있는 것도 아니다. 유럽에서는 양이 성인 남자의 키만큼 자라며 매년 봄에 절개하여 5킬로그램의 비계를 떼어내고 다시 꿰매는 것도 아니다.[33]

그러나 아시아의 대부분 지역이 몽골에 의해 통합되자 해상 교역망이 크게 확충되었다. 특히 페르시아만 같은 전략적·경제적 중요성이 높은 곳은 장거리 상거래를 장려하여 수입을 늘리려고 열심인 새 정부에 의해 광범위한 감독을 받았다.[34] 그 결과 13세기에 광저우는 문화적 수준이 높은 도시가 되었고 지방색도 엷어졌다.

1270년대가 되면 이 도시는 중국의 해상 수출입의 중심지가 된다. 기독교도들의 땅에서 팔 후추를 싣고 알렉산드리아를 향해 떠나게 될 모든 배들 가운데 100여 척이 이 중국 항구에 들어왔다고 마르코 폴로는 13세기 말에 적었다. 이는 조금 뒤의 시기에 쓰인 이븐 바투타의 글에서도 그대로 반복된다. 그는 이 도시에 도착하여 100척의 배가 광저우 만으로 들어오는 것을 보았다. 작은 배들은 셀 수도 없었다.[35] 지중해 지역의 상업도 규모가 컸고, 태평양 지역에서의 교역도 매우 활발했다.

우리는 이 도시가 얼마나 중요한 상업 중심지가 되었는지를 밝히기 위해 애매모호하거나 믿을 수 없는 문서 자료에만 의존할 필요는 없다.[36] 광저우 만에서 발견된 이 시기의 난파선은 상품들이 남부 아시아 전역에서 수입되고 있었음을 보여준다. 페르시아만과 동아프리카 지역에서도 수입되었을 가능성이 높다. 후추, 유향, 용연향, 유리, 무명 등은 1271년 또는 그 얼마 뒤에 중국 해안 부근 바다에서 침몰한 값비싼 화물의 일부일 뿐이었다.[37]

남중국해에서는 더 많은 상인들이 왕래했다. 그들은 수마트라 섬과 말레이 반도, 그리고 무엇보다도 세계 후추 공급지인 남인도 서부의 말라바르 해안에 교역 거점을 만들었다. 후추는 오랫동안 중국이나 유럽과 아시아의 다른 지역에서도 많이 찾는 품목이었다.[38] 14세기 중반에는 너무도 많은 배들이 캘리컷 같은 도시로 들어와서, 어떤 사람들은 인도아대륙의 해상 운송과 여행은 모두 중국 배들에 의해 이루어진다고 평했다. 바닥이 평평한 중국 배가 최근 케랄라 앞바다에서 난파된 채 발견된 바 있다.[39]

이 장거리 교역을 매끄럽게 해준 것은 은이었다. 은은 유라시아 대륙 전역에서 단일 통화 구실을 했다. 이렇게 된 원인의 하나는 칭기즈칸의 시대 이전에 중국에서 환어음 도입과 지폐 사용 같은 금융 혁신이 일어났기 때문이다.[40] 몽골인들은 이를 받아들이고 개선했으며, 새로운 거래 형태가 확산됨에 따라 통화 수단으로서의 은의 사용이 감소했다. 이 귀금속을 갑자기 쉽게 구할 수 있게 되자 금에 대비한 은의 가치가 크게 떨어졌다. 유럽 일부 지역에서는 1250년과 1338년 사이에 은의 가치가 절반 이하로 하락했다.[41] 런던에서도 은의 공급이 급증하여 왕립 조폐국은 1278년에서 1279년 사이에 발행량을 네 배 이상 늘릴 수 있었다. 생산량은 아시아 각지에서도 크게 늘었다. 스텝 지대에서도 킵차크칸국의 군주들이 은화를 대량으로 주조하기 시작하면서 생산량이 크게 늘었다.[42] 새로운 지역들 역시 영향을 받았다. 물물교환을 하거나 쌀 같은 농산물로 물건 값을 지불하던 일본은 화폐경제로 전환하여 장거리 교역을 점점 더 늘려갔다.[43]

질병의 경로가 된 교역로

그러나 몽골의 정복이 유럽에 미친 영향은 교역이나 전쟁, 문화나 통화뿐만이 아니었다. 그것은 세계를 연결하는 대동맥을 따라 흐른 흉포한 전사나 상품과 귀금속, 사상과 패션에 비할 바가 아니었다. 실제로 혈류 속으로 들어온 완전히 다른 어떤 것이 훨씬 더 치명적인 영향을 미쳤다. 바로 질병이었다. 페스트가 발생하여 아시아, 유럽, 아프리카를 휩쓸면서 수백만 명이 몰살당할 위험에 처했다. 몽골인들은 세계를 파괴하지 않았지만, 페스트는 그럴 가능성이 매우 높아 보였다.

유라시아 스텝 지대는 수천 년 동안 가축과 유목민들의 근거지였을 뿐 아니라, 세계에서 가장 큰 축에 속하는 페스트의 웅덩이였다. 흑해부터 멀리 만주까지 병소病巢의 끈이 연결되어 있었다. 건조 또는 반건조 지역의 생태 환경은 페스트균(학명 *Yersinia pestis*)이 확산되는 데 최적이었다. 이 균은 주로 벼룩이 피를 빠는 과정에서 한 숙주로부터 다른 숙주로 전염된다. 페스트는 쥐 같은 설치류의 숙주를 통해 가장 빠르게 확산된다. 물론 낙타 또한 감염되어 페스트가 전파되는 데 중요한 역할을 할 수 있다. 냉전 기간 동안 소련의 생물학전 프로그램과 밀접하게 연관된 연구가 이를 잘 보여주었다.[44]

페스트는 숙주의 생체 조직을 먹거나 접촉함으로써, 또는 감염된 물질을 먹음으로써 전파된다. 그러나 사람에게 전염되는 것은 일반적으로 벼룩이 피를 빨아먹으려다가 간균桿菌을 혈류 속에 떨어뜨리거나 벼룩의 배설물 속에 있던 간균이 피부의 상처를 오염시키면서 일어난다. 감염이 되면 간균은 겨드랑이나 사타구니 같은 곳에 있는 림프샘을 통해 이동하면서 급속하게 증가하여 종기나 가래톳을 일으킨다. 페스트가 유행한 시기에 살았던 보카치오는 이것이 사과 크기 또는 대략 달걀 크기만큼 커진다고 묘사했다.[45] 그러면 다른 기관들도 차례로 감염된다. 출혈로 내부에서 피가 나며 검은 고름과 피 주머니가 생기는데, 그것이 치명적일 뿐만 아니라 시각적으로도 공포스러운 질병으로 만든다.

페스트균과 페스트에 관한 현대의 연구는 환경 요인이 풍토병의 발생과 전파에 결정적인 역할을 한다는 사실을 밝혀냈다. 대수롭지 않아 보이는 작은 변화가, 억제할 수 있는 질병을 대규모로 퍼뜨릴 수 있는 것이다. 예를 들어 기온과 강수량의 작은 차이는 박테리아 성장에 결정적인 벼룩의 번식 주기는 물론 그 숙주인 설치류의 행동까지 변화시킬 수 있다.[46] 최근 연구에 따르면 온도가 단 1도만 상승해도 스텝 환경에서 중요한 설치류 숙주인 큰모래쥐의 전염병 발병률이 50퍼센트 증가하는 것으로 나타났다.[47]

14세기 중반에 퍼진 이 질병이 처음 어디에서 발생했는지는 분명하지 않지만, 전염병은 발생한 이후 스텝 지대에서 나와 1340년대에 유럽과 서아시아, 이집트 등지로 급속하게 확산되었다.[48] 페스트는 1346년 흑해 부근의 킵차크칸국을 휩쓸기 시작하면서 맹위를 떨쳤다. 당대의 한 이탈리아인은 "갑작스러운 죽음을 가져오는 불가사의한 질병"으로 묘사했다. 교역 조건에 대한 분쟁 이후 카파의 제노바인 교역 기지를 포위하고 있던 한 몽골군 부대는 "매일 수천 명씩" 죽어나가는 질병으로 전멸했다고 한 작가는 말했다. 그들은 철수 전에 이런 일을 했다.

"그들은 시체를 투석기 위에 올려놓고 성 안으로 날려 보내도록 명령했다. 참을 수 없는 악취가 나는 이것들이 성 안에 있는 사람들을 죽일 것이라는 기대에서 나온 행위였다."

그것은 냄새가 지독한 질병이라서가 아니라 전염성이 매우 높은 질병이라는 점에서 심각했다. 몽골인들은 적을 물리치기 위해 스스로 인식하지 못하는 상태에서 생물학전을 펼친 셈이다.[49]

유럽을 나머지 세계와 연결해주었던 교역로는 이제 페스트가 전파되는 치명적인 간선도로가 되었다. 1347년에 이 병은 콘스탄티노플에 도달하고, 이어 제노바와 베네치아와 지중해 지역에 도달했다. 고국으로 도망쳐온 상인들이 가져온 것이었다. 시칠리아의 메시나에는 온몸에 종기가 난 제노바인들이 도착했는데, 그들은 계속해서 게우고 피를 토하다가 죽었다. 주민들이 그들을 보고 뭔가 잘못되었다고 느꼈을 때는 이미 늦은 상태였다. 제노바 갤리선들을 쫓아 보냈지만, 질병은 금세 퍼져 주민들을 몰살시켰다.[50]

페스트는 빠르게 북쪽으로 올라가서, 1348년 중반에는 프랑스 북부와 바이에른의 도시들에 도달했다. 이 무렵에는 영국의 항구에 입항한 배들이 이미 "상인과 선원들이 품고 온 첫 번째 전염병 균"을 가져온 상태였다.[51] 잉글랜드의 도시와 마을 곳곳에서 너무도 많은 사람들이 죽어 나가자 교황은 "관용을 베풀어, 죄를 고백하는 사람에게 전대사全大赦를 내렸다." 당대의 한 추산에 따르면 주민의 10분의 1만이 살아남았다. 몇몇 자료들은 너무도 많은 사람들이 죽어, 시체를 묻을 사람도 부족하다고 적었다.[52]

배들은 상품과 귀중품 대신 죽음과 참화를 싣고 지중해를 누볐다. 전염병은 희생자와 접촉하거나, 해상 여행의 동반자였던 쥐에 의해서만 확산되는 것이 아니었다. 심지어 화물칸의 상품들도 벼룩이 유럽 본토나 이집트, 레반트, 키프로스로 향하는 모피와 음식물에 붙으면 치명적인 화물로 변했다. 도착지에서 첫 희생자는 대개 아이와 젊은이들이었다. 전염병은 곧 교역로를 따라 메카에 도달하여 순례자들과 학자들을 죽이고 영혼의 문제를 심각하게 고민하게 만들었다. 선지자 무함마드는 7세기 메소포타미아를 유린한 전염병이 이슬람교의 성스러운 도시들에는 들어갈 수 없다고 약속했다는데 말이다.[53]

이븐 알와르디Ibn al-Wardi는 다마스쿠스의 상황을 설명하며 이렇게 썼다.

"[전염병은] 왕처럼 보좌에 앉아 권력을 휘두르며 매일 1000명씩, 또는 그 이상을 죽였다. 주민들을 대량으로 학살했다."[54]

카이로와 팔레스타인 사이의 길에는 희생자들의 시체가 어지러이 널려 있었고, 개들이 나일 강 삼각주의 빌베이스 이슬람 사원 벽 옆에 쌓인 시체들을 물어뜯었다. 한편 상上이집트의 아시유트 지역에서는 납세자 수가 페스트 이전의 6000명에서 단 116명으로 줄었다. 98퍼센트 감소한 것이다.[55]

물론 이런 인구 감소는 사람들이 고향을 떠나 피난 간 것의 반영

일 수도 있지만, 사망자 수가 엄청나다는 데는 의문의 여지가 없다. 이탈리아의 인문주의 학자 보카치오는《데카메론》서문에서 "인간의 모든 지혜와 창의력"은 이 질병의 확산을 막는 데 무력했다고 썼다. 피렌체에서만 석 달 사이에 10만 명 이상이 목숨을 잃었다.[56] 베네치아는 전멸하다시피 했다. 기록들은 전염병 발생으로 주민의 4분의 3 이상이 죽었다는 데 의견이 일치한다.[57]

많은 사람들은 세상의 종말이 왔다는 신호로 보았다. 아일랜드에서는 한 프란체스코회 수도사가 페스트로 인한 참화에 관한 자신의 기록을 마무리하면서 공란을 남겨두었다. "미래에도 누군가가 혹시 여전히 살아남아 있다면 [나의] 작업을 계속하도록 하기 위해서"[58]였다. 다들 세상의 종말이 임박했다고 생각했다. 프랑스에서는 기록자들이 이렇게 적었다.

"개구리, 뱀, 도마뱀, 전갈과 그 밖에 여러 가지 비슷하게 독을 가진 동물들이 하늘에서 쏟아져 내렸다."

하늘에서 징조가 나타나 하느님의 불쾌감을 드러냈다. 커다란 우박이 땅에 떨어져 많은 사람들이 죽었다. "역겨운 연기"[59]를 내는 벼락으로 도시와 마을들이 불타버렸다.

잉글랜드 왕 에드워드 3세를 비롯한 일부 사람들은 단식과 기도에 의지했다. 그는 주교들에게도 자신처럼 하라고 명령했다. 1350년 무렵에 쓰인 아랍어 안내서는 무슬림 신도들에게 그와 똑같이 하도록 조언했다. 특정 기도문을 열한 번 암송하면 도움이 될 것이고, 무함마드의 생애를 언급한 시를 읊조리면 종기가 나지 않고 보호를 받는다고 했다. 로마에서는 엄숙한 행진이 벌어져 참회하는 사람과 겁에 질린 사람들이 맨발에 말총옷 차림으로 행진했으며, 자신들의 죄에 대

한 회개의 표시로 스스로를 채찍질했다.[60]

이런 행위는 하느님의 분노를 누그러뜨리기 위해 하는 가장 통상적인 방법이었다. 성관계와 "여자와의 모든 육체적 욕망"을 피하라고 스웨덴의 한 사제는 촉구했다. 그리고 목욕도 하지 말고, 남풍을 피해야 했다. 적어도 점심 때까지는. 이것은 가장 좋은 결과가 있기를 바라는 마음에서 한 이야기였지만, 잉글랜드의 사제는 적어도 더 직접적이었다. 여자들은 다른 옷을 입어야 한다고 그는 촉구했다. 여자들 자신을 위해서이기도 했고, 다른 모든 사람들을 위해서이기도 했다. 그들이 과시하곤 했던 이색적이고 노출이 심한 복장은 당연히 천벌을 부르는 것이었다. "그들이 쓸데없이 작은 머리쓰개를 쓰기 시작"하자 문제가 생기기 시작했다고 했다. "끈이 달리고 목 부분에서 단추로 꽉 조여 겨우 어깨를 가리는 것"이었다. 그것이 전부가 아니었다.

"게다가 그들은 극단적으로 짧은 팔톡paltock을 입었다. (……) 이 옷은 그들의 엉덩이나 은밀한 부위도 가려주지 못했다."[61]

독일에서는 이 병이 자연스럽게 발생한 것이 아니라 유대인들이 우물과 강에 독을 풀었기 때문이라는 얼토당토않은 소문이 돌았다. 광포한 대학살이 벌어졌다. 한 기록은 "쾰른에서 오스트리아 사이의 모든 유대인"을 색출하여 불태웠다고 전한다. 반유대주의의 분출이 너무 심해지자 교황이 나서서 모든 기독교 국가에서 유대인 주민들에 대한 어떠한 폭력적 행위도 금지한다는 성명을 발표했다. 또한 유대인의 물건과 재산을 건드리지 말라고 요구했다.[62] 교황의 말이 효과를 거두었는지 아닌지는 별개의 문제다. 어쨌든 재난으로 인한 공포와 고통, 그리고 과도한 종교적 감정의 분출이 독일에서 소수자 유대인들에 대한 광범위한 학살로 이어진 것은 이번이 처음은 아니었다. 1차 십자군

당시 라인란트에서 끔찍한 고통을 당했을 때도 상황은 다르지 않았다. 위기가 닥친 때에 다른 종교를 가졌다는 것은 위험한 일이었다.

유럽은 페스트로 인구의 3분의 1을 잃었다. 어쩌면 더 많을지도 모른다. 사망자 수에 대한 보수적 평가에 따르면 전체 추정 인구 7500만 명 가운데 2500만 명 안팎에 이른다.[63] 최근의 페스트 유행에 관한 연구에 따르면 대규모 발병 시에 작은 마을과 농촌 지역이 도시보다 사망률이 훨씬 높다고 한다. 페스트 확산의 결정적 요인은 사람의 주거 밀집도(보통 그렇게 생각해왔다)가 아니라 쥐의 군집 밀도인 듯하다. 이 질병은 감염된 설치류 군집 대비 가구 수가 더 많은 도시 환경보다 농촌에서 더 빨리 확산된다. 도시 지역에서 시골로 피난하는 것이 죽음을 피할 가능성을 높이는 것은 아니었다.[64] 들판에서 농장까지, 도시에서 시골까지, 페스트는 생지옥을 만들어냈다. 악취가 나고 썩어가는 시체, 흐르는 고름. 너무도 큰 재앙에 따른 공포, 불안, 의구심을 배경으로 펼쳐진 풍경이었다.

그 결과는 참혹했다. 이탈리아 시인 페트라르카는 "우리의 장래에 대한 희망은 우리 친구들과 함께 묻혔다"라고 썼다. 동방을 발견하고 재산을 모은다는 계획과 야망은 암울한 현실에 밀려 빛을 잃었다. 페트라르카는 이어 이렇게 말했다.

"위안이 되는 것이 딱 하나 있습니다. 우리가 먼저 간 사람들을 따를 것이라는 사실입니다. 나는 우리가 얼마나 오래 기다려야 할지 알지 못합니다. 그러나 그것이 아주 길지는 않을 것이라는 사실을 알고 있습니다."

인도양과 카스피해와 흑해의 부도 쓸려나간 것을 보상해줄 수는 없다고 그는 썼다.[65]

페스트 이후의 사회 변화

페스트는 그것이 불러일으킨 공포에도 불구하고 사회적·경제적 변화의 기폭제가 된 것으로 드러났다. 그 변화는 너무도 심원한 것이어서, 유럽의 죽음을 가져온 것이 아니라 그것을 만들어내는 역할을 했다. 이 변화는 서방이 대두하고 서방이 승리를 거두는 데 중추 노릇을 했다. 그렇게 되는 데는 몇 단계를 거쳐야 했다.

첫 번째는 사회 구조의 작동 방식에 대한 전면적인 재구성이었다. 페스트 이후의 만성적인 인력 부족은 임금이 급등하는 결과를 낳았다. 노동의 가치가 강조되었기 때문이다. 1350년대 초 페스트가 마침내 잦아들기 시작할 때까지 너무도 많은 사람들이 죽었다. 그래서 한 자료는 "하인과 기술자와 직공, 농사꾼과 노동자의 부족"을 언급하고 있다. 이에 따라 이전에는 사회·경제 피라미드의 가장 낮은 곳에 있던 사람들이 상당한 교섭력을 가지게 되었다.

"하층민은 취업에 대해 콧방귀를 뀌었고, 임금을 세 배로 올려주지 않으면 유력자의 시중을 들도록 설득하기도 어려웠다."[66]

이는 결코 과장이 아니었다. 믿을 만한 자료들은 페스트 이후 수십 년 동안 도시 임금이 급격하게 올랐음을 보여준다.[67]

농민과 노동자와 여자들의 힘이 강해진 것은 유산 계급의 약화와 짝을 이루는 것이었다. 지주들은 경작지에 대한 임대료를 낮추지 않을 수 없었다. 소작료를 조금이라도 받는 것이 전혀 받지 않는 것보다 낫다고 판단한 것이다. 임대료가 내려가고 의무가 줄며 임대 기간도 길어졌는데, 이 모든 것은 힘과 이득을 농민과 도시 임차인 쪽으로 기울게 했다. 이는 금리 하락에 의해 더욱 강화되었다. 금리는 14세기와 15세기에 유럽 전역에서 눈에 띄게 떨어졌다.[68]

그 결과는 놀라웠다. 이제 부가 사회 전반에 한결 고르게 분배되자 사치품(수입된 것이든 아니든)에 대한 수요가 치솟았다. 더 많은 소비자들이 과거에는 엄두조차 내지 못했던 물건들을 살 수 있게 되었기 때문이다.[69] 소비 행태는 페스트가 만들어낸 인구 구조의 변화에 의해 영향을 받았다. 특히 젊은 노동자들에게 유리한 쪽으로 변화가 일어났는데, 이들은 자기네 앞에 열린 새로운 기회를 활용하고자 했다. 간신히 죽음을 모면한 경험 때문에 이미 저축을 내켜하지 않았던 전도유망한 새 세대는 그들 부모 세대보다 더 많은 돈을 벌고 장래에 대한 전망도 더 밝았기 때문에 자기네가 번 돈을 좋아하는 물건들을 사는 데 아낌없이 썼다.

그 가운데 중요한 것이 옷이었다.[70] 이것이 다시 유럽의 직물산업에 대한 투자와 급속한 발전을 자극했고, 그 결과 직물이 대량으로 생산되기 시작했다. 이에 따라 수입이 크게 줄면서 알렉산드리아에서의 교역에 큰 영향을 미쳤다. 유럽은 심지어 반대 방향으로 수출하기 시작하면서 서아시아의 시장에 진출하여 그 경제를 크게 위축시켰다. 그것은 활기를 띠고 있던 서방의 경제와 뚜렷한 대조를 이루었다.[71]

런던에 있는 묘지의 유골을 바탕으로 한 최근 연구가 보여주듯이, 부의 증가는 식생활을 개선하고 전반적인 건강을 향상시켰다. 실제로 이런 연구 결과들을 바탕으로 한 통계 모형은 심지어 페스트의 영향으로 기대수명이 상당히 개선되었음을 시사한다. 페스트 이후의 런던 주민들은 그전의 사람들에 비해 건강이 상당히 나아졌다. 기대수명이 크게 늘어난 것이다.[72]

경제·사회 발전은 유럽 전역에서 고르게 이루어지지는 않았다. 변화는 대륙의 북쪽과 북서쪽 지역에서 가장 빠르게 일어났다. 한층 발전한 남쪽에 비해 이들 지역이 낮은 경제 단계에서 출발했다는 것도 그 이유 가운데 하나였다. 이는 지주와 소작인의 이해가 더 긴밀하게 연결되고 따라서 양쪽을 모두 만족시킬 수 있는 방식으로 협력하고 해결하게 될 가능성이 높았다는 얘기다.[73] 그러나 북쪽의 도시들은 지중해 지역의 여러 도시들과 같은 이데올로기적이고 정치적인 짐을 지고 있지 않았다는 점 역시 중요하다. 남쪽에서는 지역적이고 장기적인 교역이 수백 년 동안 이어지면서 길드 같은 조직이 만들어졌다. 길드는 경쟁을 규제하고 한정된 개인들의 모임에 독점적 지위를 주기 위해 만든 것이다. 이와 대조적으로 북유럽은 경쟁이 제한되지 않았고, 그 덕분에 호황을 누리기 시작했다. 도시화와 경제 성장이 남쪽에서보다 현저하게 빠른 속도로 이루어졌다.[74]

유럽 안에서는 지역에 따라 서로 다른 행동 특성이 나타났다. 예를 들어 이탈리아에서는 여성들이 노동시장에 뛰어들 동기나 능력이 부족했고, 여전히 페스트 이전과 같은 나이에 결혼하고 비슷한 수의 자녀를 낳았다. 이는 북쪽 나라들의 상황과 뚜렷한 대조를 이루었다. 그곳에서는 인구 감소로 여성들이 임금노동자가 될 기회를 얻었다. 여성의 결혼 연령이 올라간 것도 그 효과 가운데 하나였다. 그것은 다시 더 장기적으로 가족의 규모에 영향을 미쳤다. 저지대 국가(라인 강 하구 베네룩스 3국을 중심으로 한 지역 — 옮긴이) 출신의 안나 베인스Anna Bijns는 한 시에서 이렇게 충고했다.

> 너무 빨리 결혼생활로 뛰어들지 마세요.
> (……)
> 자기 밥값과 옷값을 버는 여자는

남자에게 매를 맞으며 허둥거리지 않아요.

(……)

결혼생활을 깎아내리는 건 아니지만

굴레 쓰지 않는 게 제일이에요!

남자 없이 사는 여자는 행복해요![75]

페스트로 인해 촉발된 변화는 북서 유럽의 장기적인 번성을 위한 토대를 마련했다. 유럽의 각 지역 사이의 차이가 어떤 결과를 가져오기까지는 물론 오랜 시간이 걸리게 되지만, 체제의 유연성과 경쟁을 긍정하는 태도, 지리적으로 불리한 위치에서 이익을 얻기 위해서는 투철한 직업의식이 필요하다는 북쪽 사람들의 자각 등이 근대 초 유럽 경제의 변혁의 바탕이 되었다.

아마도 마지막 요소가 가장 중요할 것이다. 현대의 연구들을 통해 점점 더 분명해지고 있듯이, 18세기 산업혁명의 뿌리는 페스트 이후 세계의 근면 혁명 industrious revolution(산업혁명이 기계화에 의한 자본집약-노동절약형 혁명인 데 비해 가축 대신 인력의 활용을 높여 자본절약-노동집약형이었던 일본 에도江戸 시대의 농촌 지역 생산 혁명을 일컫은 말에서 나온 용어—옮긴이)이었다. 생산성이 올라가면서 포부가 커지고 쓸 수 있는 돈도 많아졌다. 물론 돈을 쓸 수 있는 기회도 늘었다.[76]

마침내 시신을 묻고 페스트가 잦아들어 공포의 기억으로 남게 되면서(주기적인 2차 발생으로 간간이 되살아나기는 했다), 남부 유럽 역시 변화를 겪게 되었다. 1370년대에 제노바는 페스트가 베네치아(그곳은 고통이 특히 극심했다)를 덮친 참혹한 상황을 이용하여 아드리아해의 통제권을 빼앗으려 했다. 도박은 엄청난 역풍을 불러왔다. 결정적인 타격을 가할 수 없었던 제노바는 문득 자기네가 너무 벌려놓아 취약해졌음을 깨달았다. 이 도시국가가 여러 세대에 걸쳐 서아시아와 흑해 연안, 그리고 북아프리카에 만들었던 속령들은 경쟁자들에 의해 하나씩 하나씩 뜯겨 나갔다. 제노바의 손실은 베네치아의 이득이었다.

오랜 경쟁자의 눈초리로부터 자유로워진 베네치아는 이제 삶이 정상으로 돌아왔다는 듯이 솟구쳐 올라 향신료 무역을 단단히 움켜쥐었다. 후추, 생강, 육두구, 정향이 더 많이 수입되었으며, 특히 알렉산드리아를 통해 들어오는 것이 많았다. 베네치아의 배들은 해마다 4000톤 이상의 후추를 이집트에서 실어왔으며, 레반트에서도 상당한 물량을 실어왔다. 15세기 말에는 매년 2000여 톤의 향신료가 베네치아를 거쳐 다른 지역으로 운송되어 상당한 이문을 남기고 팔렸다. 이 향신료들은 음식, 약품, 화장품 등에 쓰였다.[77]

베네치아는 또한 그림 물감이 들어오는 주요 지점이었다. 때로 '베네치아의 수입품'으로 뭉뚱그려 언급되는 물건들 가운데는 '그리스산 녹색'이라는 뜻의 베르디그리(동록銅綠)·은주銀朱·호로파葫蘆巴·연석황鉛錫黃·골탄骨炭과 금분金粉(황화제2주석)으로 알려진 금 대용품 등이 있었다. 그러나 가장 유명하고 특징적인 것은 중앙아시아에서 채굴한 청금석이었다.

15세기의 프라 안젤리코와 피에로 델라 프란체스카나 그 이후의 미켈란젤로, 레오나르도 다빈치, 라파엘로, 티치아노 등이 유럽 미술의 황금기를 이끌 수 있었던 것은 두 가지 덕분이었다. 하나는 아시아와의 교류로 다양한 색을 내는 물감을 얻을 수 있었기 때문이고, 다른 하나는 돈이 많아 예술가들을 후원할 수 있었기 때문이다.[78]

동방으로 가는 무역 사절단은 매우 수익성이 높아서, 공화국은 이를 사전에 경매에 부쳤다. 낙찰자에게 시장과 수송과 정치적 위험을 넘기는 대신 지급 보증을 해주었다. 한 베네치아인이 자랑스럽게 말했듯이, 갤리선들이 이 도시에서 출항하여 모든 방향으로 나갔다. 아프리카 해안으로, 베이루트와 알렉산드리아로, 그리스 땅으로, 프랑스 남부로, 플랑드르로.

많은 부가 도시로 쏟아져 들어오면서 저택들이 우뚝우뚝 솟아올랐다. 특히 리알토와 산마르코 대성당 부근의 요지들에 많았다. 땅이 좁았고 비쌌기 때문에 건물을 세우는 데 새로운 기법이 개발되었다. 멋지고 넓은 안뜰이 있는 이중 계단 대신 공간을 적게 차지하는 계단통으로 바꾸는 식이었다. 하지만 보통 상인들의 집도 도금한 천장, 대리석 계단, 인근 무라노산 유리로 꾸민 발코니와 창문 등 호화로운 설비를 갖추었다고 한 베네치아인은 자랑스럽게 말했다. 베네치아는 유럽, 아프리카, 아시아 무역의 훌륭한 집산지였다. 그리고 그것을 과시할 사치품들을 소유했다.[79]

베네치아만 번성한 것이 아니었다. 달마티아 해안에 점점이 박혀 있는 여러 도시들도 상인들이 나가고 들어오는 여행에서 중간에 쉬어 가는 곳이 되면서 북적거렸다. 라구사(오늘날의 두브로브니크)는 14세기와 15세기에 이례적인 수준의 번영을 누렸다. 1300년에서 1450년 사이에 가처분소득이 네 배 증가했다. 소득이 너무 빠르게 치솟았기 때문에 급속하게 오르는 신부 지참금을 억제하기 위해 상한선을 강제하기까지 했다. 도시에 현금이 흘러넘쳐서 부분적으로 노예제를 폐지하는 조치를 취했다. 그렇게 풍요로운 시대에 같은 인간을 속박하고 노예 노동에 대해 임금을 지불하지 않는 것은 잘못이라고 생각되었다.[80] 베네치아와 마찬가지로 라구사도 부지런히 교역망을 구축하고 에스파냐, 이탈리아, 불가리아는 물론 심지어 인도와도 광범위한 교역관계를 맺었다. 인도에서는 고아에 식민지를 건설했는데, 그 중심지는 라구사의 수호성인 블라시오스를 모시는 산비아조 교회였다.[81]

호황의 그늘

아시아의 여러 지역들도 비슷하게 급성장하고 야망을 키웠다. 남부 인도의 사업은 중국과의 무역 및 페르시아만 지역이나 더 먼 지역과의 무역이 증가하면서 호황을 누렸다. 안전과 품질 관리를 확보하기 위해 길드가 조직되었다. 이는 또한 경쟁자의 진입을 막아 독점하기 위한 것이기도 했다. 이 길드들은 말라바르 해안과 스리랑카에서 지배적인 지위를 유지하고 있던, 스스로 고른 집단의 손에 돈과 영향력을 집중시켰다.[82]

이런 시스템 아래서 효율적이고 공정한 거래를 위한 교역의 규칙이 공식화되었다. 15세기 초 중국인 여행자 마환馬歡이 쓴 기록에 따르면, 물건을 사고파는 가격은 중개인에 의해 결정되었다. 모든 세금과 부과금은 상품을 선적하기 전에 지불해야 했다. 이것은 장기적인 거래 전망을 밝게 했다. 마환은 이렇게 덧붙였다.

"그곳 사람들은 매우 정직하고 믿을 만했다."[83]

그것은 어쨌든 생각이었다. 사실 인도 남부 해안의 도시들은 혼자 장사하는 것이 아니었고, 서로 치열하게 경쟁했다. 15세기에 코친이 캘리컷의 경쟁자로 떠올랐다. 매우 경쟁력 있는 조세 제도가 상당한 거래자들을 끌어들인 것이다. 그것이 일종의 선순환을 이루어 중국인들의 눈길을 사로잡았다. 중국의 해군력을 과시하기 위해 무슬림 환관 출신의 위대한 제독 정화鄭和가 이끌었던 몇 차례의 대규모 원정대는 영향력을 발휘하며 멀리 인도양과 페르시아만, 그리고 홍해 일대에 이르는 교역로를 누볐다. 그들은 특히 코친의 군주와 유대관계를 맺는 데 특별한 노력을 기울였다.[84]

이 원정은 14세기 중반 몽골족의 원 왕조를 대신하여 들어선 명나라가 취한 일련의 야심찬 시도의 일부였고, 이 야심은 갈수록 커졌다. 베이징에 많은 돈을 쏟아부어 도시에 물자를 공급하고 방어하기 위한 기반시설들을 건설했다. 상당한 자원이 투입되어 북쪽 스텝 지대와의 국경을 지키고, 만주 쪽에서 다시 일어나고 있는 조선과 경쟁하고자 했다. 한편 남쪽으로의 군사적 진출이 강화되어 캄보디아와 시암(오늘날의 태국)에서 침략하지 않겠다는 약속의 대가로 지역 특산물과 사치품을 잔뜩 가지고 오는 정기 사행使行이 들어오기 시작했다. 예컨대 1387년에는 시암 왕국이 각기 7000킬로그램의 후추와 백단白檀 기름을 가져왔고, 그로부터 2년 뒤에는 그 양의 열 배에 이르는 후추, 백단 기름, 향료를 실어왔다.[85]

그러나 이렇게 멀리까지 뻗어나가는 데는 비용이 들었다. 정화의 첫 번째 원정에는 큰 배 60척과 작은 배 수백 척이 동원되었고, 선원은 3만 명 가까이 되었다. 급료 및 장비와 제독이 외교 수단으로 사용하도록 딸려 보낸 막대한 선물 등을 마련하는 데 많은 비용이 들 수밖에 없었다. 이 일과 각종 프로젝트에 비용을 지불하기 위해 지폐 발행을 급격히 늘렸다. 물론 은의 채굴량도 늘렸다. 그 결과 1390년 이후 단 10년 만에 이 부문의 수입이 세 배로 늘었다.[86] 농업경제와 세금 징수의 개선은 중앙정부의 수입을 크게 늘리고, 현대의 한 학자가 이야기했듯이 명령 경제의 창출을 자극했다.[87]

중국의 국운은 중앙아시아에서의 사태 전개에 의해 도움을 받았다. 그곳에서는 출신이 불분명한 군사 지도자가 등장하여 중세 말기의 가장 유명한 인물이 된다. 바로 '절름발이' 테무르다. 그의 위업은 잉글랜드의 희곡에서도 칭송되었으며, 그의 사나운 공격성은 현대 인도인의 생각 속에 자리 잡았다.

테무르는 1360년대 이후로 줄곧 소아시아에서부터 히말라야 산맥까지 뻗어 있는 몽골의 땅에 대제국을 건설했으며, 자신의 왕국 곳곳에 이슬람 사원과 왕궁을 건설한다는 야심찬 계획을 세웠다. 사마르칸트, 헤라트, 마슈하드 같은 도시들이다. 목수, 화공畵工, 직조공, 재단사, 보석세공사 등 당대인의 표현을 빌리면 "모든 분야의 기술자들"이 동방의 도시들을 꾸미는 데 동원되었다. 그들은 대부분 다마스쿠스가 약탈당할 때 추방되어 이곳으로 이송된 사람들이었다.

테무르의 궁정에 파견되었던 한 에스파냐 왕의 사절이 쓴 기록은 건설의 규모와 건축 양식의 수준을 생생하게 보여준다. 사마르칸트 인근의 아크사라이 궁전의 대문은 "금색과 푸른색 타일로 정교하게 작업해 아름답게 장식"되고, 주主 응접실은 "금색과 푸른색 타일을 붙이고 천장은 금칠"을 했다. 파리의 유명한 기술자라도 그런 훌륭한 솜씨를 보여줄 수 없었을 것이다.[88] 그러나 이것도 사마르칸트 자체와 테무르의 궁전에 비하면 아무것도 아니었다. 궁전은 "몸통이 사람 다리만큼 두꺼워 보이는" 황금 나무들로 장식되었다. 황금 잎 사이로 '열매'들이 있었는데, 자세히 살펴보면 루비, 에메랄드, 터키석, 사파이어였다. 크고 완벽하게 둥근 진주도 있었다.[89]

테무르는 자신이 복속시킨 사람들에게서 짜낸 돈을 쓰는 데 주저함이 없었다. 그는 "전 세계에서 가장 고급인" 중국산 비단을 샀고, 사향, 루비, 다이아몬드와 대황大黃 등 각종 향신료를 구입했다. 한 번에 낙타 800마리가 동원되는 상인단이 사마르칸트로 상품을 실어왔다. 중국인들은 어떤 사람들(도시가 점령당할 때 10만 명이 처형당했던 델리 주민들 같은 사람들)과 달리 테무르에게서 돈을 벌었다.[90]

그러나 이제 자신들이 당할 차례가 된 듯했다. 한 기록에 따르면 테무르는 과거의 삶을 반성하며 시간을 보냈다. 그는 자신이 저지른 "약탈과 포로 억류, 대학살 같은 행위"를 속죄할 필요가 있다고 결론 내렸다. 그리고 그렇게 하는 최선의 길에 대해 이렇게 단정했다.

"이교도들을 상대로 성전을 벌이면 '선행은 악행을 씻어낸다'는 격언대로 그 잘못과 죄악이 잊힐 것이다."

테무르는 명나라 궁정과의 관계를 단절했고, 1405년에 중국을 공격하러 나섰다. 그리고 가던 도중에 죽었다.[91]

문제가 현실로 나타나는 데는 오랜 시간이 걸리지 않았다. 테무르의 자손들이 제국 지배권을 놓고 밀치락달치락하는 사이에 페르시아의 주들에서는 분열과 반란이 일어났다. 그러나 더 구조적인 문제는 15세기의 세계 금융위기로 인해 촉발되었고, 이것이 유럽과 아시아에 영향을 미쳤다. 이 위기는 600년 뒤의 위기처럼 여러 가지 요인에 의해 촉발되었다. 과포화 상태의 시장, 통화의 평가절하, 균형을 잃어 길을 벗어난 국제수지 등이었다. 비단과 기타 사치품에 대한 수요가 늘고는 있었지만 흡수하는 데는 한계가 있었다. 수요가 떨어졌다거나 취향이 바뀐 것이 아니었다. 교환 수단이 악화된 것이 문제였다. 특히 유럽은 값비싼 직물, 도자기, 향신료를 사들이고 그 대가로 줄 만한 것이 별로 없었다. 중국은 외국에 팔 수 있는 물량 이상을 효율적으로 생산하고 있었으니, 언젠가 물건을 살 능력이 고갈되리라는 것은 예측할 수 있는 결론이었다. 그 결과는 종종 '지금地金 기근'으로 표현되어왔다.[92] 오늘날 우리는 그것을 '신용 경색credit crunch'이라 부른다.

중국 관리들은 봉급이 많지 않았다. 이 때문에 부패 사건이 자주 터졌고, 무능이 만연했다. 게다가 세금을 정확하고 공정하게 부과하더라도, 납세자들은 정부의 비합리적인 과잉 의욕(세수가 계속 늘 것이라는 가정 아래 거창한 계획에 지출을 하려는 경향)에 맞출 수가 없었다. 그러나 세수는 늘지 않았다. 1420년대가 되면 중국에서 부유한 지역들도 세금을 감당하기가 버거워졌다.[93] 거품은 터질 수밖에 없었고, 15세기 초반에 결국 터지고 말았다.

명나라 황제들은 비용 절감에 나섰으며, 베이징의 개선 작업을 연기하고 돈이 많이 드는 해상 원정과 대운하 계획 같은 프로젝트를 중단했다. 수도 베이징과 장강 남쪽의 항저우杭州를 잇는 대운하 사업에는 한창때에 수만(수십만일 수도 있다) 명까지 동원되었다.[94] 유럽에서는 주화의 가치를 떨어뜨려 위축에 대응하려는 노력이 기울여졌다(유럽은 자료가 많아 더 잘 알 수 있다). 물론 귀금속 부족과 그 비축 및 재정 정책 사이의 관계는 복잡한 문제였다.[95]

그러나 분명한 사실은 세계의 통화 공급이 조선에서 일본까지, 베트남에서 자바까지, 인도에서 오스만제국까지, 북아프리카에서 유럽 대륙까지 모두 부족했다는 점이다. 말레이 반도의 상인들은 이 문제를 자기네가 직접 해결했다. 주석으로 조잡한 새 통화를 주조해서 지역에 풍부하게 공급한 것이다. 그러나 간단히 말해서, 알려진 세계의 한쪽 끝과 다른 쪽 끝을 연결해주는 공통의 통화 기능을 했던 귀금속(물론 언제나 표준 단위와 무게와 순도였던 것은 아니지만)의 공급은 중단되었다. 돈이 충분하게 유통되지 않았다.[96]

오스만의 등장

이런 어려움은 기후 변화의 시기와 겹쳐 더욱 가중되었을 가능성이 있다. 중국에서 기근과 가뭄이 파괴적인 홍수와 겹친 이례적인 시기는 환경 요인이 경제 성장에 미치는 영향을 분명하게 보여준다. 북반구 및 남반구의 빙상氷床 고갱이에서 나온 황산염 띠의 흔적은 15세기에 광범위한 화산 활동이 일어났음을 보여준다. 이는 전 세계적인 한랭화를 촉발했고, 스텝 세계에서는 연쇄 반응이 일어났다. 음식과 물 같은 자원을 놓고 경쟁이 격화되어 혼란의 시기로 이어졌다. 특히 1440년대에 심했다. 대체로 이 시기의 역사는 침체와 궁핍, 적나라한 생존 경쟁으로 점철되었다.[97]

그 효과와 결과는 지중해에서 태평양에 이르는 곳곳에서 감지되어, 전 세계에서 벌어지고 있던 일에 대한 불안감을 더욱 부채질했다. 테무르의 제국이 등장한 것은 유럽에서 광범위한 공포를 불러일으키지 않았지만, 오스만의 등장은 분명히 많은 사람들을 갈수록 불안하게 만들었다. 오스만은 14세기 말 보스포루스 해협 너머로 몰려가서 동로마와 불가리아, 세르비아인들에게 궤멸적인 패배를 안기고 트라케와 발칸 반도에 자리 잡았다.

콘스탄티노플은 실 하나에 매달린 형국이었다. 무슬림의 바다에 둘러싸인 기독교도들의 섬이었다. 그들은 유럽 여러 나라에 군사적 지원을 호소했지만 응답을 받지 못했고, 도시는 풍전등화와 같은 신세였다. 마침내 1453년에 제국의 수도가 함락되었다. 기독교 세계에서 가장 큰 축에 속하는 이 도시의 함락은 이슬람의 승리였고, 이슬람은 다시 한 번 상승세를 타고 있었다. 로마에서는 콘스탄티노플 함락 소식이 들려오자 사람들이 울며 가슴을 쳤고, 교황은 도시에 갇힌 사람들을 위해 기도를 올렸다. 그러나 유럽은 이런 심각한 상황에서도 움직일 줄 몰랐고 이제는 너무 늦은 상황이었다.

러시아는 콘스탄티노플의 몰락을 예의주시했다. 그곳에서는 이 사건이 무슬림의 부활을 알리는 것이라기보다는 세상의 종말이 임박했다는 징표로 보였다. 정교회에는 오래전부터 전해지는 예언이 있었다. 예수가 제8천년기가 시작될 때 와서 마지막 심판에 임할 것이라는 예언이다. 이제 그 예언이 실현될 시점이 다가온 듯했다. 악마의 힘이 속박에서 풀려나 기독교 세계에 괴멸적인 타격을 가했다. 고위 성직자들은 종말이 머지않았음을 확신한 나머지 한 사제를 서유럽에 보내 정확하게 하루 중 어느 시각에 그 일이 일어날지에 대한 구체적인 정보를 알아보도록 했다. 일부 사람들은 부활절이나 기타 앞으로 다가올 축일이 언제인지를 따지는 것은 의미가 없다고 생각했다. 시간의 종말이 곧 닥칠 것이기 때문이었다. 러시아에서 사용하고 있던 동로마 역법을 근거로 삼으면 시점은 너무도 분명했다. 예수 탄생 전 5508년의 창조 날짜를 이용하면 1492년 9월 1일이 세상이 종말을 맞는 날이었다.[98]

유럽의 반대쪽에서도 아마게돈이 빠르게 다가오고 있다고 확신한 사람들이 있었다. 에스파냐에서는 종교적·문화적으로 점점 더 편협해지는 시기에 무슬림과 유대인들에게 관심이 집중되었다. 무슬림은 안달루시아에서 무력에 의해 쫓겨났고, 유대인들은 기독교로 개종하거나 에스파냐를 떠나라는 단호한 명령을 받았다. 이도 저도 아니면 처형이었다. 그들은 필사적으로 재산을 처분하려 했다. 과수원이 옷가지 몇 개에 처분되면서 투자자들이 재산을 그러모았다. 토지와 멋진 집이 푼돈에 팔렸다.[99] 더 고약한 것은 이 헐값으로 처분한 물건들이 10년도 되지 않아 크게 올랐다는 사실이다.

많은 유대인들은 콘스탄티노플로 가는 것을 선택했다. 이 도시의 새로운 무슬림 지배자들은 이들을 환영했다. 오스만의 바예지드 2세는 1492년 이 도시에 도착한 유대인들을 환영하면서 이렇게 외쳤다.

"너희들은 페르난도(2세)가 현명한 지배자라고 생각하는가? 그는 제 나라를 피폐하게 해서 나의 나라를 부자로 만들어주었다."[100]

이 말은 단순한 점수 따기가 아니었다. 오늘날의 사람들은 어리둥절하겠지만, 이 장면은 이슬람의 초창기를 떠올리게 한다. 유대인들은 존중과 환영을 받았다. 새로운 정착민들은 법적인 보호와 권리를 가졌고, 많은 경우에 낯선 나라에서 새로운 삶을 시작하는 데 도움을 받았다. 관용은 스스로의 정체성에 대해 자신감 있고 확신에 찬 사회의 중요한 특징이었다. 그러나 기독교 세계에 대해서는 그렇게 말하기 어려웠다. 광신과 종교적 근본주의가 기독교 사회의 특징으로 자리 잡고 있었다.

콜럼버스의 두 가지 계획

신앙의 미래에 대해 조바심했던 사람 가운데 하나가 크리스토퍼 콜럼버스였다. 그의 계산으로는 예수의 '재림'까지 아직 155년이나 남아 있었지만, 그는 '신자'들이 종교 문제에 대해 입발림 이외에는 더 이상 아무 일도 하지 않는 것에 분노했다. 특히 유럽이 예루살렘에 관심을 갖지 않는 데 대해 경악했다. 그는 집착에 가까운 열정으로 '성도'를 해방시키기 위한 새로운 원정을 시작할 계획을 세웠다.

이와 동시에 두 번째 집착도 키웠다. 아시아에 그렇게 풍부하고 값싸다는 귀금속과 향신료와 보석에 대한 집착이었다.[101] 이들 물건을 쉽게 구할 수 있다면 다시 예루살렘을 해방시키기 위한 대규모 원정

자금을 마련할 수 있을 것이라고 결론지었다.[102] 문제는 그가 있는 곳이 이베리아 반도라는 점이었다. 그곳은 지중해 지역에서 가장 불리한 위치였고, 그 때문에 그의 거창한 생각이 몽상에 그칠 수 있었다.[103]

아마도, 정말로 추측일 뿐이지만 희망은 있었을 것이다. 어쨌든 피렌체의 파올로 토스카넬리 같은 천문학자와 지도 제작자들의 말에 희망을 품었다. 토스카넬리는 유럽의 끝에서 서쪽으로 항해하면 아시아로 가는 항로를 찾을 수 있다고 주장했다. 콜럼버스는 경솔하고 무모해 보이는 계획을 가지고 다른 사람들을 설득하는 데 엄청난 노력을 기울였고, 결국 그의 계획은 구체화되기 시작했다.

카간에게 바칠 인사 편지도 준비했다. 카간의 이름이 들어갈 자리는 정확한 이름을 알아내면 채워 넣기 위해 공란으로 비워두었다. 그는 예루살렘 수복에서 동맹자가 될 터였다. 몽골 지도자 및 그 대표들과 대화하기 위해 통역도 구했다. 히브리어, 칼데아어, 아랍어 전문가들도 고용되었다. 칼데아어는 예수와 제자들이 사용한 아람어와 관련이 있는 언어이고, 아랍어는 카간과 그의 신하들을 다루는 데 유용할 것으로 보이는 언어였다. 한 학자가 말했듯이 유럽에서 반反무슬림 정서가 확산되면서 아랍어가 배척되고 법으로도 금지되었지만, 그것은 또한 서유럽이 마침내 동아시아와 연결되었을 때 의사소통을 할 수 있는 언어로 판단되었다.[104]

러시아에서 예측한 세상의 종말이 한 달도 채 남지 않은 1492년 8월 3일, 세 척의 배가 에스파냐 남부 팔로스 데 라프론테라를 출항했다. 콜럼버스는 돛을 펼치고 미지의 세계로 출발하면서도 자신이 무언가 놀라운 일을 하게 될 것이라고는 기대하지 못했다. 그는 유럽의 무게중심을 동쪽에서 서쪽으로 옮겨놓으려 하고 있었던 것이다.

5년 뒤 바스쿠 다가마가 지휘하는 또 하나의 작은 선단이 리스본 항을 출항하여 긴 발견 항해에 나서고, 아프리카의 남쪽 끝을 돌아 인도양에 도달함으로써 유럽의 변신에 필요한 마지막 조각이 갖추어졌다. 갑작스럽게 유럽 대륙은 더 이상 실크로드의 종점이 아니었다. 그곳은 세계의 중심이 되려 하고 있었다.

황금의 길

탐험시대의 도래

세계는 15세기 말에 변했다. 콜럼버스와 다른 사람들이 두려워했던 세상의 종말은 없었고, 시간의 종말도 없었다. 적어도 유럽이 우려했던 것만큼은 아니었다. 에스파냐와 포르투갈에서 출발한 몇 차례의 장거리 탐사는 아메리카 대륙을 처음으로 아프리카와 유럽, 그리고 최종적으로 아시아와 연결시켰다. 그 과정에서 새로운 교역로가 만들어졌다. 어떤 경우에는 기존의 교역로를 확장했고, 또 어떤 경우에는 아예 대체했다. 사상과 물건과 사람이 인류 역사상 그 어느 때보다도 더 멀리, 더 빠르게 이동하기 시작했다. 그리고 수적으로도 훨씬 더 많았다.

새로운 시작의 무대 중앙은 유럽이었다. 유럽은 황금색 빛으로 감싸이고, 지속적인 황금기를 맞았다. 그러나 유럽의 부상은 새로 발견된 지역들에는 끔찍한 고난을 안겨주었다. 16세기 이후 꽃핀 거대한 대성당과 장려한 미술, 생활수준의 향상에는 대가가 필요했다. 그 대가는 대양 건너에 살고 있던 사람들이 치렀다. 유럽인들은 세계를 탐험했을 뿐만 아니라 그곳을 지배했다. 육·해군의 운용과 관련된 여러 가지 기술의 끊임없는 발전 덕분에 가능한 일이었다. 이를 통해 그들은 새로운 세계에서 만나는 사람들을 제압했다. 제국의 시대와 서방의 부상은 대규모로 폭력을 가할 수 있는 능력을 바탕으로 이루어진 것이었다. 계몽운동과 이성의 시대, 민주주의를 향한 전진, 자유권과 인권은 고대의 아테네로 연결되는 보이지 않는 사슬이나 유럽의 자연스러운 정세의 결과가 아니었다. 그것은 멀리 떨어진 나라들에서 거둔 정치적·군사적·경제적 승리의 열매였다.

이는 1492년 콜럼버스가 미지의 세계를 향해 출발할 때는 가능해 보이지 않던 일이었다. 그의 항해 일지에는 흥분과 두려움, 낙관론과 불안이 가득했다. 그는 카간을 만날 수 있다고 (그리고 예루살렘 해방에 자신의 역할이 있을 거라고) 확신하면서도, 그 여행이 죽음과 재난으로 끝날 수도 있음을 알았다. 그는 자신이 동방으로 가고 있다고 썼다. "통상적으로 가는 길"이 아니라 "서쪽으로 가는 길을 통해서"였다.

"이전에 누군가가 지나갔는지 알 수 없는 길을 통해서였다."[1]

사실 이 야심찬 탐험은 선구자가 몇 명 있었다. 콜럼버스와 그 승무원들은 오래고도 성공적이었던 탐험시대의 일부였고, 이를 통해 이베리아 반도의 기독교 세력은 아프리카와 대서양 동안 지역에서 세계의 새로운 부분을 발견하게 되었다. 이는 부분적으로 서아프리카의 금 시장에 접근하려는 시도로 인해 추동된 것이기도 했다. 이 지역의 광물자원은 전설적인 것이어서, 초기 무슬림 작가들은 '황금의 땅'이라고 불렀다. 어떤 사람들은 이렇게 주장했다.

"금은 모래밭에서 당근 자라듯 자라서 해 뜰 무렵에 수확한다."

다른 사람들은 물에 마법적인 성질이 있어서, 어둠 속에서 금덩

어리를 자라게 한다고 생각했다.[2] 금 생산량은 엄청났고, 그 경제적 효과는 막대했다. 화학 분석을 해보면 무슬림 이집트의 순도 높기로 유명한 주화들이 서아프리카산 금으로 만든 것이었고, 이는 사하라 횡단 교역로를 통해 운송되었다.[3]

고대 말기 이래 이 상거래는 상당 부분 완가라(만딩고) 상인들이 장악하고 있었다.[4] 말리 계통의 이 부족은 아시아에서 소그드인들이 담당했던 것과 비슷한 역할을 했다. 험난한 지형을 가로지르고 사막 곳곳의 위험한 교역로를 따라 거점을 만들어 장거리 교역의 길을 텄다. 이렇게 교역 물동량이 생기자 오아시스와 교역 기지 네트워크가 등장했고, 시간이 지나면서 젠네, 가오, 팀북투 같은 도시들이 발달했다. 이들 도시에는 왕궁과 인상적인 이슬람 사원이 잔뜩 들어섰고, 거대한 벽돌 성벽으로 보호되었다.[5]

14세기 초가 되면 특히 팀북투는 단순히 상업 중심지가 아니라 학자, 음악가, 미술가와 학생들의 근거지가 되었다. 이들은 상코레, 징게르베르, 시디야흐야 이슬람 사원 주변에 모여들었고, 이곳들은 지적 대화의 상징이자 아프리카 전역에서 수집한 수많은 필사본들의 집합소였다.[6]

당연한 일이지만 이 지역은 수천 킬로미터 떨어진 곳에서도 관심을 끌었다. 14세기에 말리 제국의 만사('왕 중 왕', 즉 황제라는 의미다)였던 무사 1세는 '독실하고 공정한 사람'으로 불렸고, 그런 사람은 과거에 볼 수 없었다고 한다. 그가 메카 순례길에 카이로를 지났는데, 이 도시 사람들은 놀라서 숨이 턱 막히고 말았다. 그는 수많은 수행원을 거느렸고, 막대한 양의 돈을 가지고 와서 선물로 뿌렸다. 그가 이 도시를 방문하는 동안 시장에서 너무 많은 돈을 써서 지중해 연안과 서아시아 지역에 일시적인 경기 침체가 일어났다고 한다. 새로운 자금의 대량 유입으로 금값이 폭락했기 때문이다.[7]

아주 먼 나라에서 온 작가들과 여행자들은 말리 왕의 계보를 꼼꼼하게 기록하고 팀북투의 궁중 의례에 관해서도 적었다. 예컨대 북아프리카의 위대한 여행가 이븐 바투타는 사하라 사막을 건너가서 이 도시와 거기에 사는 위엄 있는 만사 무사를 직접 알현했다. 이 지배자는 금빛 두건을 쓰고 곱고 붉은 천으로 만든 튜닉을 입은 채 궁궐 밖으로 나오곤 했다. 그의 뒤에는 악사들이 금줄과 은줄로 만든 악기를 연주하며 따랐다. 그런 뒤에 그는 호화롭게 장식된 부속 건물(꼭대기에 매 크기의 황금 새가 올려져 있었다)에 앉아 제국 전역에서 들어온 그날 소식을 들었다. 왕은 놀랄 만큼 돈이 많았던 터라, 이븐 바투타는 무사가 더 넉넉하게 선물을 주지 않은 데 대해 실망감을 감출 수 없었다. 적어도 그에게는 말이다. 이븐 바투타는 이렇게 썼다.

"그는 쩨쩨한 왕이다. 많은 선물을 줄 거라고 기대해서는 안 된다."[8]

기독교권 유럽의 관심은 또한 이집트와 북아프리카 일대의 튀니스, 세우타, 베자이아 같은 도시에서 금이 거래되면서 생긴 믿기 어려운 부에 관한 이야기에 자극받은 것이기도 했다. 이들 도시들은 수백 년 동안 피사, 아말피와 특히 지중해 지역에서 아프리카산 금을 가장 많이 들여온 제노바 상인들이 세운 식민지의 중심이었다.[9]

이런 상업적인 접촉이 있었지만, 유럽에서는 금이 어떻게 해서 해안 도시들로 오는지에 대한, 또는 멀리 남아프리카 림포포와 동아프리카 스와힐리 해안, 그리고 아프리카 내륙에서 나는 상아와 수정, 짐승 가죽과 거북딱지를 가져오는 복잡한 교역망에 대한 지식이나 이해가 별로 없었다. 홍해와 페르시아만, 인도양으로 가는 길에 대해서도 마찬가지였다. 유럽의 관점에서 보면 사하라 사막은 대륙의 나머지 부분을 신비 속에 가리는 장막이었다. 좁고 비옥한 띠 모양의 북아프리카 해안 지역 너머에서 어떤 일이 벌어지고 있는지 알 방법이 없었다.[10]

반면에 사막 건너편 땅이 엄청난 부의 원천이라는 인식은 분명히 있었을 것이다. 이는 14세기 말 아라곤의 페드로 4세의 명령으로 만든 유명한 카탈루냐 지도에 적절하게 포착되어 있다. 이 지도에서는 검은 피부의 군주(보통 만사 무사로 추정한다)가 서양식 옷을 입고 커다란 금덩어리를 들고 있다. 그 옆에는 그의 재산 규모를 설명하는 글이 있다. "그의 나라에는 금이 아주 많아서, 그는 이 지역에서 가장 돈이 많고 가장 고귀한 왕이다."[11]

그러나 서아프리카의 금과 보물들에 직접 접근하려고 노력했지만, 오랫동안 결실을 맺지 못했다. 오늘날의 모로코 남부와 모리타니의 메마른 해안은 건질 것이 별로 없었고, 심지어 본전도 못 찾을 수 있었다. 그리고 거주하기 힘들고 사람이 살지 않는 불모지를 지나 수백 킬로미터를 항해하여 미지의 세계로 갈 유인이 없는 듯했다. 그러다가 15세기에 이 세계는 천천히 열리기 시작했다.

포르투갈의 야망

동부 대서양과 아프리카 해안을 내려가는 탐험으로 카나리아 제도와 마데이라 제도, 아소르스 제도 같은 여러 도서군島嶼群이 발견되었다. 이 섬들은 추가적인 발견의 가능성을 높였을 뿐만 아니라 그 자체로서 돈이 벌리는 오아시스가 되었다. 기후가 좋고 땅이 비옥해서 설탕을 만드는 작물이 자라는 데 적합했기 때문이다. 여기서 생산되는 설탕은 곧 잉글랜드의 브리스틀이나 플랑드르뿐만 아니라 멀리 흑해 지역에까지 수출되었다. 콜럼버스가 출항할 무렵에 마데이라에서만 매년 1500톤가량의 설탕을 생산하고 있었다. 다만 대가는 치러야 했다. 한 학자가 근세 초의 '환경 파괴'로 묘사한 것이 그 대가였다. 숲이 개간되고 토끼나 쥐 같은 외래 동물종이 엄청나게 증가했다. 그것은 신의 징벌로 여겨질 정도였다.[12]

이베리아 반도에서 서서히 세력을 굳힌, 야망이 큰 카스티야 왕국 지배자들이 이 '신세계'에 눈독을 들이고는 있었지만, 주도권을 잡은 것은 포르투갈이었다.[13] 13세기 이후 포르투갈인들은 북유럽 및 남유럽을 아프리카 시장과 연결 짓는 교역망을 활발하게 구축하고 있었다. 디니스 1세의 치세(1279~1325)에 이미 무슬림들의 북아프리카와 기타 지역에서 들여온 상품들을 가득 실은 대형 수송선이 정기적으로 "플랑드르, 잉글랜드, 노르망디, 라로셸"은 물론 "세비야와 [지중해의] 기타 지역들"에까지 파견되었다.[14]

포르투갈의 야망이 커지면서 이제 그 힘도 커졌다. 먼저 제노바가 금 교역에서 밀려났다. 그리고 1415년, 몇 년에 걸친 계획 끝에 북아프리카 해안의 무슬림 도시인 세우타가 점령되었다. 이는 의지 표명이나 마찬가지였다. 그곳은 전략적으로나 경제적으로 가치가 별로 없었기 때문이다. 실제로 이는 오히려 역효과를 냈다. 세우타를 점령하는 데는 상당한 비용이 들었으며, 오랜 거래 관계를 망가뜨리고 현지 주민들의 반감만 샀다. 도시의 큰 이슬람 사원을 기독교 교회로 개조하고 예배를 보는 등 강압적인 태도를 보였기 때문이다.[15]

이런 공격적인 자세는 당시 이베리아 반도 전역에서 커지고 있던 이슬람교에 대한 광범한 적대감의 일면이었다. 포르투갈의 '항해왕자'

엔히크는 1454년 교황에게 대서양 항해의 독점권을 요청하는 편지를 썼다. 그는 자신의 목적이 인도인들에게 가려는 것이라고 말했다.

"[그들은] 그리스도의 이름을 경배한다고 합니다. 따라서 우리는 (……) 그들을 설득해서 사라센인들에 맞서 싸우는 기독교도들을 도우러 오게 할 수 있습니다."[16]

그런 큰 틀의 야망이 전부는 아니었다. 포르투갈의 팽창을 인정해달라는 요청은 이슬람 세계에 대한 문책을 주도하려는 것일 뿐만 아니라 유럽의 경쟁자들을 주저앉히려는 것이었기 때문이다. 그리고 사실 포르투갈의 행운은 무슬림 상인들과 불화를 일으키고 전통적 시장에 지장을 줌으로써 찾아오는 것이 아니라 새로운 것을 발견함으로써 오는 것이었다. 결정적으로 중요한 것은 탐험을 수월하게 해줄 동부 대서양의 도서군이었다. 식량과 신선한 물을 싣는 기지 노릇을 해줄 항구와 피난처로 활용될 곳이었다.

15세기 중반부터 포르투갈은 식민지 개척에 나섰다. 자기네의 촉수를 늘려 중요한 해로를 장악하려는 노력의 일환이었다. 오늘날 모리타니 서해안 바로 앞에 있는 아르깅과 가나의 대서양 해안에 있는 상조르즈 다 미나가 요새로 건설되었고, 여기에 커다란 보관 시설을 갖추었다.[17] 이들은 수입품을 꼼꼼하게 기록할 수 있도록 설계되었는데, 이는 15세기 중반 이후 아프리카 무역이 왕실 독점 사업이라고 고집한 포르투갈 왕국에 중요한 의미를 지니는 것이었다.[18] 확대되고 있는 포르투갈의 해상 교역망에서 새로 추가된 지점들을 어떻게 운영해야 할지를 공식적으로 정리한 관리 체계가 처음부터 만들어졌다. 1450년대의 카부베르드 제도의 경우처럼 새로운 발견이 이루어지면 적용할 수 있는 검증된 본보기가 있었다.[19]

카스티야인들도 이런 일이 벌어지는 동안 마냥 손 놓고 있었던 것은 아니다. 그들은 경쟁국의 깃발이 나부끼는 배들에게 직접 압박을 가함으로써, 남쪽으로 이어진 사슬을 따라 새로 터를 잡은 지점들에 대한 포르투갈의 장악력을 떨어뜨리고자 했다. 긴장은 1479년의 알카소바스 협정으로 누그러졌다. 이 협정에서 카스티야는 카나리아 제도의 통제권을 얻었지만, 대신 다른 도서군에 대한 권한과 서아프리카와의 무역 통제권을 포르투갈에 내주어야 했다.[20]

그러나 아프리카의 문을 열고 서유럽의 운명을 바꾼 것은 군사력이나 외교술도, 교황의 면허도, 영토 점령을 둘러싼 왕실 간의 경쟁도 아니었다. 진정한 약진은 모험기업의 배 선장들이 식용유와 가죽을 거래하고 금을 살 기회를 찾는 것 이외에 더 쉽고 더 나은 기회가 있음을 깨달으면서 이루어졌다. 유럽의 역사에서 여러 차례 사실로 입증되었듯이, 가장 큰 돈벌이는 인신매매였다.

번창하는 아프리카 노예무역

아프리카 노예무역은 15세기에 폭발적으로 증가했다. 그것은 시작부터 매우 수지맞는 장사임이 드러났다. 포르투갈에서는 크고 작은 농장에서 일할 인력이 필요했다. 첫 번째 원정에서 많은 노예들을 데리고 돌아왔기 때문에 이 원정을 후원한 엔히크 왕자는 제국의 새로운 시대를 열었다고 해서 알렉산드로스 대제 못지않은 영웅으로 떠받들어졌다. 얼마 지나지 않아 부자들의 집에는 “남녀 노예들이 넘쳐흐를 정도로 가득 차 있는” 것으로 묘사되었다. 이에 따라 그 소유주들은 자본을 다른 곳에 투자해서 더 큰 부자가 되었다.[21]

서아프리카에서 잡아온 사람들을 노예로 삼는 것에 대해 어떤 도덕적 갈등을 느낀 사람은 거의 없었다. 일부 자료에 동정을 시사하는 경우가 언급되기는 하지만 말이다. 한 포르투갈 역사가는 1444년 아프리카 서해안을 습격해서 라고스로 데려온 아프리카인들의 신음과 통곡과 눈물을 기록했다. 이제 "아버지를 아들과, 남편을 아내와, 형을 동생과 갈라놓을" 때가 되자 노예들은 더욱 슬퍼한다. 심지어 옆에서 보고 있는 사람들까지도. 한 구경꾼은 이렇게 썼다.

"아무리 냉혹한 사람이라도 이 무리를 보고 가련함과 아픔을 느끼지 않을 사람이 어디 있을까?"[22]

그러나 이런 반응은 흔치 않았다. 사는 사람도 파는 사람도, 팔리는 사람에 대한 배려는 없었다. 국왕 역시 마찬가지였다. 그는 노예가 추가 노동력일 뿐만 아니라 킨투(아프리카 무역의 수입에서 얻는 이익의 5분의 1을 내는 세금)를 통한 수입원이기도 하다고 보았다. 따라서 더 많은 사람들을 데려와서 팔수록 더 좋았다.[23]

라고스 부둣가에서 목격한 장면에 가슴이 뭉클해졌다고 주장한 그 역사가조차도 2년 뒤에 노예 사냥에 참여하면서 전혀 양심의 가책을 느끼지 않았다. 이 사냥에서 해변에서 조개를 줍던 여자 하나와 두 살 먹은 그 아들이 붙잡혔고, 열네 살 먹은 소녀는 너무도 격렬하게 몸부림치는 바람에 세 사람이 달려들어 배에 밀어넣어야 했다. 적어도 그 여자는 "기니 사람치고는 괜찮은 용모를 지녔다"라고 그는 덤덤하게 말했다.[24]

남자와 여자와 아이들이 습격을 통해 일상적으로 잡혀왔다. 마치 동물 사냥 같았다. 어떤 사람들은 여러 척의 배를 조직하여 함께 움직일 수 있도록 허가해달라고 왕자에게 청했다. 왕자는 이 청을 허락했을 뿐만 아니라 "그리스도 기사단의 십자가가 들어간 깃발을 만들라고 (……) 곧바로 명령했다." 깃발은 배마다 하나씩 달도록 했다. 이렇게 해서 인신매매범들은 국왕 및 하느님과 한패가 되었다.[25]

이렇게 새로 들어오는 돈이 본국 사람들을 모두 감동시킨 것은 아니었다. 15세기 말 폴란드에서 온 한 방문객은 이 나라 주민들에게서는 친절함이나 기품이나 교양이라곤 전혀 찾아볼 수 없어 충격을 받았다. 그는 포르투갈 남자들에 대해 이렇게 썼다. "상스럽고 초라하고 예의범절을 모르고 똑똑한 체하지만 무식하다."

여자들에 대해서는 이렇게 썼다. "예쁜 사람이 별로 없고, 거의 모두가 남자처럼 생겼다. 다만 눈은 대체로 검어서 귀엽다." 여자들은 또한 엉덩이가 큼지막했다. 그는 이렇게 덧붙였다. "너무도 풍만해서 정말로 이 세상에서 그보다 근사한 것을 볼 수 없을 것이라고 해야겠다." 그러나 여자들은 또한 음탕하고 탐욕스럽고 변덕스럽고 인색하고 무절제하다고 썼다.[26]

노예무역이 포르투갈 경제에 상당한 영향을 미치기는 했지만, 그것이 15세기의 기다란 아프리카 해안선 탐험과 발견에서 한 역할은 훨씬 더 컸다. 포르투갈 배들은 더 남쪽으로 가서 먹잇감을 찾았는데, 그들이 거듭 확인한 사실은 남쪽으로 더 내려갈수록 잘 방어되고 있는 정착지가 적다는 것이었다. 그들은 마을 어른이나 족장들이 궁금해서 걸어 나와 자기네를 맞으면 으레 그들을 그 자리에서 학살하고, 그들의 방패와 창을 빼앗아 왕이나 왕자에게 전리품으로 바쳤다.[27]

탐험가들은 풍부하고 쉬운 벌이를 찾는 데 더욱 박차를 가해, 15세기 말엽에 아프리카 해안을 따라 더 밀고 내려갔다. 노예 사냥 원정대 이외에, 포르투갈 왕 주앙 2세는 사절단을 실은 배들을 파견했다. 그는 에스파냐보다 우위를 차지하기 위해 강력한 현지 지배자들과 긴밀한 관계를 맺으려고 열심이었다. 그런 대리인 가운데 하나가 다름 아닌 콜럼버스였고, 그는 곧 자신의 경험을 동원하여 또 다른 장거리 항해에서 보급하고 보수하고 유지하는 데 무엇이 필요한지를 추산했다. 그는 또한 아프리카 해안선의 길이에 관한 새로운 정보를 바탕으로 지구 둘레를 계산해보려 했다. 앞으로 있을 야심찬 여행에 대비한 것이었다.[28]

다른 탐험가들은 현재에 매달려 살았다. 1480년대에 디오구 캉Diogo Cão은 콩고 강 입구를 발견하고, 이 지역의 강력한 왕과 공식적인 사절을 교환하기로 했다. 그 왕은 세례를 받는 데 동의했다. 포르투갈인들은 이에 환호했고, 이를 로마 교황에게 자기네가 자격이 있음을 과시하는 용도로 사용했다. 특히 이 콩고의 왕이 적과 전쟁을 치르면서 십자가 표시가 들어간 교황의 깃발을 들고 다닌 일을 강조했다.[29] 1488년, 탐험가 바르톨로메우 디아스가 대륙의 남쪽 끝에 도달했다. 그는 여기에 토르멘타스('폭풍우') 곶이라는 이름을 붙였고(나중에 보아 에스페란사 곶, 즉 희망봉으로 바뀌었다—옮긴이), 그런 뒤 매우 위험한 여정 끝에 본국으로 돌아왔다.

포르투갈은 그 팽창을 조심스레 억제했다. 1484년 연말 무렵 콜럼버스가 포르투갈 왕 주앙 2세에게 접근해서 대서양 건너 서쪽으로 가는 탐험에 자금을 대달라고 요청하자 이를 묵살하기까지 했다. 그러면서도 주앙은 이에 큰 자극을 받아 "비밀리에 소형 쾌속 범선 한 척을 보내 [콜럼버스가] 제안한 것을 시도해보도록" 했다. 그러나 디아스의 극적인 발견에 대해서조차도 후속 조치를 취하지 않았다는 것은 포르투갈의 주된 관심이 새로운 곳으로 더 확장하는 것은 아니었음을 시사한다. '신세계'의 최근에 접촉한 곳에서의 확장을 공고히 하는 데

그쳤던 것이다.[30]

콜럼버스의 '발견'

콜럼버스가 1492년에 마침내 후원자를 찾아 출항하자 사태는 변했다. 그 후원자는 아라곤과 카스티야의 왕인 페르난도 2세와 이사벨 1세였다. 대서양 건너에서 전해진 그의 발견 소식은 유럽을 열광시켰다. "갠지스 강 너머 인도"의 일부인 새로운 땅과 섬들이 "발견되었다"고 그는 에스파냐로 귀환하는 도중에 페르난도와 이사벨에게 보낸 편지에서 확신에 차서 말했다. "[그곳은] 한없이 비옥해서 (……) 다른 곳과 비교할 수도 없습니다."

그곳에는 향신료가 셀 수도 없이 많이 자라고 있었다. "커다란 금광과 다른 광물들"이 개발을 기다리고 있고, "카간의 영토인 (……) 본토와" 광범위한 무역도 할 수 있었다. 목화, 유향, 침향, 대황, 향신료와 노예, 그리고 "수천 가지 온갖 귀중한 것들"을 풍부하게 발견했다고 썼다.[31]

하지만 사실 콜럼버스는 자신이 목격한 모습에 혼란스럽고 얼떨떨해져 있었다. 그는 교양 있는 사람들을 만나리라고 예상했지만, 벌거벗고 돌아다니는 원시적인 현지 주민들과 마주쳤다. 그들은 "체격이 아주 좋고 멋진 몸매에다 얼굴도 잘생겼"지만, 또한 잘 속고 빨간 모자나 목걸이나 심지어 깨진 유리 조각과 도자기 조각만 주어도 기뻐했다. 그들은 무기에 대한 개념이 없어 칼을 보여주자 날 쪽을 잡아 베이기도 했다. "무지 때문에" 일어난 결과였다.[32]

어떤 면에서 이는 좋은 소식으로 보였다. 그는 자신이 만난 사람들은 "매우 온순하고 악이라는 것이 뭔지 모르는" 존재라고 썼다.

"[그들은] 하늘에 하느님이 한 분 계시다는 것을 알고 있었고, 우리가 하늘에서 내려온 사람들이라고 확신했습니다. 그들이 당장 기도를 해달라고 해서 우리는 기도를 해주었고, 그들은 십자가 기호를 그렸습니다."

"많은 사람들"이 "우리의 거룩한 신앙으로" 개종하는 것은 시간이 지나면 저절로 이루어질 문제였다.[33]

사실 자신의 이례적인 발견을 으스대며 자랑한 이 편지는 음험한 장난의 걸작이었고, 일부 역사가들이 말하듯 "과장과 오해와 노골적인 거짓말투성이"[34]에 지나지 않았다(이 편지 사본은 너무도 빠르게 전파되어, 콜럼버스와 그의 선원들이 거의 본국 근해에 들어오기도 전에 여러 버전으로 바젤, 파리, 안트베르펜, 로마에 나돌았다). 그는 금광을 발견하지 못했고, 계수나무·대황·침향나무라고 했던 식물은 그런 종류가 아니었다. 그리고 카간의 흔적은 눈곱만큼도 없었다. 그곳에 많은 보물이 있어 7년 안에 5000명의 기병과 5만 명의 보병에게 급료를 지불할 돈을 마련할 수 있고 예루살렘을 정복할 것이라는 주장은 사기였다.[35]

이런 패턴이 콜럼버스가 대서양을 건너 여러 차례 항해하는 동안 계속 반복되었다. 그는 다시 금광을 발견했다며 후원자인 페르난도와 이사벨을 설득했다. 구체적인 증거를 가져오지 못한 데 대해서는 몸이 아팠고 수송 문제도 있었다고 둘러댔다. 그러고는 진실을 숨기기 위해 앵무새와 식인종, 거세한 남자를 보냈다. 그는 첫 번째 탐험에서 일본에 가까이 갔다고 확신했던 것처럼, 에스파뇰라 섬에서 인상적으로 큰 금덩이 몇 개를 발견하고서는 이제 자신이 솔로몬의 신전 건설에 쓰인 금의 산지라는 오피르(오빌)의 금광 부근에 있다고 확신에 차서 보고했다. 나중에 그는 천국의 문도 발견했다고 주장했는데, 사실

은 베네수엘라의 오리노코 강 입구에 도달한 것이었다.[36]

콜럼버스는 원정의 모든 일에 대해 시시콜콜 집요하게 간섭해서 대원들의 불만을 샀다. 식량을 인색하게 배급하고, 누구라도 자신의 생각에 반대하면 이성을 잃었다. 화가 난 대원 몇 명이 유럽으로 돌아갔다. 그들이 가지고 간 정보는 콜럼버스의 보고와 허황된 낙관론에 찬물을 끼얹었다. 대서양을 건너는 것은 웃기는 짓이라고, 에스파냐의 탐험가 페드로 데 마르가리트와 선교사 베르나르도 보일은 에스파냐의 지배자들에게 말했다. 금은 없고, 벌거벗은 원주민과 진기한 새와 장신구 몇 개 외에는 아무것도 가지고 올 것이 없다고 했다. 탐험 비용은 결코 회수할 수 없을 것이라는 얘기였다.[37] 보물을 발견하는 데 실패한 것이 아마도 물질적인 부에서 새 영토의 성적性的인 부분으로 관심이 옮겨간 이유였을 것이다. 15세기 말과 16세기 초에 이 새로 발견된 땅에 관해 쓴 기록들은 점차 이색적인 성 풍습과 남들이 보는 가운데서 갖는 성관계, 그리고 동성애 등에 집중되었다.[38]

그러나 이때 운명이 바뀌었다. 1498년, 콜럼버스는 지금의 북부 베네수엘라에 있는 파리아 반도를 탐사하다가 목에 진주 목걸이를 걸고 있는 현지인들을 만났다. 그리고 이어 굴 서식지가 있는 섬을 발견했다. 탐험자들은 달려가서 횡재물을 배로 가져왔다. 당대의 기록들은 "일부는 개암 크기만 하고 매우 맑고 아름다운" 진주를 터질 듯이 채운 자루들을 배에 실어 에스파냐로 가져왔고, 배의 선장과 선원들은 부자가 되었다고 적고 있다.[39] 가서 줍기만 하면 되는 진주가 널려 있다는 이야기에 사람들은 흥분했다. 게다가 그것은 엄청나게 크고 엄청나게 값싸다고 했다.

이런 소문이 유럽 전역을 휘젓고 다니면서 금세 과장되었다. 표면적으로는 이탈리아 탐험가 아메리고 베스푸치가 썼다고 하지만 심하게 윤색되었거나 위작일 가능성이 높은 한 기록은 그가 "119마르크(약 27킬로그램)의 진주"를 "종과 거울, 유리 목걸이와 놋쇠판만" 주고 교환할 수 있었다고 전한다.

"[원주민] 한 사람은 종 하나만 받고 자신이 가진 진주를 몽땅 내주었다."[40]

어떤 진주들은 너무 커서 그 자체로 유명해졌다. 여태까지 발견된 것 가운데 가장 큰 축에 속하는 라페레그리나La Peregrina('순례자')와 비길 데 없이 뛰어난 비슷한 이름의 라펠레그리나La Pelegrina 같은 것들이다. 둘은 모두 수백 년 동안 유럽의 여러 왕실이나 황실 보물창고에서 귀중하게 여겨졌고, 디에고 벨라스케스 같은 화가들에 의해 군주의 초상화 속에 그려졌다. 더 최근에는 유명한 현대 수집가들의 애장품이 되었다. 엘리자베스 테일러도 역대 소장자 가운데 한 사람이었다.

진주 노다지에 이어 금과 은이 발견되었다. 에스파냐인들이 중앙아메리카 및 남아메리카를 탐사하면서 아즈텍과 곧이어 잉카 같은 수준 높고 복합적인 사회를 만나는 과정에서였다. 불가피하게 탐험은 정복으로 변했다. 콜럼버스는 첫 탐험 때, 유럽인들은 자기네가 접촉한 사람들에 비해 월등한 기술적 우위를 차지하고 있었다고 썼다.

"인도인들(그는 이들을 이렇게 잘못 불렀다)은 무기를 지니지 않았고, 모두 벌거벗고 다닌다. 그리고 무기를 만드는 기술도 없고, 겁도 많아서 1000명이 세 사람도 당해내지 못할 것이다."[41]

그들은 한 잔치에서 콜럼버스가 투르크 활의 정확성을 보여주고 이어 작은 롬바르드 포와 갑옷을 뚫을 수 있는 중포重砲인 스핀가드의 힘을 과시해 보이자 놀라워하며 쳐다보았다. 새로 도착한 사람들은 자기네가 만난 사람들의 목가적이고 순진한 구석에 찬탄했겠지만, 동시에 자기네의 살인 도구들을 자랑스러워했다. 그것은 무슬림이나 유럽의 이웃한 기독교 왕국들과 수백 년 동안 거의 쉴 새 없이 싸우면서 발전시킨 것이었다.[42]

콜럼버스는 자신이 처음 건너가 만난 사람들이 소극적이고 순진하다고 조언한 적이 있었다. 그는 이렇게 썼다.

"그들은 명령을 내려 일을 시키고 경작을 하게 하고 그 밖에 무엇이든 필요한 일을 시키는 데 적합하다. 그들에게 마을을 건설하게 하고 우리의 풍습을 가르쳐야 한다."[43]

애초부터 현지 주민들은 노예로 삼을 수 있는 존재로 간주되었다. 폭력은 금세 예삿일이 되었다. 1513년 쿠바 섬에서는 에스파냐인들에게 "주방을 다 털어" 음식과 생선과 빵을 선물하러 온 마을 사람들이 "눈곱만 한 도발도 하지 않았는데도" 학살되었다고, 충격을 받은 한 목격자는 말했다. 이것은 수많은 잔혹 행위 가운데 하나일 뿐이었다.

"나는 (……) 어떤 생명체도 본 적이 없고 볼 것이라고 생각지도 못할 정도로 잔인한 장면을 목격했다."

에스파냐의 탁발 수도사 바르톨로메 데 라스카사스는 유럽인들이 정착하던 초기에 겪은 일에 대해 이렇게 썼다. 이 글은 '신세계'에서 일어나는 일에 대한 섬뜩한 보고서였다.[44] 그가 본 것은 겨우 시작일 뿐이었다. 그는 《인도 제도 이야기 Historia de las Indias》에서 재기 넘치는 기술로 이들이 '인도인들'을 어떻게 다루었는지를 보고하고 있다.

탐험에서 정복으로

카리브해와 아메리카 대륙의 원주민들은 철저하게 짓밟혔다. 콜럼버스의 첫 항해 이후 수십 년 사이에 원주민인 타이노족은 50만 명에서 겨우 2000여 명으로 줄었다. 이는 부분적으로, 스스로를 콩키스타도르conquistador('정복자')라 부르기 시작한 사람들이 이들을 흉포하게 다루었기 때문이다. 대표적인 인물이 에르난도 코르테스였는데, 중앙아메리카를 탐험하고 확보하기 위한 그의 피에 굶주린 원정은 아즈텍 황제 몬테수마 2세의 죽음과 아즈텍 제국의 붕괴를 초래했다. 코르테스는 부자가 되기 위해 무슨 짓이든 서슴지 않았다. 그는 아즈텍인들에게 이렇게 말했다.

"나와 내 친구들은 심장병을 앓고 있는데, 금이 있어야 그 병을 치료할 수 있소."[45]

그는 믿어도 된다면서 이렇게 말했다.

"두려워할 필요 없소. 우리는 당신들을 매우 좋아하오. 오늘은 우리 심장이 편안해졌소."[46]

코르테스는 상황을 완벽하게 이용했다. 물론 아즈텍인들이 그를 케찰코아틀 신의 현신現身으로 생각했기 때문에 그가 성공을 거둘 수 있었다는 이야기는 후세의 창작이지만 말이다.[47] 에스파냐인들은 아즈텍의 멸망으로 덕을 보려는 틀락스칼라의 지도자 시코텡카틀과 동맹을 맺으면서 고도로 발달한 사회를 붕괴시키는 일에 나섰다.[48] 아메리카 대륙의 다른 지역에서 일반화된 것처럼, 현지인들은 경멸을 당했다. 16세기 중반의 한 학자는 이렇게 썼다.

"[원주민들은] 상당히 겁이 많고 두려움이 많아서, 우리를 보기만 해도 공포로 인해 쓰러진다. (……) 그래서 에스파냐인 몇 명만 나타나도 여자들처럼 달아나버린다."

판단력과 지혜와 고결함에서 "그들은 아이들이 어른에 비해 열등한 것처럼 열등하다"라고 그는 썼다. 그는 이어, 정말로 그들은 사람이라기보다는 원숭이에 가깝다고 했다. 다시 말해서 그들은 거의 인간으로 간주될 수 없다는 것이었다.[49]

코르테스와 그의 부하들은 몽골인들의 거대한 아시아 침략에 비견될 만한 무자비한 태도로 아즈텍의 보물들을 차지하고 "각자 탐욕에 사로잡혀 (……) 작은 짐승들처럼" 약탈했다고, 16세기에 목격자들의 증언을 인용한 기록은 전하고 있다. "보석이 잔뜩 박힌 목걸이, 멋진 솜씨로 만든 발찌, 손목 밴드, 작은 황금 종이 달린 발목 고리, 지배자의 표지로 그만이 사용할 수 있도록 보관했던 터키옥 왕관" 등 아름다운 물건들이 약탈당했다. 방패와 장식물에서 떼어낸 금은 녹여서 막대 모양으로 만들었다. 에메랄드와 옥도 약탈했다.

"그들은 뭐든지 가져갔다."[50]

그것만으로는 성에 차지 않았다. 아즈텍의 수도 테노치티틀란에서 종교 축제 도중에 귀족과 사제들이 대량학살된 것은 근대 초에 벌어진 커다란 잔혹 행위 가운데 하나였다. 소수의 에스파냐인 부대는 미쳐 날뛰며, 북 치는 사람들의 손을 쳐낸 뒤 창과 칼로 군중을 공격했다. 유럽인들은 집집마다 뒤지며 새로운 희생자를 찾아냈다.

"피가 (……) 물처럼 흘렀다. 끈적끈적한 물 같았다. 피 냄새가 공중에 가득했다."[51]

토착민들을 통타한 것은 에스파냐인들이 사용한 무력과 행운의 동맹만이 아니었다. 유럽에서 들어온 질병 역시 그들에게 해를 입혔다.[52] 전염성이 높은 천연두가 발생하여 테노치티틀란 주민의 수가 급감했다. 그들은 이 병에 저항력이 없었고, 병은 1520년 무렵에 처음 나타났다.[53] 기근이 뒤따랐다. 특히 여성의 사망률이 높았는데, 이에 따라 여성들이 주로 맡고 있던 농업 생산이 격감했다. 사람들이 병을 피하려고 다른 곳으로 옮겨가면서 상황은 더욱 악화되었다. 농작물을 심고 거둘 사람이 줄어들면서 공급 사슬이 완전히 망가져버렸다. 질병과 기근으로 인한 사망자 수가 엄청났다.[54]

1520년대에 참혹한 질병이 과테말라의 칵치켈 마야 주민들을 덮쳤다. 아마도 유행성 감기였거나 천연두가 재발한 것일 가능성이 높다. 개와 독수리들이 시체를 뜯어먹으면서 시체 썩는 악취가 공기에 짙게 배어 있었다. 몇 년 뒤에 또다시 유행병이 덮쳤다. 이번에는 홍역이었다. '신세계'의 옛 주민들은 버틸 가망이 없었다.[55]

'신세계'의 부를 찾아서

유럽으로 가는 해로는 짐을 가득 싣고 아메리카 대륙에서 출발한 배들로 붐볐다. 이는 거리와 규모 모두에서 아시아를 가로지르는 망에 필적할 만한 새로운 네트워크였고, 곧 가치 면에서 그것을 능가하게 된다. 상상하기 어려울 정도로 많은 양의 은과 금, 보석과 보물들이 대서양을 건너 운송되었다. 신세계의 부에 대한 소문이 엄청나게 부풀려졌다. 16세기 초의 한 속설에 의하면 커다란 금덩어리들이 산비탈에서 강으로 쓸려 내려오면 현지 주민들이 그물로 건져낸다고 말했다.[56]

콜럼버스의 첫 보고서가 사실과 다르게 과장되었던 것과 달리, 이번에는 귀금속들이 정말로 본국으로 들어오고 있었다. 독일 미술가 알브레히트 뒤러는 1520년에 전시된 아즈텍 보물들의 정교한 솜씨를 보고 깜짝 놀랐다.

"내 평생 이 물건들만큼 마음을 즐겁게 하는 것을 본 적이 없다."

그는 "완전히 금으로 만든 태양"과 은으로 만든 달 등을 보고 이렇게 썼다. 둘 다 지름이 2미터 가까이 되었다. 그는 "이 놀라운 예술품"을 보고 얼어붙었고, 이것을 만든 "저 먼 나라에 사는 사람들의 오묘한 재주에"[57] 찬탄을 금치 못했다. 나중에 페루의 콩키스타도르가 되는 페드로 시에사 데 레온Pedro Cieza de León 같은 소년들은 세비야의 부둣가에 서서 줄줄이 늘어선 배에서 보물들이 내려지고 수레에 실려 어디론가 가는 모습을 구경하고 있었다.[58]

야망이 있는 사람들은 앞다투어 대서양을 건너갔다. 신세계에서 기회를 잡기 위해서였다. 디에고 데 오르다스Diego de Ordás는 코르테스를 따라 멕시코에 갔고 그 후 중앙아메리카와 현재의 베네수엘라를 탐험하는 원정대를 이끌었는데, 이런 비정한 인물들은 에스파냐 국왕과의 계약 및 면허를 이용하여 막대한 재산을 모으고 현지 주민들에게서 공물을 짜냈다. 이는 다시 본국 에스파냐의 왕실 금고를 가득 채워주었다. 왕이 자기 몫을 챙긴 것이다.[59]

오래지 않아 본국에서 조직적으로 정보 수집에 나서면서 믿을 만한 지도들이 작성되었다. 새로 발견한 곳이 기록되고, 도선사導船士 훈련도 이루어졌으며, 물론 본국으로 수입되는 물건들이 기록되고 정확하게 세금이 매겨졌다.[60] 이는 마치 고속으로 돌아가도록 맞춘 엔진의 스위치가 켜져 중앙아메리카 및 남아메리카에서 유럽으로 직접 부를 퍼내는 것 같았다.

이와 함께 타이밍과 혼맥婚脈, 임신 실패, 파혼 등이 얽힌 우연한 행운으로 나폴리, 시칠리아, 사르데냐는 물론 부르고뉴와 저지대 국가에 뻗어 있는 땅들, 그리고 에스파냐가 한 계승자의 손에 넘어가게 되었다. 돈이 끝없이 대서양을 건너 흘러들어왔기 때문에 에스파냐 국왕 카를로스 1세는 아메리카 대륙에 있는 새 제국의 지배자였을 뿐만 아니라 유럽 정치에서도 핵심 인물이 되었다. 이에 따라 야망도 재조정되었다. 1519년, 카를로스는 자리를 옮겨 자신의 지위를 더욱 강화했다. 그는 재정적 영향력을 동원해서 신성로마제국 황제 카를 5세가 되었다.[61]

카를로스의 행운은 다른 유럽 군주들을 혼란스럽게 했다. 그들은 자신의 힘을 더욱 확장하기로 단단히 결심한 지배자에게 패배하고 압도당하고 밀려났음을 깨달았다. 카를로스의 부와 영향력에 비하면 잉글랜드의 헨리 8세는 초라하기 짝이 없었다. 헨리의 수입은 자기 나라 교회의 수입과 비교해도 창피한 수준이었다. 에스파냐 국왕의 수입과는 비교할 나위도 없었다. 런던에 파견되었던 베네치아 사절의 말에 따르면 헨리는 매우 경쟁력 있는 인물로 "아주 멋진 종아리"를 가지고 있었다. 머리칼은 "프랑스풍으로" 짧고 곧게 잘랐으며, 동그란 얼굴이 "너무도 아름다워서 예쁜 여자로 보일 정도"였다. 그는 최악의 순간에 국내의 여러 문제들을 헤쳐나가야 했다.[62]

헨리는 앤 불린을 아내로 맞아들이기 위해 이혼을 하겠다고 고집했다. 당대의 어떤 사람에 따르면 불린은 "세상에서 가장 아름다운 축에 속하는 여자는 아니었다." 다만 눈은 "검고 아름다웠다." 카를 5세(카를로스 1세)가 유럽의 상당 부분과 교황의 꼭두각시 조종자로 있던 시기에 이런 헨리의 고집은 무모한 짓이었다. 그가 이혼하겠다는 아내가 다름 아닌 카를 5세의 이모 아라곤의 카탈리나였기 때문이다.[63] 교황이 카탈리나와의 혼인 무효(카탈리나는 본래 헨리의 형수였으나 형이 요절하자 황제의 영향력을 고려한 부왕이 헨리와 결혼시켰다. 이 때문에 헨리는 기독교 성서에 어긋나는 혼인이라며 무효를 주장했다 — 옮긴이) 승인을 거부하면서 벌어진 격변 상황에서 이 잉글랜드 왕은 단순히 교황과만 대립

한 것이 아니었다. 그는 이 세상에서 가장 돈 많은 사람이자 대륙을 지배하고 있던 사람에게 싸움을 걸고 있었다.

에스파냐가 유럽에서 비중이 높아지고 중앙아메리카 및 남아메리카에서 급속하게 팽창한 것은 거의 기적에 가까웠다. 부와 힘과 기회가 변함에 따라 에스파냐는 지중해의 가장 외진 곳에 있는 지방 변두리에서 세계의 강국으로 변모했다. 한 에스파냐 역사가에게 이것은 "천지창조 이래 가장 큰 사건"이나 다름없었다. "예수의 강생降生과 창조주 자신의 죽음을 제외하고"[64] 말이다. 또 다른 사람은 "그렇게 많은 금과 은이 매장된 페루 지방"을 보여준 것은 하느님의 뜻이라고 말했다. 미래 세대는 얼마나 많은 양의 보물이 발견되었는지 믿지 못할 것이라고 페드로 메히아Pedro Mejía는 생각했다.[65]

아메리카 대륙의 발견에 이어 곧 노예들이 수입되기 시작했다. 포르투갈 시장에서 산 노예들이었다. 포르투갈인들이 대서양 도서군과 서아프리카에서 경험해 알고 있듯이, 유럽인들의 정착에는 돈이 많이 들었고, 늘 남는 장사는 아니었으며, 현실적으로 어려움이 많았다. 가족을 설득해 사랑하는 사람들을 남겨두고 떠나는 것도 매우 어려운 일이었지만, 높은 사망률과 혹독한 현지 상황은 이를 더욱 어렵게 만들었다. 한 가지 해법은 고아와 수형자受刑者들을 강제로 상투메 같은 곳에 보내는 것이었다. 물론 "사적인 시중을 들라고 남녀 노예를" 제공하는 등 혜택과 장려책도 마련했다. 그렇게 인구 기반을 만들어 지속 가능한 행정 시스템을 세울 수 있도록 하는 것이었다.[66]

콜럼버스의 대서양 횡단 이후 30년이 채 되지 않아서 에스파냐 왕국은 이미 아프리카에서 아메리카로 노예를 수출하고 수송하는 일을 공식적으로 통제하고 있었고, 여러 세대에 걸친 인신매매로 죄책감을 못 느끼는 포르투갈 상인들에게 면허를 내주었다.[67] 아메리카는 폭력과 질병이 만연해서 기대수명도 그만큼 줄었기 때문에 수요는 거의 채울 수 없을 만큼 많았다. 8세기 이슬람 세계가 호황을 누릴 때 그랬던 것처럼, 세계의 한 부분에 부가 집중된다는 것은 다른 지역에서 오는 노예 수요가 급증한다는 얘기였다. 부와 속박은 함께 가는 것이었다.

오래지 않아 아프리카 지배자들이 저항하기 시작했다. 콩고 왕은 포르투갈 왕에게 여러 차례 항의하면서 노예 사냥에 대해 비난을 퍼부었다. 그는 귀족 출신을 포함한 젊은 남녀들이 백주에 납치되어 유럽 상인들에게 팔리고 상인들은 이들에게 뜨거운 쇠로 낙인을 찍는다고 비난했다.[68] 포르투갈 군주는 그만 불평하라고 응수했다. 콩고는 큰 나라여서 주민 일부가 배에 실려 나가도 지탱할 만하다는 것이었다. 그는 이어 어쨌든 콩고도 무역으로 상당한 이득을 보고 있고 거기에는 노예무역도 포함된다고 말했다.[69]

적어도 일부 유럽인들은 노예들의 고통과 새로 발견한 땅에서 끊임없이 이득을 짜내는 것을 보고 괴로워했다. 예루살렘을 수복할 전망은 어둠 속으로 사라져갔지만, 그 대신에 기독교도의 의무인 선교에 관한 생각이 곧바로 떠올랐다.[70] 한 예수회 사제는 1559년에 분노에 차서, 남아메리카의 유럽인 정착자들은 식민의 목적이 "금과 은을 많이 얻거나, 사람들을 정착시키고 공장을 세우거나, (……) 부를 [본국으로] 가져오는 것이 아니라 가톨릭 신앙을 찬미하고 영혼을 구제하는 것임을 알지 못하고 있다"라고 썼다.[71] 중요한 것은 돈을 버는 게 아니라 하느님의 말씀을 전파하는 것이었다. 이는 분명히 수백 년 전 남부 러시아와 중앙아시아 스텝 지대의 급성장하고 있던 교역로와 정착지들을 따라 여행한 기독교 선교사들의 주장과 판박이였다. 그들 역시 장사에 집착하는 것이 더 중요한 일들로부터 주의를 분산시키고 있다고 불평했었다.

아메리카 대륙의 경우에는 영적 보상의 은혜를 무시하는 데 대해 불평할 근거가 있었다. 막대한 양의 금이 에스파냐로 들어오고 있어 16세기 중반에는 전설적인 솔로몬의 시대를 능가한다는 표현까지 나왔다. 너무도 많은 보물들이 배에 실려 들어오자 1551년에 누군가가 카를 5세에게 이렇게 말했다.

"이 시대는 마땅히 에라 도라다era dorada로 불려야 합니다."[72]

에라 도라다는 '황금시대'라는 뜻이다.

아메리카에서 짜낸 부가 전부 에스파냐로 간 것은 아니었다. 선단을 통해 보물을 본국으로 보내는 일이 시작되자마자 프랑스와 북아프리카 항구들에 진을 치고 있던 눈치 빠른 모험가들과 해적들이 수송을 방해하며 노획물을 가로채기 시작했다. 본토에 거의 접근하기를 숨어서 기다리거나, 시간이 지나면서 위험을 무릅쓰고 카리브해까지 진출하여 더 먼 곳에서 보물을 가득 실은 배를 습격했다.[73]

보물을 얻을 수 있다는 이야기는 멀고도 넓은 지역으로부터 기회를 잡으려는 사람들을 끌어들였다. 북아프리카의 대서양 연안 앞바다에서 얻을 수 있는 "엄청난 부와 명예에 관한 이야기"는 "에스파냐인들을 인도(아메리카)의 광산으로 가도록 자극했던 것과 같은 흥분으로"[74] 그들을 이 지역으로 끌어들였다고, 당대의 한 필자는 절망적으로 썼다. 해상의 습격자들 가운데는 무슬림도 있었다. 그들은 물건을 가득 싣고 돌아오는 배를 나포하는 일에 나섰을 뿐만 아니라, 에스파냐 해안의 항구와 마을들을 약탈하고 포로들을 데려가서 몸값을 받아내거나 노예로 팔아버리기까지 했다.

이 습격은 종교적 동기에서 한 것처럼 꾸며졌다. 물론 이는 사물을 보는 매우 이상화된 방식이다. 그러나 유럽의 해적들조차도 내세울 정치적 주장이 있었다. 이베리아의 배들을 공격하는 것은 규제를 받는 사업이 되었다. 에스파냐 왕의 경쟁자들(그들도 기독교도다)이 민간 나포 허가증을 발급했던 것이다. 그러자 에스파냐 왕도 재빨리 많은 장려책을 담은 해적 소탕 면허를 내놓아 이 최악의 범죄자들을 법으로 처단하고자 했다. 성공한 사람들은 왕으로부터 많은 보상을 받았고, 명성까지 얻었다. 페드로 메넨데스 데 아빌레스도 그런 사람이었는데, 그는 전시에 전투기 조종사들이 사살 내용을 기록하는 방식으로 희생자들에 대해 기록했다.[75]

서유럽의 시대가 열리다

해외에서 신세계가 발견되었지만, 본국에서도 새로운 세계가 만들어졌다. 활기에 넘친 새 사상이 장려되고, 새로운 취향을 마음껏 충족시키며, 지식인들과 과학자들이 서로 부대끼며 후원자와 후원금을 얻으려 경쟁하는 곳이었다. 대륙 탐험에 직접 관련된 사람들의 가처분소득과 그들이 가지고 돌아온 부가 증가하여 문화적 수혈을 위한 자금을 대고 그것이 유럽을 변모시켰다. 부유한 후원자들이 수십 년 사이에 등장했다. 그들은 사치품에 돈을 쓰고 싶어했고, 희귀하고 이국적인 것에 대한 욕구가 컸다.

유럽은 새로운 부를 통해 자랑스러움과 자신감을 되찾았고, 또한 예루살렘 재점령이 가져다줄 것으로 기대되었던 방식대로 신앙도 강화되었다. 많은 사람들에게, 아메리카 대륙에서 나오는 무진장해 보이는 부가 하느님의 축복을 확인한 것이며, "원하시면 누구에게든지, 어떤 방식으로든지 왕국을 주거나 빼앗으시는 하늘에 계신 주님이 정하신 것"[76]이라는 점은 너무도 분명했다. 새로운 시대, 진정한 '황금시대'의 도래는 로마의 거리에서 통곡을 하게 하고 가슴을 치게 하고 눈물을 흘리게 했던 1453년의 투르크인들에 의한 콘스탄티노플 함락을 잊게 해주었다.

이제 할 일은 과거를 재창조하는 것이었다. 옛 제국 수도 콘스탄티노플의 종말은 입양된 새 상속자들이 고대 그리스와 로마의 유산에 대한 권리를 주장할 수 있는 기회를 제공했다. 그것도 열렬하게 말이다. 사실 프랑스, 독일, 오스트리아, 에스파냐, 포르투갈, 잉글랜드는 아테네나 고대 그리스 세계와 아무 관련이 없다. 그리고 로마의 역사에서도 초기부터 멸망하는 날까지 대체로 주변부였다. 그러다가 예술가, 작가, 건축가들이 고대로부터 주제와 발상과 문장을 빌려다가 이야기를 꾸미고 과거에서 입맛에 맞는 것을 골라 그럴싸하게 만들었고, 이는 시간이 지나면서 점차 사실처럼 되었을 뿐만 아니라 아예 표준이 되었다. 따라서 학자들은 오랫동안 이 시기를 르네상스('부흥')라 불렀지만 이는 결코 재탄생이 아니었다. 그것은 오히려 네상스Naissance('탄생')였다. 역사상 처음으로 유럽이 세계의 중심이 된 것이다.

은의 길

이동하는 '신세계'의 부

유럽인들이 아메리카 대륙을 발견하기 전에도 교역 방식은 개선되고 있었다. 15세기의 경제적 충격 이후다. 일부 학자들은 이것이 서아프리카 금 시장에 좀 더 쉽게 접근할 수 있게 되었기 때문이라고 주장한다. 아울러 발칸 반도와 유럽의 다른 지역의 광산에서 채굴량이 늘어난 것도 도움이 되었다. 아마도 기술이 발전하여 새로운 귀금속 광산을 개발할 수 있었기 때문이었을 것이다. 예컨대 1460년 이후 수십 년 사이에 작센, 보헤미아, 헝가리, 스웨덴의 은 생산량은 다섯 배로 증가했다.[1] 다른 학자들은 15세기 후반에 세금 징수가 효율적으로 이루어진 점을 지적한다. 경제의 위축은 교훈을 주었다. 특히 과세 표준을 더 주의 깊게 통제할 필요성을 인식했다. 그것은 다시 '군주제의 부활'로 이어진다. 군주제 체제에서는 중앙집권화가 사회적·정치적 측면에서 필요할 뿐만 아니라 통화의 관점에서도 필요하다.[2]

한 조선인 여행자의 기록으로 판단하자면, 15세기 말에는 교역의 회전율이 빨라졌던 것으로 보인다. 상하이上海에서 100킬로미터쯤 떨어진 쑤저우蘇州 항에는 배들이 "구름처럼" 모여들어 "얇고 두꺼운 비단, 금·은·보석과 공예품" 등의 화물을 새로운 시장으로 실어가기 위해 대기하고 있었다고 최부崔溥는 썼다. 도시는 부유한 상인들 천지였고, 높은 생활수준을 자랑했다. 그는 "사람들이 호화롭게 살고 있다"라고 부러운 듯이 썼으며, 이 부유하고 비옥한 지역에 "시장 구역이 별처럼 널려 있다"라고 썼다.[3] 이곳도 전망이 좋기는 했지만, 핵심은 중국의 태평양 연안 항구에 있는 것이 아니라 수천 킬로미터 떨어진 이베리아 반도에 있었다.

해법은 두 부분으로 이루어져 있었다. 15세기 후반에 유럽의 경기가 점차 호전되면서 사치품에 대한 수요가 늘었다. 신세계의 부가 배에 실려 에스파냐로 들어오면서 막대한 자원이 비축되었다. 세비야에서는 금과 은이 세관에 "밀처럼 쌓여" 새로운 건물을 지어야 했다. 엄청난 양의 물건들을 수용하여 제대로 세금을 물리려면 필요한 작업이었다.[4] 어떤 목격자는 한 선단이 운송해온 화물을 하역하는 것을 보고 놀라움을 금치 못했다. 그는 하루 동안에만 "금·은과 귀한 보석을 실은 수레" 332대가 들어오는 것을 보았다. 6주 뒤에는 686대분의 귀금속이 들어왔다. 너무 많아서 "교역청Casa de Contratación에 이를 모두 수용하지 못해 청사 안뜰에까지 흘러넘쳤다"라고 그는 썼다.[5]

바스쿠 다가마의 인도 항해

콜럼버스의 대서양 횡단이 가져다준 막대한 횡재는 똑같이 야심찬 또 하나의 해상 원정이 거둔 엄청난 성공과 맞물렸다. 아시아로 가는 길을 찾으려는 콜럼버스의 시도가 값비싼 실책이었다는 공포가 에스파냐에서 커지고 있던 바로 그때, 또 하나의 선단이 장비를 갖추고 항해에 나설 준비를 마쳤다. 바스쿠 다가마의 지휘 아래 배속된 선원들은 출발하기 전에 포르투갈 왕 마누엘 1세를 배알했다.

국왕은 최근에 대서양 건너에서 이루어진 발견에 대해 요령 있게 언급을 피하면서 다가마에게 목표를 설명했다. "인도와 그 주변에 있는 나라들로 가는 새로운 길"을 찾아내라. 그 과정에서 "새 왕국과 세계"가 이교도들의 손에서 회수되어 "우리 주 예수 그리스도의 믿음"이 선포될 것이라고 그는 이어 말했다. 이교도란 바로 무슬림이었다. 그러나 왕은 즉각적인 보상에도 관심이 있었다. "고대의 작가들이 그렇게 찬탄했던 동방의 부"를 얻는다면 멋지지 않겠는가. 그렇게 중얼거렸다. 그는 이어 베네치아, 제노바, 피렌체와 그 밖의 이탈리아의 큰 도시들이 동방과의 교역에서 얼마나 이득을 얻었는지 생각해보라고 했다. 포르투갈인들은 자기네가 사는 곳이 세계에서 변두리일 뿐 아니라 유럽에서조차 변두리라는 것을 뼈저리게 느끼고 있었다.[6]

이 모든 것은 다가마의 투기적인 원정과 함께 바뀌었다. 그의 배들이 처음 남아프리카에 도착했을 때 전망은 그리 밝지 않았다. 실망한 것은 그곳 주민들 때문은 아니었다. 그들은 알몸이었고 생식기만 가린 상태였다. 음식은 물개와 가젤 고기를 먹었고, 약초 뿌리를 씹었다. 계피, 정향, 진주, 금과 "다른 여러 가지" 견본을 현지인들에게 보여주었지만, "그들은 전혀 모르는 것임이 분명했다."[7]

희망봉을 돌아 북쪽으로 향하면서 바스쿠 다가마의 운수가 바뀌었다. 케냐 해안의 말린디에서 동쪽으로 가는 길을 발견했을 뿐만 아니라 계절풍을 헤치고 인도에 도달할 수 있도록 도와줄 노련한 안내인을 만났다. 열 달에 걸친 여정 끝에 그는 캘리컷 항구 앞바다에

닻을 내렸다.[8] 그는 콜럼버스가 실패한 일에 성공했다. 아시아로 가는 해로를 발견한 것이다.

그곳에는 이미 본국 가까운 곳에서 온 상인 공동체들이 있었다. 그의 귀에 익숙한 말이 들려왔다.

"제기랄!"

튀니스에서 온 두 무슬림 상인 가운데 하나가 소리쳤다. 그는 에스파냐어와 제노바어를 할 줄 알았다.

"여기는 어떻게 왔어?"

그들이 의례적인 인사를 나눈 다음에 한 말은 그의 귀에 달콤하게 들렸다.

"당신 복 터졌네, 복 터졌어! 여기는 루비도 무진장 많고 에메랄드도 많아! 이런 곳에 당신을 데려다준 하느님께 엄청 감사를 드려야 할 거야!"[9]

그러나 포르투갈인들은 자기네가 본 것을 이해해보려고 애썼다. 마치 콜럼버스가 그랬듯이 말이다. 관을 쓴 힌두 신들의 조각상이 가득 들어찬 사원들은 기독교 성인들의 모습으로 장식된 교회처럼 생각되었다. 또한 정화 의식에서 뿌려진 물은 기독교 사제들이 베푸는 성수聖水로 해석되었다.[10] 예수의 제자 중 하나인 성 토마스(도마)가 인도에 와서 많은 사람들을 기독교로 개종시켰다는 이야기가 오래전부터 유럽에 유포되었기 때문에 수많은 그릇된 결론들이 끝없이 도출되었고, 다가마는 이를 가지고 돌아왔다. 특히 동방에 많은 기독교 왕국들이 있어 이슬람 세력에 맞서 싸우려 한다는 이야기가 대표적이다. 동방에서 무엇을 보았는지에 대한 보고의 상당수는 오해의 소지가 있거나 전혀 사실이 아닌 것으로 드러났다.[11]

캘리컷의 왕인 사무티리와의 협상은 다가마에게 또 하나의 시험대였다. 그는 포르투갈 왕이 "이 지역의 어느 왕"보다도 부자라고 사무티리에게 말했는데, 사무티리는 정말로 그렇다면 증거를 대보라고 압박했다. 실제로 그가 모자와 세숫대야, 산호 목걸이 몇 개, 설탕과 꿀을 내놓자 사무티리의 신하들은 웃음을 터뜨렸다. 메카에서 온 가장 가난한 상인조차도 그런 형편없는 선물 보따리로 자기네 왕을 모욕하지는 않을 것이라고 그들은 조롱했다.[12]

긴장이 높아졌다. 포르투갈인들은 많은 호위대의 엄격한 감시를 받고 있어서 함부로 움직일 수 없었다.

"모두가 칼과 전투용 양날 도끼, 방패, 활과 화살 등으로 무장하고 있었다."

다가마와 그의 부하들은 최악의 상황을 우려했다. 그러나 그때 갑자기 사무티리가 포르투갈인들에게 상품을 하역해도 좋다며 거래를 허락했다. 그들은 자신들이 여행에서 무엇을 발견했는지를 보여줄 향신료와 그 밖의 물건들을 잔뜩 사서 본국을 향해 출발했다. 그들이 본국으로 가지고 온 것들은 세계를 변화시켰다.

바스쿠 다가마가 2년에 걸친 역사적인 여행을 마치고 돌아오자 열광적인 환영식이 벌어졌다. 그의 성공을 기념하기 위해 리스본 대성당에서 열린 한 행사에서 다가마는 공개적으로 알렉산드로스 대제에 비유되었다. 당대 작가들은 (그리고 포르투갈 이외의 지역에서도) 새롭고 낯선 동방의 세계를 열어놓은 위업을 묘사하기 위해 이 비교를 열심히 인용하고 거듭 사용했다.[13]

다가마가 인도에 도달했다는 것은 마누엘 국왕에게 엄청난 선전거리였다. 그는 곧바로 장인 장모인 페르난도와 이사벨에게 편지를 보

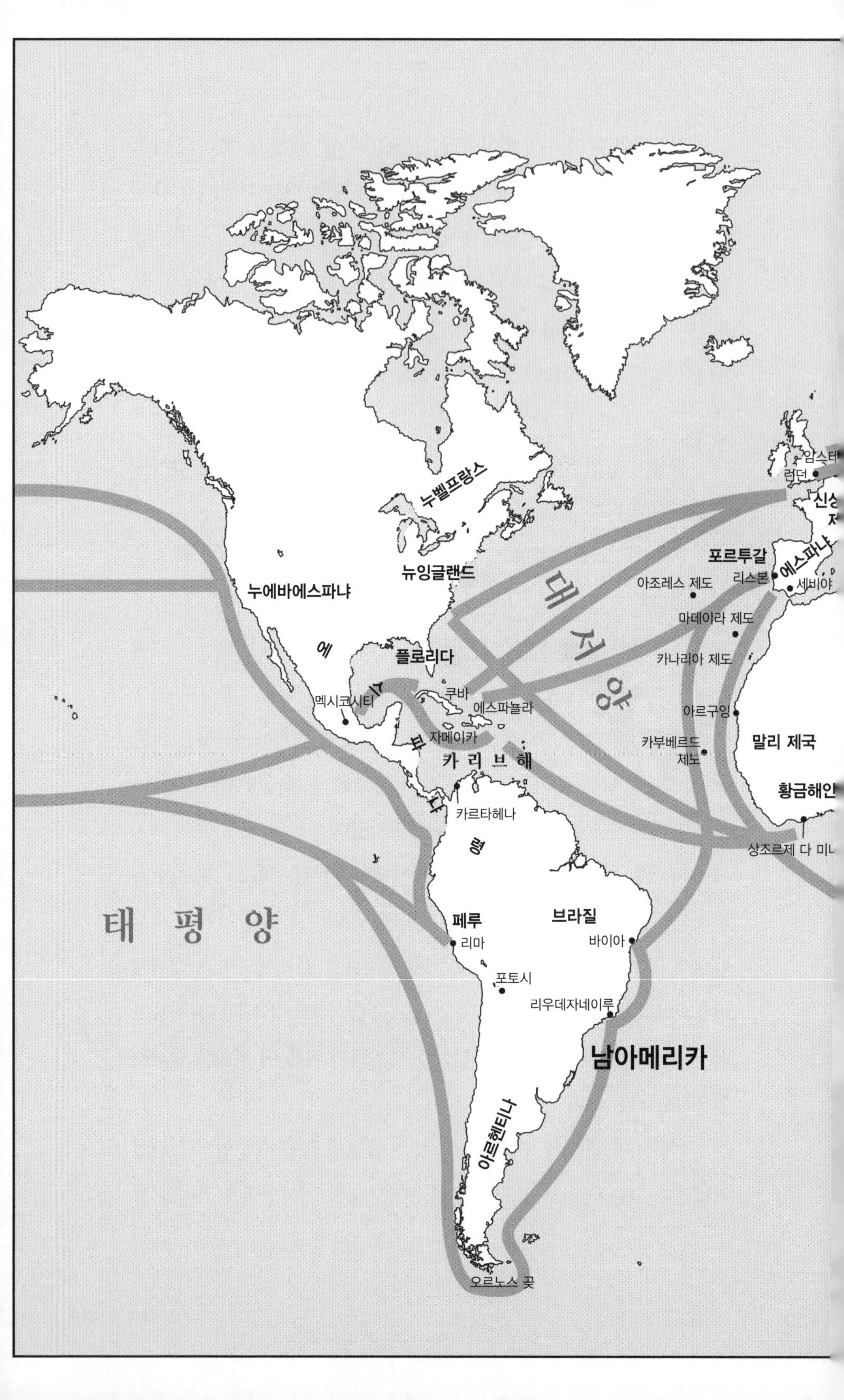

암스테
런던
신성
제
누벨프랑스
포르투갈
에스파냐
리스본
세비야
뉴잉글랜드
누에바에스파냐
대서양
아조레스 제도
마데이라 제도
카나리아 제도
에스파냐령
플로리다
쿠바
멕시코시티
에스파뇰라
자메이카
아르구잉
카부베르드
제도
말리 제국
카 리 브 해
황금해안
카르타헤나
상조르제 다 미나
태 평 양
페루
브라질
리마
바이아
포토시
리우데자네이루
남아메리카
아르헨티나
오르노스 곶

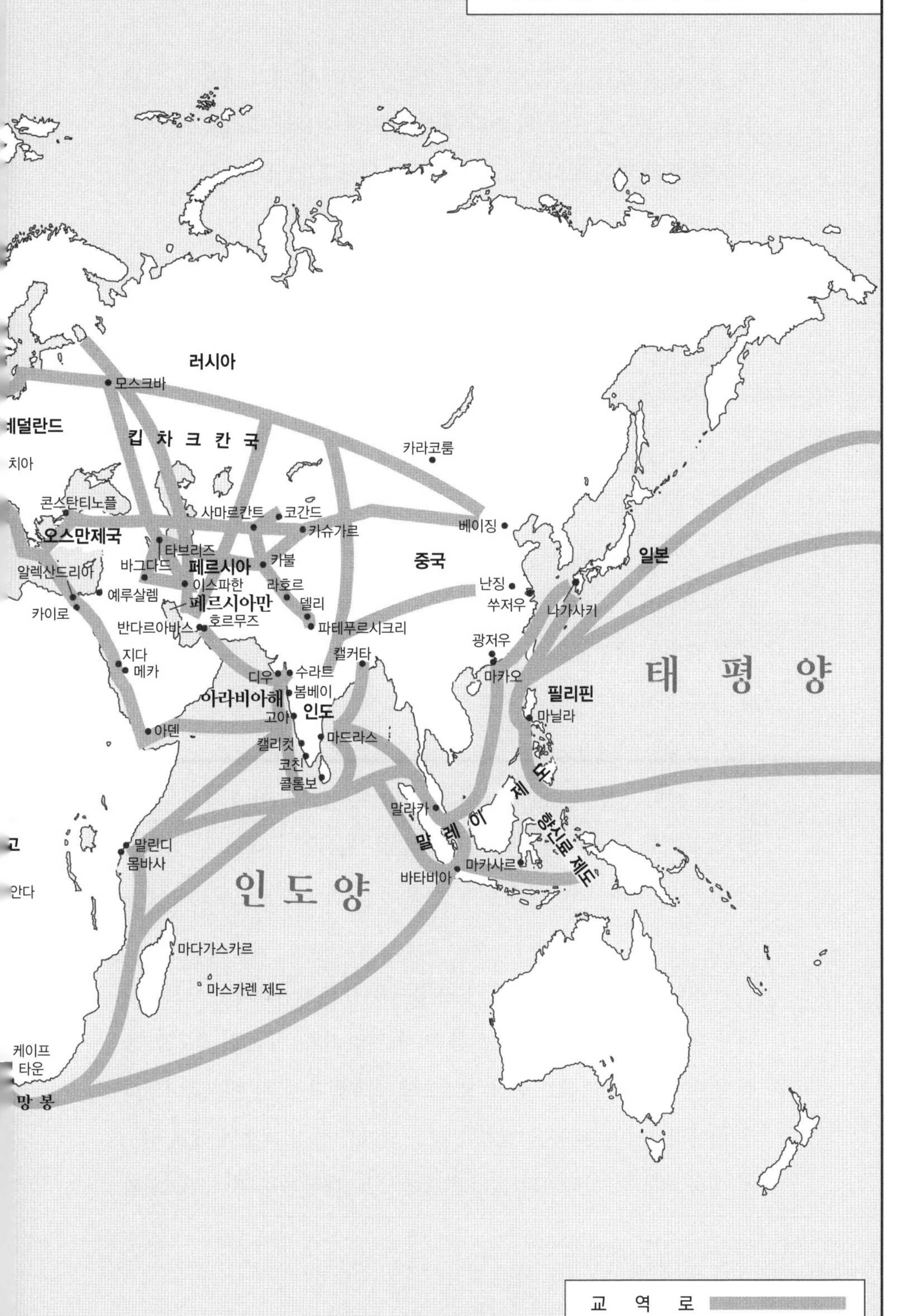
1650년 무렵의 세계 교역로
러시아
모스크바
네덜란드
킵 차 크 칸 국
카라코룸
치아
콘스탄티노플
사마르칸트
코칸드
카슈가르
베이징
오스만제국
타브리즈
카불
중국
일본
알렉산드리아
바그다드
페르시아
이스파한
라호르
난징
예루살렘
페르시아만
델리
쑤저우
나가사키
카이로
반다르아바스
호르무즈
파테푸르시크리
광저우
지다
메카
캘커타
디우
수라트
마카오
태 평 양
아라비아해
봄베이
필리핀
고아
인도
마닐라
아덴
마드라스
캘리컷
코친
콜롬보
말레이 제도
말라카
향신료 제도
말린디
몸바사
마카사르
바타비아
인 도 양
마다가스카르
마스카렌 제도
케이프 타운
망 봉
교 역 로

내 성과를 떠벌렸다. 그는 기쁨을 감추지 못한 채 자기 부하가 "계피, 정향, 생강, 육두구, 후추"와 기타 향신료, 여러 식물들, 그리고 "루비 등 온갖 종류의 멋진 보석들"을 가져왔다고 썼다. 그는 신이 나서 이렇게 덧붙였다.

"전하 양주께서는 이 물건들에 대해 들으시면 틀림없이 매우 기뻐하시고 만족하실 겁니다."[14]

콜럼버스가 가능성을 이야기했다면, 다가마는 결과를 가져왔다.

에스파냐 왕은 약간의 위안을 받았다. 대서양을 건너는 첫 번째 원정 뒤에 페르난도와 이사벨은 교황에게 청을 넣어 대서양 건너에서 발견한 모든 땅에 대한 통치권을 에스파냐에 달라고 부탁했다. 교황은 15세기에 포르투갈의 아프리카 원정에 관해 거듭 그런 식의 권한을 부여했었다. 1493년에 적어도 네 번의 교황 칙서가 내려져 새로 발견된 땅들을 어떻게 해야 할지를 정리했다. 정확히 어느 곳에 수직선을 그을 것이냐를 놓고 입씨름을 벌인 끝에 마침내 1494년 토르데시야스 조약에 서명함으로써 합의가 이루어졌다. 협정은 경계선을 카부베르드 제도 서쪽 약 1800킬로미터에 두기로 했다. 조약에 의해 "이 대양 위에 남과 북으로 북극에서 남극까지" "직선"이 그어졌다. 그 서쪽에 있는 것은 에스파냐 소유이고, 동쪽에 있는 것은 포르투갈의 소유였다.[15]

30년 뒤 이 협정의 의미가 분명해졌다. 1520년까지는 포르투갈 배가 더 동쪽을 탐험하여 인도를 지나 말라카와 '향신료 제도'로 불린 말루쿠 제도, 그리고 중국 광저우에 이르렀다. 한편 에스파냐인들은 아메리카의 두 대륙을 발견한 것을 넘어서 사상 최초의 세계 일주에 성공했다. 한 항해자의 놀라운 원정으로 태평양을 건너 필리핀과 향신료 제도에 이른 것이다. 이 여정을 이끈 사람은 포르투갈인이지만 서방에서 향신료 제도로 가는 (그리고 그곳을 확보하는) 원정에 자금을 댄 에스파냐를 위해 일했다는 것은 아이러니다. 자신이 태어난 나라가 아니라 그 이웃이자 경쟁국인 나라를 위해 일한 것이다.[16] 페르낭 드 마갈랑이스 Fernão de Magalhães(영어식 이름인 마젤란으로 더 잘 알려져 있다)가 1519~1520년의 이 역사적인 원정에 나섰을 때 포르투갈과 에스파냐는 다시 협상 테이블에 마주 앉았다. 대서양에 그어진 것에 상응하는 태평양 위의 선에 대한 합의를 이루기 위해서였다. 이베리아 반도의 두 이웃은 이렇게 세계를 나누었다. 그들은 교황의 축복을 (따라서 하느님의 축복을) 받고 있었다.[17]

육로의 쇠퇴와 해로의 번성

유럽의 나머지 나라들은 에스파냐와 포르투갈의 부가 늘어가는 것에 적응해야 했다. 베네치아인들은 1499년에 바스쿠 다가마의 귀국 소식을 들으면서 충격과 침울함과 히스테리가 뒤섞인 반응을 보였다. 한 목소리 큰 사람은 아무나 붙잡고, 남아프리카를 거쳐 인도로 가는 이 해로의 발견은 자기네 도시의 종말을 의미하는 것이나 마찬가지라고 떠들었다.[18] 지롤라모 프리울리는 유럽의 상업 중심지로서 베네치아가 쓰고 있던 왕관을 이제 리스본에 빼앗기게 되었다고 말했다. 그는 이렇게 썼다.

"돈을 싸들고 향신료를 사러 베네치아로 오던 헝가리인, 독일인, 플랑드르인, 프랑스인 등 알프스 산맥 너머의 사람들이 이제는 리스본으로 발길을 옮길 것이다."

그 이유는 명백했다. 육로를 거쳐 베네치아에 도착하려면 수많은 검문소를 거쳐야 하는데, 그때마다 세금과 비용을 낸다고 그는 일기에 썼다. 그러나 포르투갈인들은 바다를 통해 상품을 수송하기 때문에 베네치아인들이 경쟁할 엄두도 내지 못할 정도로 싼 가격으로 상품을 제공하게 될 것이었다. 숫자가 말해준다. 베네치아는 망한 것이다.[19]

다른 사람들도 비슷한 결론에 도달했다. 1500년대 초 포르투갈에 근거지를 두고 있던 피렌체 상인 구이도 데티는 베네치아인들이 상품 교역의 지배권을 잃을 것이라고 단호하게 말했다. 바다를 통해 리스본으로 들여오는 상품의 가격에 맞출 수 없을 것이기 때문이었다. 베네치아 사람들은 다시 어부로 돌아가야 하고, 그 도시는 스스로가 떠올랐던 늪지대로 다시 가라앉을 것이라고 그는 냉소적인 어투로 말했다.[20]

베네치아가 망할 것이라는 소문은 잘못된 것이었다. 적어도 단기적으로는 그랬다. 좀 더 냉정한 사람들이 강조했듯이, 동방으로 가는 해로의 개척에 위험이 없는 것은 아니었다. 많은 포르투갈 배들이 고국으로 돌아오지 못했다. 아프리카 남쪽 끝을 지나간 배 114척 가운데 절반 이하만이 무사히 돌아왔다고 베네치아 정치가 비첸초 퀘리니 Vicenzo Querini는 1506년에 원로원에서 말했다.

"향신료를 실은 배 열아홉 척은 침몰한 게 확실하고, 또 다른 마흔 척은 오리무중입니다."[21]

그럼에도 불구하고 베네치아는 곧 무슬림 이집트에 사절을 보내 포르투갈에 맞서 협력하는 방안을 논의하도록 했다. 그들의 제안 가운데는 합동 군사작전과 심지어 수백 년 뒤의 수에즈 운하 건설을 예견이라도 하듯 "많은 배들이 자유롭게"[22] 지나갈 수 있도록 홍해 쪽으로 굴착을 하는 것이 필요한지, 또 그것이 가능한지를 고려하는 것도

들어 있었다.

포르투갈인들은 16세기 초 홍해와 인도 해안 앞바다에서 자기네를 겨냥했던 활동이 베네치아가 자신들에 맞서 이집트와 조직한 거대한 동맹의 결과였다고 확신했지만, 사실 이집트는 자기네 스스로의 해상 운송로에서 통제를 가하려 애쓸 이유가 별로 없었다. 포르투갈 배들이 점점 더 많이 나타나는 것은 반갑지 않은 일이었다. 특히 새로 오는 사람들이 매우 공격적이었기 때문이다. 한번은 바스쿠 다가마가 직접 메카 순례를 마치고 인도로 돌아가는 무슬림 수백 명이 탄 배를 나포한 적이 있었다. 그는 몸값을 내겠다는 호소를 무시하고 배에 불을 지르라고 명령했다. 그런 행동이 하도 기괴해서 한 목격자는 이렇게 언명했다.

"나는 이 일을 살아 있는 동안 매일 기억할 것이다."

여자들은 불길에 싸이거나 바다에 떨어져 죽는 것을 면하려고 보석 장신구를 내밀었고, 어떤 사람들은 아이들만은 살려달라고 그들을 내밀었다. 다가마는 무표정하게 "잔인하게, 그리고 아무런 동정의 빛도 없이" 승객과 승무원이 한 명도 남김없이 물에 빠져 죽는 모습을 바라보았다.[23]

항구와 전략적으로 민감한 지역에 대한 공격은 이집트에게는 걱정스러운 사태 전개였다. 메카의 관문 항구인 지다는 1505년에 공격을 받았으며, 그 후 얼마 지나지 않아 페르시아만의 중요 지점인 무스카트와 칼하트가 약탈당하고 그곳 이슬람 사원들이 불타 무너졌다.[24] 또 하나 걱정스러운 것은 포르투갈인들이 기지 네트워크를 리스본까지 죽 이어지는 사슬 형태로 구축하는 것을 고려하기 시작했다는 점이었다. "홍해 입구나 거기에 아주 가까운 곳에 성채를 확보하는 일보다" 더 중요한 것은 없다고, 사령관 겸 탐험가 프란시스쿠 드 알메이다Francisco de Almeida는 1505년에 말했다. 그 효과는 이런 것이었다.

"인도에 있는 모든 사람들은 우리 이외에 어느 누구와도 거래하겠다는 어리석은 생각을 버리게 될 것이다."[25]

그런 폭력과 형세에 직면하여 카이로 술탄의 사령부에서 소함대가 파견되었다. 이들은 홍해와 그 어귀를 순찰하고 필요한 곳에서는 직접적인 행동도 취하라는 명령을 받았다.[26] 일부 포르투갈 지휘관들은 전술 변화가 필요하다는 결론을 내렸다. 그들의 배는 쓸데없이 위험에 노출되어 있다고 누군가가 포르투갈 왕에게 말했다. 홍해 입구 소코트라 섬 같은 도발적인 지점에 건설한 요새를 버리고, 그 대신 무슬림 이집트와 유화적인 관계를 조성하는 것이 낫다는 얘기였다.[27]

포르투갈의 초기 탐험은 잘난 체하며 폭력을 휘두르고 잔혹하게 자기주장을 고집하는 일을 동반했다. 그러나 오래지 않아 사태가 진정되면서 기독교가 승리하고 무슬림은 멸망한다는 허세에 넘치는 과장된 언사는 좀 더 희망적이고 현실적인 접근에 밀려나게 되었다. 장사 기회가 많아지자 이슬람교, 힌두교, 불교에 대한 태도가 금세 부드러워졌다. 그들이 십자군 국가들에서 했던 것과 판박이였다. 큰 소리가 인정으로 바뀌었다. 수적으로 훨씬 열세인 소수자가 생존을 담보하기 위해서는 호의적인 관계를 수립할 필요가 있었다.

이는 양면성이 있었다. 인도와 마카오 또는 말레이 반도처럼 경쟁관계에 있는 지배자들은 당연히 유럽 상인들에게 나은 거래 조건을 제시하여 서로 경쟁할 용의가 있었다. 추가로 들어오는 돈을 경쟁자가 아니라 자신들이 차지하기 위해서였다.[28] 이런 측면에서 종교의 차이를 가능한 한 부각시키지 않는 것이 모두의 이익에 부합했다. 그렇지만 여전히 거창한 계획을 품은 사람들이 있었다. 아폰수 드 알부케르크Afonso de Albuquerque는 말라카 점령의 효과를 이렇게 전망했다.

"카이로와 메카는 파멸하고, 베네치아 상인들은 향신료를 구하려면 포르투갈에서 사는 것 외에는 방법이 없을 것이다."

이에 따라 그는 이 도시의 무슬림 주민들을 학살하기 시작했다. 그러나 이는 결국 교역에 지장을 주고 적대감과 불신만 만들어내고 말았다.[29] 지배 가문이 물러가 페라크와 조호르에 새로운 술탄 정권을 건설했고, 이들이 유럽 강국들로부터 끊임없이 도전을 받는 상황에서 지도력을 발휘했다.[30] 그러나 대체로 보아, 그리고 아메리카의 경우와 달리 동방으로 가는 길을 발견한 이야기는 정복이라기보다는 협력의 과정이었다. 그 결과로 동방에서 서방으로 가는 교역품 물량이 크게 늘었다.

향신료 무역

유럽은 아메리카에서 짜낸 부 덕분에 아시아산 사치품을 마구 사들일 수 있었다. 곧 리스본, 안트베르펜과 유럽의 다른 상업 중심지의 상점들에는 중국 자기와 명나라 비단이 꽉꽉 들어찼다.[31] 그러나 물량이나 욕구 측면에서 단연 가장 중요한 것은 향신료였다. 후추, 육두구, 정향, 유향, 생강, 백단 기름, 소두구, 강황 등은 로마 시대 이래 유럽에서 매우 귀중하게 여겨지는 식재료였다. 음식에 강한 맛을 더해주는 재료로서뿐만 아니라 의료 효과 때문에도 소중히 여겨졌다.

예컨대 계피는 심장과 위, 머리에 좋고, 간질과 중풍 치료에 도움이 되는 것으로 여겨졌다. 육두구 기름은 설사와 구토를 치료하는 약제이자 감기에 효능이 있었다. 소두구 기름은 장을 편하게 하고 헛배

부름을 없애는 데 도움이 된다고 했다.[32] 이 무렵 지중해 지역에서 쓰인 한 아랍어 편람에서 '작은 성기를 크고 강하게 만드는 처방'이라는 제목의 장은 은밀한 부위를 꿀과 생강 섞은 것으로 문지르라고 조언한다. 그 효과는 매우 강력해서 상당한 즐거움을 주기 때문에 여자가 "남자에게서 떨어지지 않을" 것이라고 했다.[33]

이 새로 만들어진 시장에 물건을 대려는 경쟁은 치열했다. 바스쿠 다가마의 첫 번째 원정 소식이 들린 이후 베네치아에서는 경악했지만, 장기간에 걸쳐 구축한 교역관계는 하루아침에 대체할 수 없었다. 오히려 그들은 유럽의 수요가 늘면서 번성했다. 지금도 마찬가지지만 당시에 소비자들은 물건이 어떻게 시장으로 오는지에 대해서는 관심이 없었다. 중요한 것은 오직 가격뿐이었다.

상인들은 서로를 꼼꼼하게 감시하며 무엇을 사는지, 가격은 얼마인지를 기록했다. 포르투갈인들은 레반트에서 마티아스 베쿠도 같은 상인들을 뽑아 이집트와 다마스쿠스에서 육로 또는 해로로 오는 상인단과 수송대의 규모를 정탐하고, 그들이 가지고 오는 상품의 양에 관해 보고하도록 했다. 흉작에 관한 소문이나 화물을 실은 배가 침몰했다는 소문, 또는 정치 불안에 관한 소문들은 물건의 가격에 영향을 미칠 수 있었다. 이런 요인들 때문에 투기는 쉬운 일이 아니었다. 정확히 언제 향신료 선단이 출발하느냐에 따라 공급의 변동이 생기므로 시장은 정보력이 뛰어나고 아프리카 대륙을 돌아가는 것에 비해 덜 위험한 수송로에 의존하는 동부 지중해 상인들에게 유리한 쪽으로 기울었다.[34]

그런 상황에서 어떤 상품에 투자할지를 결정하는 것은 골치 아픈 일이었다. 1560년에 베네치아 출신의 젊은 상인 알레산드로 마뇨는 알렉산드리아에서 후추 가격이 하루에 10퍼센트씩 오르는 것을 초조하게 지켜보다가 주문을 취소하고 정향과 생강에 투자했다. 거품에 휩쓸리지 않는 것이 중요했다. 이문을 날리는 정도가 아니라 본전까지 까먹기 십상이었다. 마뇨 같은 중간상인에게는 적절한 상품을 고객들이 원하는 가격으로 구입할 수 있느냐에 생계가 달려 있었다.[35]

수천 톤의 향신료(특히 후추)가 해마다 유럽에 도착했다. 상류층의 사치품 사업이었던 것이 금세 문화와 상업의 주류가 되었다. 대량판매 시장의 수요와 공급이 증가한 덕분이었다. 포르투갈인들은 독자적인 실크로드를 건설해서 인도에서부터 말라카 해협과 향신료 제도까지 점점이 박혀 마구 뻗어나가고 있는 무역 기지 및 영구 정착지들을 리스본과 연결하기 위해 앙골라, 모잠비크 및 동아프리카 해안과 그 너머까지 항구와 항만의 사슬을 구축했다. 당연히 이문이 목적이었고, 그들은 실제로 상당한 성공을 거두었다. 바스쿠 다가마가 인도를 탐험한 지 수십 년 만에 포르투갈 국가 수입의 상당 부분이 향신료 무역에서 들어왔다.[36]

오스만이라는 새로운 경쟁자

그럼에도 불구하고 그들은 혹독한 도전에 직면했다. 특히 다른 나라들이 시장에서의 몫을 놓치지 않으려고 결연히 나섰기 때문이다. 서아시아에서 격변의 시기가 지나고 1517년에 오스만이 이집트의 지배권을 장악한 뒤 지중해 동쪽의 지배 강국으로 떠올랐다. 그리고 유럽을 위협하는 주요 세력이 되었다. 교황 레오 10세는 이렇게 썼다.

“이제 가장 극악무도한 투르크인들이 이집트와 알렉산드리아와 동로마제국 전체를 점령했으니, 그들은 시칠리아와 이탈리아뿐만이 아니라 온 세계를 탐낼 것이오."[37]

위기감은 오스만이 발칸 반도에서 군사적 성공을 거두고 유럽의 중심부로 불길하게 이동하면서 고조되었다. 곧 충돌이 있을 것이고 그것이 세계의 운명을 결정할 것이라고, 16세기 전반기의 유명한 철학자 에라스뮈스는 친구에게 보낸 편지에서 말했다.

"하늘에는 결코 두 개의 태양이 있을 수 없기 때문이지."

미래는 무슬림의 것이거나 기독교도의 것이 될 것이라고 그는 예견했다. 양쪽 모두의 것일 수는 없었다.[38]

에라스뮈스는 틀렸다. 오스만 세계에 있던 그의 친구들도 틀리기는 마찬가지였다. 그들은 똑같이 직설적으로 예측했다.

"하늘에 오직 한 분의 하느님만 계시는 것처럼, 지상에는 오직 하나의 제국만이 존재할 수 있다."[39]

오스만이 1526년에 서둘러 소집된 서방 군대를 상대로 헝가리 남부 모하치에서 승리한 이후, 헝가리와 중부 유럽으로 뚫고 들어간 대군이 공포의 파도를 일으키기는 했지만 사생결단의 싸움은 없었다. 그러나 여기서 등장한 것은 격렬하고 오래 지속된 경쟁관계였다. 그것은 인도양으로, 홍해로, 그리고 페르시아만으로 쏟아져 들어갔다.

자신감이 치솟은 오스만은 아시아 곳곳에서 상업적 위치를 강화하기 위해 많은 돈을 썼다. 구매 대리인 네트워크를 구축했고, 지중해, 홍해와 페르시아만의 해로를 보호하기 위해 여러 성채를 복구하고 개선했다. 페르시아만에서 바스라를 거쳐 레반트까지 내륙을 달리는 도로를 현대화하여 안전하고 빠른 교역로로 만들었다. 심지어 포르투갈인들도 리스본과 연락하기 위해 이 길을 이용하게 되었을 정도였다.[40]

이것은 오스만이 포르투갈을 상대로 걸핏하면 무력을 사용했음을 생각하면 더욱 놀라운 일이었다. 오스만은 1538년에 인도 서부 디우에 있는 포르투갈 항구에 대규모 공격을 감행했으며, 포르투갈 배들을 거듭 공격했다.[41] 16세기 중반에 세페르라는 이름의 함장은 극적인 성공을 여러 차례 거두어 그의 목에 현상금이 걸리기까지 했다. 오스만인들은 "포르투갈인들로부터 빼앗은 전리품 덕분에 갈수록 부유해졌다"고 한 유럽 선장은 한탄했다. 세페르는 처음에 배 몇 척을 동원하여 성공을 거두었으나 갈수록 대규모 함대를 거느리게 되었다.

"그가 앞으로 서른 척의 배를 가지게 되면 [우리에게] 얼마나 더 많은 고통을 안기고 얼마나 더 많은 재물을 [본국에] 보낼 것인가?"[42]

오스만은 무시무시한 상대임이 드러났다. 또 다른 포르투갈인 목격자는 1560년에 해마다 수천 톤의 향신료가 동방의 상품들이 모여드는 지중해 동안의 상업 중심지인 알렉산드리아에 도착한다고 썼다. 그는 이렇게 불평했다.

"아주 적은 양만이 리스본으로 가는 것은 놀랄 일도 아니다."[43]

이 무렵에는 향신료 교역에서 얻는 이문이 눈에 띄게 줄어들고 있었다. 이에 따라 일부 포르투갈인들은 향신료에서 발을 빼서 다른 아시아 상품에 투자하기 시작했다. 대표적인 품목이 무명과 비단이었다. 이러한 변화는 16세기 말 무렵에 뚜렷해졌는데, 이 시기에는 유럽으로 선적되는 직물의 양이 계속 늘고 있었다.[44] 당대의 일부 비평가들은 이것이 향신료 교역에 관여하는 포르투갈 관리들의 극심한 부패의 결과이자 국왕의 졸렬한 결정 때문이라고 주장했다(일부 현대 학자들도 이에 동의한다). 포르투갈은 수입품에 지나치게 높은 세금을 물렸으며, 유럽에 비효율적인 유통망을 만들고 있었다. 오스만의 경쟁력은 포르투갈을 (그리고 주변부를) 극심하게 압박하는 데 성공했다.[45]

인도양 등 여러 곳에서 벌어진 이 경쟁의 핵심에는 유럽의 부유한 구매자들에게로 가는 상품들에서 최대한 조세 수입을 확보하려는 경쟁이 자리 잡고 있었다. 오스만은 이에 성공해서 상당한 돈을 거둬들였다. 이스탄불의 중앙 금고는 홍해와 페르시아만, 그리고 지중해의 항구들을 통과하는 물동량이 많은 덕에 두둑해졌다. 물론 국내 수요의 증가 역시 정부 수입을 늘리는 데 기여했다.[46] 연간 수입은 16세기 동안에 상당히 증가했고, 이는 다시 사회적·경제적 변화를 촉진했다. 도시에서뿐만이 아니라 농촌에서도 마찬가지였다.[47]

당시 황금시대가 시작된 것은 유럽뿐만이 아니었다. 발칸 반도에서부터 북아프리카까지 오스만 세계 곳곳에서 대규모 건설 계획이 추진되었다. 그 자금은 계속 늘고 있는 조세 수입으로 충당했다. 가장 화려한 프로젝트 대부분은 '장려제the Magnificent' 쉴레이만 1세의 수석 건축가 시난Sinan이 설계한 것으로, '장려'라는 쉴레이만의 별호는 유독 이 시대의 정신을 (그리고 풍요를) 잘 포착하고 있다.

시난은 쉴레이만의 치세(1520~1566)와 그의 아들 셀림 2세의 치세에 80개 이상의 이슬람 사원과 60개의 이슬람 학교, 32개의 궁전, 17개의 구호소, 3개의 병원을 지었고, 많은 다리, 수도교水道橋, 목욕탕, 창고를 지었다. 1564년에서 1575년 사이에 이스탄불 서쪽 에디르네에 지어진 셀림 사원은 대담한 설계와 뛰어난 시공의 백미였다. 당대의 한 기록은 이것이 "온 인류의 찬탄을 받을 만하다"라고 평가했다. 그러나 이는 또한 종교적 야망을 천명한 것이었다. "세상 사람들"은 "이슬람 땅에" 콘스탄티노플에 있는 하기아소피아의 돔처럼 큰 돔을 건설하는 것은 불가능하다고 말해왔다. 에디르네에 있는 이 사원은 그말이 틀렸음을 보여주었다.[48]

페르시아에서는 유럽의 문화적 개화開花와 맞먹을 만한 호화로운 건축 공사와 시각예술에 비슷하게 지출이 급증했다. 15세기 초 테무르의 사후에 분열되었던 테무르 제국의 영토 한 부분에서 사파비 왕조 치하의 새로운 제국이 떠올랐다. 제국은 아바스 1세의 치세(1588~1629)에 정점에 이르렀는데, 그는 지금의 중부 이란에 있는 이스파한 재건을 지휘했다. 놀랍도록 야심찬 이 재건은 오래된 시장과 칙칙한 거리를 허물고 세심하게 설계된 도시 계획에 따라 가게와 목욕탕, 이슬람 사원들을 건설했다. 대규모 관개시설 공사로 새 이스파한은 물을 충분히 공급받을 수 있었다. 이 도시의 중심에 있는 정원 설계의 걸작인 나크시이자한Naqsh-i Jahān(세계의 모습) 정원에 필수적인 것이 물이었다. 화려한 샤 모스크도 건설되었다. 에디르네가 그랬던 것처럼, 이슬람 세계의 최고에 버금가는 보석이 되게 하려는 의도였다. 한 당대 사람이 말했듯이, 샤는 이스파한을 "매혹적인 건축물과, 꽃향기가 정신을 고양시키는 공원과, 시내와 정원이 있는 낙원처럼"[49] 만들었다.

자신감 넘치고 지적 호기심이 많으며 갈수록 국제화되는 문화에서 출판과 서예, 시각예술(특히 세밀화)이 발달했다. 그림을 잘 그리는 방법을 안내하는 전문서도 나왔다. 예컨대 《그림의 원리 Qānūn al-Ṣuvar》 같은 책은 재치 있고 고상하며 운을 맞춘 대구對句로 설명을 한다. 이 책의 저자는 그림의 기술을 숙달하고자 하는 것은 아주 좋은 일이지만, "이 분야에서 일가를 이루려면 타고난 재능이 상당히 중요하다"[50]라고 충고한다.

번영은 새로운 분야로 시야를 넓히는 데 도움이 되었다. 이스파한의 카르멜회 수도사들은 샤에게 〈시편〉의 페르시아어 번역본을 선물했고, 샤는 이를 고맙게 받아들였다. 그리고 교황 파울루스 5세는 성서 이야기를 묘사한 중세의 그림들을 보냈다. 샤는 매우 좋아하며 그림을 설명하는 페르시아어 해설판을 만들도록 주문했다. 그 시기에는 이 지역의 유대인들이 페르시아어로 된 (그러나 히브리 문자를 사용했다) 모세오경 사본을 만들었다. 이는 종교적 관용의 징표이기도 했지만, 이 성장의 시기에 나타난 페르시아의 문화적 자신감의 표시이기도 했다.[51]

오스만과 페르시아 두 제국은 더 동쪽에서 오는 물건들에 붙는 통행세와 수입 관세가 급격히 늘면서 많은 부를 축적했다. 물론 왕실에서 상인 가족까지, 그리고 궁정의 총신寵臣에서 부유한 농부까지 유럽의 신흥 부자들에게 인기가 많은 상품 수출에서도 돈이 나왔다. 그러나 서아시아가 대서양 건너 아메리카에서 흘러들어오는 금·은과 기타 보물들의 홍수로 돈을 벌고는 있었지만, 가장 큰 수혜자는 수출품이 생산되는 곳이었다. 바로 인도, 중국, 중앙아시아였다.

유럽은 포토시 광산 같은 엄청난 매장량의 산지에서 들어오는 금은덩이의 교환소가 되었다. 포토시는 오늘날 볼리비아의 안데스 고지에 있는 곳으로, 사상 최대의 단일 은광이 있었다. 그곳에서 100여 년 동안 전 세계 생산량의 절반 이상이 채굴되었다.[52] 수은합금 처리 과정을 이용하는 새로운 금속 추출 기술이 개발되면서 광업이 값싸고 빠르고 심지어 수익성이 높아졌다.[53] 이 발견은 남아메리카에서 이베리아 반도를 거쳐 아시아에 이르는 자원의 재분배를 이례적으로 가속화했다.

귀금속을 녹여 만든 주화가 배에 실려 동방으로 향했다. 어마어마한 양이었다. 16세기 중반부터 인기 있는 동방의 상품들과 향신료 대금으로 매년 수백 톤의 은이 아시아로 유출되었다.[54] 1580년대에 피렌체의 한 구매 물목은 식욕이 얼마나 왕성해졌는지를 보여준다. 토스카나 대공 프란체스코 데 메디치는 곧 인도로 떠나는 피렌체 상인 필리포 사세티에게 돈을 넉넉히 주면서 여러 가지 이국적인 물품들을 사오라고 주문했다. 그는 당연히 망토와 직물, 향신료와 씨앗, 초목의 밀랍 모형(그것은 대공과 동생인 페르디난도 추기경의 개인적인 관심사였다)과 독사에게 물렸을 때 쓰는 해독제 등의 약품들도 받았다.[55] 그런 왕성한 호기심은 이 시기에 힘 있고 세련된 남자들에게 흔히 볼 수 있는 모습이었다.

중앙아시아의 말 교역

유럽과 서아시아는 아메리카 대륙에서 들려온 발견 소식들과 아프리카 해안을 따라 열린 해로로 인해 활기가 넘쳤다. 그러나 가장 휘황찬란한 곳은 인도였다. 콜럼버스가 대서양을 건너간 이후의 시기는 테무르의 죽음 이후 분열되었던 지역에서 통합의 움직임이 일어나고 있던 시기와 일치했다.

1494년 테무르의 후손 가운데 한 사람인 바부르는 중앙아시아에 있는 페르가나 분지의 땅을 물려받았고, 이를 확장하려는 노력을 기울이기 시작했다. 관심의 초점은 사마르칸트였고, 잠깐 동안 성공을 거두었다. 우즈베크 경쟁자에 의해 결국 이 도시에서 쫓겨난 그는 남쪽으로 옮겨갔는데, 몇 년 동안 분투했지만 이렇다 할 성과를 거두지 못하자 관심을 다른 곳으로 돌렸다. 그는 우선 카불의 지배자가 되었고, 그런 다음 델리의 포학한 로디 왕조를 몰아내고 지배권을 장악했다. 그 무리는 힌두 주민들에게 자주 야만적인 박해를 가했기 때문에 전혀 인기가 없었다.[56]

바부르는 이미 스스로 열정적인 건설자임을 보여주었다. 카불에 근사한 와파 정원을 만들어 즐겼다. 거기에는 인상적인 분수와 석류나무, 클로버 밭, 오렌지 과수원, 그리고 여러 먼 나라에서 들여온 초목들이 있었다. 오렌지가 익어갈 때 그는 자랑스럽게 썼다.

"아름다운 풍경이다. 정말로 멋지게 설계되었다."[57]

그는 인도에 자리 잡으면서 계속해서 화려한 정원을 설계했다. 그 지역에 정원 꾸미기가 어렵다고 불평을 해대면서 말이다. 그는 인도아대륙 북부에서는 물 공급이 쉽지 않음을 알고 실망했다. 그는 걱정스러운 듯 이렇게 썼다.

"어느 곳을 바라보든 모두 불쾌하고 황량했다."

그래서 무언가 특별한 것을 만들려고 애쓸 가치가 별로 없었다. 마침내 그는 마음을 단단히 먹고 아그라 부근에 있는 곳을 정했다.

"[이 도시 부근에] 정말로 적합한 곳은 없지만, 우리에게 주어진 공간을 가지고 작업하는 수밖에 없다."

결국 "불쾌하고 어울리지 않는 인도"에서 상당한 노력과 막대한 비용을 들인 끝에 훌륭한 정원들이 만들어졌다.[58]

바부르는 처음에 불안감을 가졌지만, 그가 남쪽으로 이동한 시점은 그보다 더 좋을 수 없었다. 새 영토는 오래지 않아 강대한 제국으로 변신했다. 새로운 교역로가 열리고 유럽이 적극적으로 구매에 나서면서 갑작스럽게 경화硬貨가 인도로 밀려들어왔다.

이 가운데 상당 부분은 말을 사는 데 썼다. 14세기에도 중앙아시아의 중개상들이 말을 매년 수천 마리씩 팔았다는 자료가 있다.[59] 스텝 지대에서 기른 말은 인기가 있었다. 그 말들은 아대륙에서 키운 말보다 더 크고 영양 상태도 더 좋았기 때문이다. 토종 말은 "아주 작아서, 사람이 타면 발이 거의 땅에 닿을 정도"였다.[60] 동방의 상품 대금으로 유럽에서 은이 쏟아져 들어오자 상당 부분은 좋은 말을 사는 데 지출되었다. 말은 위신을 세우기 위한 것이기도 했고, 사회적 지위를 나타내는 것이기도 했으며, 의례적인 행사를 위한 것이기도 했다. 최근에 석유를 팔아 부자가 된 나라들로 흘러들어간 돈이 페라리나 람보르기니 같은 고급 차를 사는 데 쓰이는 것과 흡사하다.

말 교역은 이문이 많이 남았다. 포르투갈인들이 페르시아만과 인도양에 도착했을 때 가장 먼저 눈에 띈 것 중 하나가 말이었다. 16세기 초에 혈통 좋은 아랍산 말과 페르시아 말에 대한 수요가 많고 인도 군주들이 기꺼이 비싼 값을 치르려 한다는 흥분에 찬 보고가 본국으로 보내졌다. 포르투갈인들은 말을 선적하는 수익성 좋은 사업에 깊숙이 관여하여 기술 변화를 촉진했고, 말 수송을 염두에 두고 육중하고 바닥이 둥근 나우타포레이아Nau Taforeia 같은 배들을 만들었다.[61]

그러나 대부분의 말은 중앙아시아에서 왔다. 당대의 한 평론가에 따르면, 돈이 인도로 흘러들어오면서 말의 수요가 공급을 앞질러 가격 상승을 부채질했고 이에 따라 이윤 폭이 엄청나게 커졌다.[62] 수입이 늘면서 다리를 놓고 여행자 숙소를 개선하며 북쪽으로 이어지는 주요 도로의 안전을 강화하는 등의 투자가 늘었다. 그 결과 중앙아시아의 도시들도 갑자기 흥청대고 화려한 모습으로 변모했다.[63]

말 교역을 지원하는 데 필요한 기반시설 역시 돈이 되었다. 머리가 좋은 한 투자자는 간선도로를 따라 숙박업소를 세우는 데 투자했는데, 16세기 중반의 15년 사이에 1500곳 이상의 숙박업소를 지었다. 이 지역에 돈이 쏟아져 들어온 것은 시크교의 위대한 성전聖典인《구루 그란트 사히브Guru Granth Sahib》같은 문헌에서도 인정하고 있다. 이

책에는 일상적이고 상업적인 것이 영적인 것과 나란히 들어 있다. 이 책에서 구루는 오래 가는 물건을 구입하라고 신도들에게 조언한다. 그리고 회계는 언제나 정확히 하는 것이 진실을 소중히 간직하는 방법이라고 했다.[64]

무굴제국의 건축과 정원

말 시장에 접근하기 좋은 위치에 있는 관문 도시들은 호황을 누렸다. 카불도 그 가운데 하나였다. 그러나 가장 크게 번성한 곳은 델리였다. 그곳은 힌두쿠시 산맥에 가까운 위치 덕분에 급속하게 성장했다. 이 도시의 상업적 중요성이 커지면서 그 지배자의 지위도 높아졌다.[65] 곧 이 지역에 직물산업이 번성하면서 이곳 물건들은 아시아 전역과 그 너머에서까지 명성을 얻었다. 무굴제국 정부는 이 시장을 잘 보호했다.[66]

오래지 않아 강력한 왕국이 밖으로 뻗어 나갔다. 재정적인 영향력을 이용하여 여러 지역을 차례차례 쓰러뜨리고 이를 하나로 통합했다. 16세기가 지나는 동안에 바부르와 그 뒤를 이은 아들 후마윤 및 손자 아크바르 1세는 무굴제국의 영토를 더욱 확장했다. 1600년 무렵에 제국의 영토는 인도 서해안 구자라트에서 동쪽의 벵골만까지, 그리고 북부 펀자브 지방의 라호르에서 중부 인도 깊숙이까지 뻗쳐 있었다.

이는 정복을 위한 정복이 아니었다. 그것은 오히려 독특한 몇 가지 환경을 활용하여 도시와 지역들의 지배권을 장악한 경우였다. 이 도시와 지역들에서 쏠쏠한 수입이 흘러들어 갓 태어난 제국의 힘을 북돋우고 강력하게 만들었다. 예수회 소속의 한 포르투갈인이 본국의 교단에 보낸 편지에 썼듯이, 구자라트와 벵골(두 지역 모두 북적거리는 도시와 두둑한 과세 기반이 촘촘히 들어차 있었다) 정복은 아크바르를 "인도라는 보석"의 주인으로 만들었다.[67] 새로 추가된 지역은 중앙에 더 많은 힘을 제공했고, 이는 몸집을 불려나가는 데 큰 동력이 되었다.

무굴 지배자들은 새로운 사상과 취향과 스타일을 함께 가지고 왔다. 새 지배자들은 몽골과 티무르에서 오랫동안 인기 있던 세밀화를 후원했다. 그들은 여러 먼 지역에서 숙달된 전문 인력을 데려와서 성대한 시각예술 집단을 만들었다. 격투기를 관람하는 것이 대중화되었고, 비둘기 경주 역시 마찬가지였다. 둘 다 중앙아시아에서 오락거리로 즐기던 것이었다.[68]

건축과 정원 설계의 혁신은 더욱 두드러졌다. 사마르칸트에서 연마하고 완성한 건축과 조경술의 영향이 곧 제국 곳곳에서 드러났다. 그 자취는 오늘날에도 남아 있다. 후마윤의 웅장한 무덤은 부하라 출신의 건축가가 건설한 티무르 디자인의 걸작으로서만이 아니라 인도 역사의 새로운 시대를 입증하는 것으로서 델리에 서 있다.[69] 새로운 조경 양식이 도입되어 건축 환경 및 그것이 주위 환경과 맺는 관계를 더욱 변화시켰다. 중앙아시아에서 건너온 관행과 관념에 큰 영향을 받은 것이다.[70] 라호르는 거대한 새 기념물들과 꼼꼼하게 계획된 빈 공간들을 뽐냈다.[71] 무굴 지배자들은 자원이 풍부하고 상황도 그들에게 유리해서 제국을 자기네 방식대로 변형시켰다. 그리고 그 규모도 이례적일 정도로 엄청났다.

16세기 후반에 새 수도로 지어진 놀라운 도시 파테푸르시크리는 무진장해 보이는 자원과 자신감에 찬 통치 가문의 제국에 대한 열망을 분명한 모습으로 보여준다. 아름답게 디자인된 여러 개의 안뜰과 붉은 사암 건물들은 페르시아와 중앙아시아의 양식 및 디자인을 인도의 것과 섞어 멋진 궁전을 만들어냈다. 그곳에서 지배자는 방문객을

맞았는데, 그들은 궁을 떠날 때 그의 권력에 대해 추호의 의구심도 갖지 않게 되었다.[72]

유럽에서 흘러들어온 돈으로 이루었던 막대한 부를 입증하는 가장 유명한 기념물은 17세기 초에 샤 자한이 자신의 아내 뭄타즈 마할을 위해 건설한 능묘다. 샤 자한은 아내의 죽음을 기억하기 위해 가난한 사람들에게 많은 음식과 돈을 나누어주었다. 적절한 장례 절차를 선정한 뒤 오늘날의 가치로 수백만 달러를 들여 꼭대기에 반구형 지붕을 얹은 건물을 지었다. 그런 뒤에 수백만 달러를 더 들여서 황금 칸막이와 둥근 지붕을 추가했다. 지붕은 막대한 양의 최고급 금에 에나멜을 입힌 것으로 장식했다. "화려한 덮개에 둘러싸인" 부속 건물들을 능묘 양쪽에 추가했고, 사방에 정원을 만들었다. 이를 유지하는 비용은 인근 시장들에서 나오는 수입으로 충당되었다.[73]

타지마할은 세계에서 가장 낭만적인 기념물이자 아내에 대한 남편의 지극한 사랑의 표현으로 받아들여진다. 그러나 이는 또 다른 사실도 드러내고 있다. 세계적인 규모로 확대된 국제무역이 이 무굴 지배자에게 막대한 부를 가져다주었기에 가능한 일이었다는 것이다. 이는 세계의 축이 근본적으로 이동한 덕분이었다. 유럽과 인도의 영화는 아메리카 대륙의 희생을 바탕으로 한 것이었다.

샤 자한이 아내의 죽음에 사치스럽게 슬픔을 표현했던 일은 얼마 전에 지구 반대편에서 그대로 나타났던 일이다. 마야제국 역시 유럽인들이 도착하기 전에는 번영을 누렸다. 유럽인들이 도착한 지 얼마 지나지 않아서 한 작가는 이렇게 썼다.

"그때는 병이 없었습니다. 당시 그들은 뼈가 쑤시지 않았습니다. 그들은 고열에 시달리지 않았습니다. 그들은 천연두에 걸리지 않았습니다. 그들은 가슴이 쓰리지 않았습니다. 그들은 폐결핵에 걸리지 않았습니다. 그때 인간의 삶은 평화로웠습니다. 외국인들이 여기에 도착하자 사태가 급변했습니다. 그들은 올 때 고약한 것을 함께 가지고 왔습니다."[74]

아메리카에서 가져온 금과 은은 아시아로 흘러들어갔다. 타지마할이 건설될 수 있었던 것은 이 부의 재분배 덕분이었다. 아이러니하게도 인도의 영화 가운데 하나는 세계 반대편에 살던 '인도인'들이 겪은 고통의 결과였다.

대륙들은 이제 서로 연결되었다. 은의 흐름으로 연결된 것이다. 이 흐름을 좇아 많은 사람들이 새로운 곳으로 뛰어들었다. 16세기 말에 페르시아만 연안에 있는 호르무즈를 찾은 한 잉글랜드인은 이 도시가 "프랑스인, 플랑드르인, 독일인, 헝가리인, 이탈리아인, 그리스인, 아르메니아인, 기독교도, 투르크인과 모로인, 유대인과 이교도, 페르시아인과 러시아인"[75]으로 바글거린다고 적었다.

동방의 부름은 강력한 것이었다. 유럽에서 점점 더 많은 사람들을 끌어모은 것은 장사로 돈을 벌 기회만이 아니었고, 봉급을 많이 받는 일자리가 있기 때문이었다. 페르시아, 인도와 말레이 반도, 심지어 일본에서도 포수, 도선사, 항해사와 갤리선 선장, 조선 기사가 될 기회는 얼마든지 있었다. 새로운 삶을 시작하려는 사람들에게는 기회가 열려 있었다. 도망자와 범죄자, 위험 인물도 그런 기술과 경험이 있다면 지역 지배자들에게는 소중했다. 돈을 번 사람들은 사실상 독립 소小군주 노릇을 할 수 있었다. 운 좋은 한 네덜란드인은 벵골만과 말루쿠 해에서 "마음에 내키는 만큼 많은 여자들을 데리고" 돌아다니며 술에 곤드레만드레 취해서 "거의 벌거벗은 채로 하루 종일" 노래하고 춤출

수 있었다.[76]

중국으로 흘러들어가는 은

1571년 에스파냐인들의 마닐라 식민지 건설은 세계 무역의 흐름을 바꾸었다. 우선 그들은 처음 대서양을 건넜을 때에 비해 현지 주민들에게 피해를 덜 주는 방식의 식민화 프로그램을 추진했다.[77] 이 정착지는 본래 향신료를 구매하는 기지로 건설되었지만, 곧 거대 도시로 성장해서 아시아와 아메리카 사이의 중요한 연결점이 되었다. 이제 상품은 먼저 유럽을 거쳐가지 않고 태평양을 넘어 운송되었으며, 그 상품 대금으로 치를 은 역시 마찬가지였다.

마닐라는 온갖 종류의 상품을 살 수 있는 상업 중심지가 되었다. 1600년 무렵 이 도시의 한 고위 관리에 따르면, 여러 종류의 비단을 그곳에서 살 수 있었고 벨벳, 새틴, 다마스크 등의 직물들도 살 수 있었다. 또한 "많은 침대 장식과 휘장, 침대보와 태피스트리"와 식탁보, 안석案席과 양탄자, 금속 대야, 구리 주전자, 주철 냄비 등도 살 수 있었다. 주석, 납, 초석硝石과 중국산 화약도 구할 수 있었다. 이와 함께 "오렌지, 복숭아, 배, 생강, 육두구로 만든 저장 식품"과 밤, 호두, 말, 고니를 닮은 거위, 말하는 새, 그 밖에 여러 가지 진귀한 것들이 있었다. 저자는 이어 팔리는 물품을 모두 나열하려면 "끝이 없고, 글을 쓸 종이도 모자랄 것"[78]이라고 말했다. 현대의 한 비평가에 따르면 마닐라는 "세계의 첫 국제 도시"[79]였다.

이는 자연스럽게 다른 교역로에 중대한 영향을 미쳤다. 마닐라를 통하는 경로가 만들어진 지 얼마 지나지 않아서 오스만제국의 경기가 위축된 것은 결코 우연이 아니었다. 이는 국내의 재정 압박과 합스

부르크 및 페르시아를 상대로 한 군사원정에 지나치게 많은 돈을 쏟아부은 탓도 있었지만, 수천 킬로미터 밖에 대륙을 가로지르는 상품교역을 위한 새로운 교차로가 탄생한 것도 오스만제국의 수입 감소에 한몫했다.[80]

아메리카에서 필리핀을 거쳐 아시아의 다른 지역으로 향하는 은의 양은 엄청났다. 16세기 말과 17세기 초에 이 길을 거친 양이 적어도 유럽을 통해 들어간 은의 양을 능가했다. 이에 따라 아메리카에서 유럽으로의 송금이 줄기 시작하면서 에스파냐의 일부 지역에서는 경고등이 켜졌다.[81]

은의 길은 허리띠처럼 세계를 둘러 이었다. 이 귀금속은 특히 한 곳으로 모여들었다. 바로 중국이었다. 그렇게 된 이유는 두 가지였다. 우선 중국은 덩치가 크고 문화가 발달하여 주요 사치품의 생산자가 되었다. 도기와 자기가 대표적인데, 유럽에서는 그 수요가 워낙 많아서 거대한 모조품 시장이 금세 생겨날 정도였다. 중국인들은 "대단한 재주와 독창성을 지녀 고풍스러운 것을 아주 잘 만들며" 그런 기술 덕분에 많은 돈을 번다고 마테오 리치는 난징南京을 방문하는 동안에 썼다.[82] 중국에서는 모조품을 구별하는 법을 조언하는 책도 나왔다. 명나라 말기의 유동劉侗은 《제경경물략帝京景物略》에서 선덕제 시기 동기銅器나 영락제 시기의 자기 진품을 판별하는 법을 설명하고 있다.[83]

중국은 수출 시장에서 찾는 물건을 대량 공급할 수 있었고, 수요에 따라 생산량을 늘렸다. 예컨대 푸젠성福建省의 더화德化는 유럽인들의 취향에 맞는 자기 생산지로 유명했다. 비단 제조업도 마찬가지로 투자를 받아 서방의 욕구에 부응할 수 있도록 했다. 이는 영리한 사업방식이었고, 명나라 정부의 국고를 늘려주었다. 일부 학자들은 정부

수입이 1600년에서 1643년 사이에 네 배 이상 증가했다고 주장한다.[84]

그렇게 많은 돈이 중국으로 흘러들어간 두 번째 이유는 금과 은의 가치가 균형을 이루지 못한 데 있었다. 중국에서 은의 가치는 금에 비해 대략 6 대 1의 비율을 맴돌고 있었다. 인도, 페르시아나 오스만제국에 비해 상당히 높은 것이다. 그 가치는 16세기 초 유럽 시세의 거의 두 배에 이르렀다. 실제로 이는 유럽인들이 같은 돈으로 중국 시장에서 더 많은 물건을 살 수 있다는 이야기였다. 이는 다시 중국 물건을 살 강력한 동인을 제공했다.

동아시아에 새로 도착한 사람들은 곧바로 통화를 거래해서 이 불균형을 이용할 수 있는 기회를 붙잡았다. 현대 은행가들이 차익거래라 부르는 것이다. 특히 그들은 중국과 일본의 금값 차이를 이용하여 쉽게 돈을 벌 수 있음을 알아차렸다. 상인들은 서로 뒤엉켜 통화와 귀금속을 사고팔았다. 한 목격자에 따르면 마카오의 상인들은 엄선한 상품을 싣고 일본으로 갔지만 그들의 관심은 오직 그것을 은과 교환하는 데 있었다.[85] 일부는 이런 기회에 흥분을 감추지 못했다. 금값에 비해 은값이 매우 높았기 때문에 동방에서 은을 금으로 바꿔서 아메리카 대륙의 에스파냐 영토나 본국 에스파냐로 가져가면 "70~75퍼센트의 이익을 남길 수 있다"라고 페드로 데 바에사Pedro de Baeza는 썼다.[86]

은의 중국 유입이 어떤 영향을 미쳤는지는 무척 복잡해서 완전하게 평가하기 어렵다. 그러나 아메리카에서 귀금속이 들어오면서 16세기와 17세기에 중국의 문화와 예술, 그리고 학술에 영향을 미친 것은 틀림없는 사실이다. 명대의 심주沈周, 문징명文徵明, 당인唐寅, 구영仇英 같은 화가들은 후원과 재정적 보상을 받았다. 화가 육치陸治는 취미와 오락을 개발하는 데 관심이 있는 성장하는 중산층으로부터 개인적

인 주문을 받았다.[87]

이 시기는 실험과 발견의 시대였다. 주인공 반금련潘金蓮으로 유명한 성애性愛 소설《금병매金甁梅》는 문학 형식뿐만 아니라 성性에 대한 인식에도 도전했다.[88] 새로운 부는 송응성宋應星 같은 학자들도 지원했다. 스노클 잠수에서부터 관개시설에 수력학水力學을 응용하는 일에 이르기까지 다양한 주제를 다룬 백과사전《천공개물天工開物》은 높은 평가와 인정을 받았다.[89] 유학儒學에 대한 관심 증대와 왕수인王守仁 같은 유학자에 대한 존경은 큰 변화의 시기에 설명과 해결책을 원하고 있었음을 입증한다.[90]

영국의 학자 존 셀던John Selden이 소장했다가 최근 옥스퍼드의 보들리 도서관에서 재발견된 '셀던 지도'는 마찬가지로 이 시기에 중국인들이 교역과 여행에 많은 관심을 가지고 있었음을 보여준다. 지도는 동남아시아를 광범위하게 개관하며, 항로까지 보여준다. 그러나 이는 예외적인 일이었다. 이 시기의 중국 지도들은 이전과 마찬가지로 그들만의 관점으로 세계를 인식하고 있었다. 북쪽은 만리장성으로 막히고 동쪽은 바다로 막혀 있다. 이는 세계가 열리고 있는 시기에 중국이 소극적으로 대처하고 있다는 징표였다. 그러나 이는 또한 네덜란드, 에스파냐, 포르투갈 배들이 서로를 겨누고 있는(그러나 자주 중국 정크선들을 화물째 나포하기도 했다[91]) 동아시아에서 유럽 해군의 우위를 반영한 것이었다. 중국은 공격적인 경쟁자들 사이의 싸움에 끼어들려 하지 않았고, 그 결과 고통을 감내해야 했다. 이런 상황에서 점점 자기 안으로 파고드는, 그러나 동시에 자기네에게 오는 상인들로부터 이득을 거두는 경향은 완전히 논리적인 것처럼 보였다.

중국으로 유입된 은의 상당 부분은 여러 가지 대규모 개혁에 지출되었다. 그 가운데 중요한 것은 화폐경제로의 전환과 자유 노동시장의 육성, 대외무역을 활성화하기 위한 프로그램 등이었다. 역설적으로 중국이 은을 좋아하고 이 특수한 귀금속을 중요시한 것은 아킬레스건이 되었다. 중국에 엄청난 양의 은이 들어오면서(특히 마닐라를 통해 많이 들어왔다) 그 가치가 불가피하게 떨어지기 시작했고, 시간이 지남에 따라 물가 상승을 유발했다. 그 최종 결과는 은의 가치(특히 금에 대비한 은의 가치)가 다른 지역이나 나라와 나란히 가지 않을 수 없다는 것이었다. 인도에서는 세계 시장이 열린 것이 세계의 새로운 경이를 탄생시켰지만, 중국에서는 이와 달리 17세기의 심각한 경제적·정치적 위기로 이어졌다.[92] 세계화는 500년 전에도 지금이나 마찬가지로 문제가 많았다.

훗날 애덤 스미스는 나라의 부에 관한 자신의 유명한 책 《국부론》에서 이렇게 말했다.

"아메리카 대륙을 발견하고 희망봉을 거쳐 동인도로 가는 항로를 발견한 것은 인류 역사에서 기록된 것 가운데 가장 중요한 사건이다."[93]

세계는 참으로 콜럼버스의 첫 탐험과 바스쿠 다가마가 인도에서 귀국한 성공적인 여행 이후 개척된 금과 은의 길에 의해 변모했다. 그러나 애덤 스미스가 1776년에 말하지 않은 것은 영국이 어떻게 상황에 적응했는지에 관해서다. 1490년대의 발견에 이어지는 16세기는 에스파냐와 포르투갈의 차지였고 그 열매는 동방의 제국들에 퍼부어졌지만, 그 뒤 200년은 북유럽 나라들의 차지였기 때문이다. 정말 뜻밖에도 세계의 무게중심은 다시 옮겨가려 하고 있었다. 이번에는 그것이 큰(Great) 나라가 되려 하고 있는 영국Britain의 차지가 된다.

북유럽으로 가는 길

잉글랜드의 해군 혁신

세계는 1490년대의 이른바 '발견'들로 인해 변모했다. 유럽은 더 이상 세계 문제의 방관자가 아니었고, 세계의 동력이 되어가고 있었다. 마드리드와 리스본에서 내려진 결정은 이제 수천 킬로미터 밖에서 메아리치고 되울렸다. 한때 아바스의 바그다드, 중국 당나라의 뤄양, 몽골의 수도 카라코룸, 티무르의 사마르칸트가 맡았던 역할이었다. 모든 길은 이제 유럽을 향하고 있었다.

이는 누군가에게는 심한 좌절감을 안겨주었다. 가장 입맛이 쓴 것은 잉글랜드였다. 자기네 경쟁자들의 국고가 하룻밤 사이에 몇 배로 불어난 것은 정말로 불쾌한 일이었다. 게다가 경쟁자들은 금과 은이 에스파냐 왕실에 쏟아져 내린 것이 하느님의 계획의 일부라고 신나게 떠들어댔다. 이는 특히 잉글랜드가 로마 가톨릭과 결별한 이후 더욱 뼈아팠다. 한 예수회 사제는 16세기에 이렇게 썼다.

"하느님께서 에스파냐 국왕의 손에 쥐여주신 권력이 얼마나 강한

가! (……) [에스파냐의 부는] 하늘에 계신 주님이 정하신 것이다. 그분은 누구에게든지, 어떤 방식으로든지 원하시는 대로 왕국을 주거나 빼앗으시는 분이다."[1]

메시지는 개신교도 군주들이 진짜 신앙을 저버렸기 때문에 벌을 기다려야 한다는 것이었다. 종교개혁이 한창일 때여서 유럽 곳곳에서는 가톨릭교도와 개신교도 사이에 폭력과 박해가 분출했다. 잉글랜드에 대한 군사행동이 임박했다는 소문이 나돌았다. 특히 메리 1세가 죽고 헛된 기대가 사라져버린 이후에 그랬다. 메리의 치세에는 영국이 로마에 대한 충성으로 되돌아가서 교황의 권위를 받아들일 것으로 보였다.

메리의 이복 여동생 엘리자베스 1세는 1558년에 즉위한 뒤 상반되는 종교적 요구 사이에서 위험한 줄타기를 해야 했다. 한편에는 목소리 크고 강력한 로비 집단이 있었고, 다른 한편에는 불관용의 분위기에서 불만을 품고 밀려나고 희생된 사람들의 저항이 있었다. 유럽의 변방에 비교적 고립되어 있던 잉글랜드에서는 모든 사람을 만족시키는 일이 쉽지 않았다. 교황 피우스 5세는 1570년에 "하늘 높은 곳에서 다스리시는Regnans in Excelsis"으로 시작하는 교서를 발표하여 엘리자베스가 "잉글랜드의 참칭 여왕이자 죄악의 노예"라고 선언하고, 그 법에 복종하는 신민은 누구라도 파문하겠다고 위협했다. 이때쯤에는 예견되는 침략군이 올 때('만약 침략군이 온다면'이 아니라) 어떻게 격퇴할 것이냐 하는 쪽으로 생각이 옮겨갔다.[2]

강력하고 효과적인 방어 제1선을 구축하기 위해 왕국 해군에 막대한 투자가 이루어졌다. 템스 강의 데트퍼드와 울리치 등에 최첨단 조선소가 만들어졌다. 여기서는 군함이 더욱 효율적으로 설계되고 보수되었으며, 이는 다시 상선 건조를 혁신하는 데 도움을 주었다. 더 많은 화물을 실을 수 있고, 더 빨리 달리며, 더 오래 바다에 머물 수 있고, 더 많은 승무원과 더 강력한 대포를 실을 수 있는 배들이 건조되기 시작했다.[3]

조선공의 대부는 도편수의 아들인 매슈 베이커Matthew Baker였다. 그는《고대 잉글랜드의 선박 건조에 관한 단편斷片》이라는 제목의 명저에 나오는 수학과 기하학의 원리를 이용해서 엘리자베스 여왕을 위한 새 세대의 배를 만들었다.[4] 이 디자인들은 곧바로 상업적 용도로 채용되었다. 그 결과 무게가 100톤 이상 나가는 잉글랜드의 배는 1560년 이후 20년 사이에 거의 세 배로 수가 늘었다. 새 세대의 배들은 속도가 빠르고 조종이 쉬우며 바다에서 마주쳤을 때 가공할 만한 위압감을 보여주어 금세 명성을 얻었다.[5]

잉글랜드 해군력 증강의 결과는 1588년 여름에 에스파냐가 전면적인 잉글랜드 침략을 위해 자기네 속령인 네덜란드에 있던 군대를 실어오려고 대규모 함대를 파견했을 때 분명히 드러났다. 전략과 전투에서 잉글랜드에 패배한 에스파냐 무적함대의 패잔병들은 치욕스럽게 본국으로 돌아갔다. 침몰된 배의 대부분은 잉글랜드의 공격에 의한 것이기보다는 암초에 걸린 것이었고 갑자기 거센 비바람이 몰아친 탓이기도 했지만, 해군에 대한 투자가 상당한 성과를 거두었음을 의심하는 사람은 별로 없었다.[6]

4년 뒤 아소르스 제도 앞바다에서 후추, 정향, 육두구, 흑단, 태피스트리, 비단, 직물과 진주, 귀금속을 가득 싣고 동인도에서 오던 포르투갈의 쾌속 범선 마드르 드 데우스호를 나포한 것은 잉글랜드의 제해권 장악을 더욱 분명히 보여주었다. 잉글랜드 남해안의 다트머스 항으로 끌어간 이 배 한 척에서 나온 것만 해도 잉글랜드의 정규 연간 수입輸入의 절반에 해당하는 가치가 있는 것으로 추산되었다. 이 배를 나포한 뒤 국왕과 그 성공에 기여한 사람들 사이에서 전리품을 나누는 문제를 두고 논란이 촉발되었다. 들고 갈 수 있는 고가의 물품들이 도둑맞아 금세 사라졌는데도 그 문제는 쉽게 해결되지 않았다.[7]

이런 일련의 성공은 잉글랜드에게 자신감을 주었고, 대서양과 그 밖의 지역에서 점점 더 파괴적인 행동을 부추겼다. 잉글랜드는 유럽의 가톨릭교도 군주들의 적이라면 누구와도 우호관계를 맺기 시작했다. 예컨대 1590년대에 엘리자베스 여왕은 나포된 에스파냐 배에서 '갤리선 노예'로 붙잡혀 있던 북아프리카 출신의 무슬림들을 풀어주면서 옷과 돈과 '다른 필수품들'을 주어서 고국으로 안전하게 돌려보냈다.[8]

게다가 잉글랜드는 1596년 에스파냐 남해안 카디스를 공격할 때 북아프리카의 무슬림들로부터 지원을 받았다. 이 사건은 셰익스피어의 《베니스의 상인》 서두에서도 언급된다. 이런 일은 이 시기의 이해관계에 따른 협력으로, 한 현대 비평가는 잉글랜드인과 무어인들이 가톨릭 국가인 에스파냐를 상대로 한 '지하드jihad'(이슬람교에서 신을 섬기기 위한 '분투'를 의미하는 말로, 보통 이 말의 번역어로 사용되는 '성전聖戰'은 그 일부에 불과하다—옮긴이)에 참여했다고 말한다.[9]

오스만에 구애하는 잉글랜드

잉글랜드는 아메리카와 아시아로 가는 에스파냐와 포르투갈의 새 교역로에 도전하면서 오스만제국과 긴밀한 관계를 형성하는 데 상당한 노력을 들였다. 오스만이 빈의 성문 앞으로 육박하는 모습을 온 유럽이 두려움에 떨며 지켜보던 시기에 영국은 다른 쪽을 지원했다. 잉글랜드는 기독교 국가들의 '신성동맹'에 불참하여 이채를 띠었다. 이 연합체는 회동을 가진 뒤 1571년에 코린토스 만에 있는 레판토 앞바다에서 오스만 함대를 공격했다. 신성동맹이 승리하자 유럽 전역에서 환호하는 장면이 연출되고, 승리를 축하하기 위해 시, 음악, 미술과 기념물이 건립되었다. 그러나 잉글랜드는 조용했다.[10]

이 일이 있은 후에도 엘리자베스 여왕의 궁정에서는 이스탄불의 술탄에게 다정한 친선의 편지와 선물을 보내면서 부지런히 구애를 했다. 그러자 술탄은 "순수한 상호 신뢰와 너그러운 우호에서 나온, 장미처럼 향기로운 진심 어린 안부의 말과 풍성한 인사말"로 런던에 화답했다.[11]

잉글랜드에서 보낸 선물 가운데는 풍금도 있었다. 토머스 댈럼 Thomas Dallam이 디자인한 것으로, 1599년에 이스탄불로 실어 보냈다. 댈럼은 열기와 습기 때문에 "접착제가 모조리 떨어져나가고" 파이프도 운송 도중 손상되어 겁을 먹었다. 잉글랜드 대사가 보더니 "이건 두 푼 가치도 없다고 말했다." 댈럼은 밤낮없이 매달려 풍금을 고쳤다. 그리고 그가 술탄 메흐메드 2세를 위해 풍금을 연주하자 술탄은 매우 감명을 받았다. 술탄은 그에게 금 세례를 퍼부었고, "아내 두 명"도 주겠다고 했다. "그의 후궁 가운데 두 명 또는 가장 내 마음에 드는 다른 처녀 두 명"이었다.[12]

엘리자베스가 술탄에게 접근한 것은 오스만의 유럽 진군 이후 기회를 잡을 수 있다는 가능성 때문이기도 했다. 교황 식스투스 4세는 오랫동안 더 이상의 손실을 막기 위해 기독교도 지배자들의 결집을 촉구해왔다. 그는 근엄하게 경고했다.

"헝가리가 정복당하면 그다음 차례는 독일이고, 달마티아와 일리리아가 괴멸되면 이탈리아가 침략당할 것입니다."[13]

잉글랜드는 확고하게 독자 노선을 걷고 있었으므로 오스만과 우호관계를 강구하는 것은 합리적인 외교정책인 듯했다. 게다가 교역관계를 촉진한다는 전망도 있었다.

이런 관점에서 공식 무역 협정이 맺어졌다. 이 협정에서 오스만 제국에 있는 잉글랜드 상인들에게 다른 어떤 나라보다 더 후한 특권이 주어졌다는 사실은 주목할 만하다.[14]

마찬가지로 놀라운 것은 개신교도와 무슬림 사이의 대화에서 사용된 공통 언어다. 예를 들어 엘리자베스 여왕은 "가장 높으신 하느님의 은혜"를 내세우며 오스만 술탄에게 자신을 "모든 종류의 우상 숭배와, 기독교도들 사이에 살며 그리스도의 이름을 그릇 고백하는 모든 사람들에 맞선 가장 완강하고 가장 강력한 기독교 신앙의 수호자"[15]로 소개했다. 오스만 지배자들도 마찬가지로 가톨릭 교회에서 갈라져 나온 사람들과 접촉할 수 있는 기회에 주의를 기울였다. 그들 역시 양쪽이 신앙을 해석하는 방식의 유사점을 강조했다. 특히 시각적 이미지의 경우에 그러했다. 술탄 무라드 3세는 "플랑드르와 에스파냐의 루터파 교도들"에게, "그들이 교황이라 부르는 불신자"가 저지른 여러 가지 잘못 가운데 하나는 그가 우상 숭배를 부추겼다는 것이라고 썼다. 종교개혁의 기획자 가운데 한 사람인 마르틴 루터의 추종자들이 "교회에서 우상과 초상과 종을 없앤"[16] 데는 그들의 공헌이 컸다고도 했다. 예상 외로 잉글랜드의 개신교도들은 문을 닫기보다는 여는 데 도움을 줄 것으로 보였다.[17]

오스만과 무슬림 세계에 대한 긍정적인 시각이 잉글랜드의 주류 문화 속으로 확산되었다.

"내 피부색 때문에 나를 싫어하지는 마시오."

《베니스의 상인》에서 모로코 왕은 포샤에게 청혼하면서 이렇게 말한다. 관객들은 이 왕이 여러 전투에서 술탄을 위해 용감하게 싸운 사람이고 이 상속녀(엘리자베스 여왕을 암시하는 배역)에게 잘 어울리는 배필임을 알고 있다. 그는 또한 "반짝인다고 모두 금은 아니다"라는 사실을 알고 있을 만큼 영리한 사람이었다. 그리고《오셀로》에서는 베네치아군에 복무하는 '무어인'인 (따라서 아마도 무슬림이었을) 주인공의 비극적인 고결성이 그의 주변에 있는 기독교도들의 이중잣대, 위선, 속임수와 뚜렷하게 대비된다.

"이 무어인들의 의지는 결코 꺾을 수 없어."

어느 순간에 관객에게는 이런 말이 들린다. 무슬림은 약속을 하고 약정을 맺으면 믿을 만하고 확고한 사람들이라는 것이다. 따라서 그들은 신뢰할 만한 동맹자였다.[18] 실제로 엘리자베스 시대에는 영국 문학에서 공통적인 (그리고 긍정적인) 문화적 준거로서 페르시아가 등장했다.[19]

무슬림과 그들의 왕국을 긍정적으로 묘사하는 것은 에스파냐에 대해 준엄한 태도를 보이는 것과 대비된다. 따라서 아메리카 정복에 관한 데 라스카사스의 기록 출판은 하늘이 준 선물이었다. 특히 100년 전에 구텐베르크 혁명이 있었기에 이전에는 상상할 수조차 없던 규모로 책을 인쇄할 수 있었다.[20] 그 덕분에 도미니크회 수도사 데 라스카사스의 책 같은 기록들이 빠르고 비교적 값싸게 보급되었다. 21세기 초에 일어난 기술 진보의 경우도 그렇지만, 차이를 만든 것은 정보를 공유하는 속도가 갑작스럽게 빨라진 일이었다.

데 라스카사스의 책은 이 사제가 아메리카 원주민들의 고통을 목격하고 점점 더 환멸을 느끼고 있었기 때문에 중요했다. 잔혹 행위를 소름 끼치도록 자세하게 설명한 《서인도 파괴에 관한 간략한 보고 Brevísima relación de la destrucción de las Indias》는 잉글랜드에서 관심을 끌었다. 이 책은 1580년대에 완역본과 가장 끔찍한 부분들을 포함한 초역본으로 널리 유포되어, 에스파냐인들이 대량학살자이고 에스파냐는 잔인하고 피에 굶주린 왕국임을 적나라하게 보여주었다. 이 책을 영어로 번역한 제임스 앨리그로도 James Aligrodo는 서문에서 이렇게 썼다.

"열둘. 열다섯. 또는 스물. 이성이 있는 불쌍한 사람들이 수도 없이 [살육당했다.]"[21]

에스파냐인들이 자기네보다 열등하다고 생각한 사람들에게 저지른 끔찍한 행위에 관한 이야기는 금세 개신교권 유럽에 퍼졌다. 내포된 의미는 분명했다. 에스파냐인은 남들을 끔찍할 정도로 잔인하게 대하는 타고난 압제자들이며, 기회만 주어진다면 본국의 주변 나라 사람들도 똑같은 방식으로 박해하리라는 것이다.[22] 이는 저지대 국가 사람들에게 공포를 심어주었고, 저지대국은 16세기 말에 점점 거칠어지는 에스파냐와의 싸움에 붙잡혀 있었다. 종교개혁이 강력한 지지를 받고 있는 이 지역에서 에스파냐가 지배권을 주장하면서 벌어진 일이었다.

유명한 작가이자 영국의 아메리카 정착 지지자인 리처드 해클루트 Richard Hakluyt는 에스파냐가 "서인도에서 우월감과 폭압으로 통치"하고 순진한 사람들을 노예로 만들었으며, 피해자들은 "한목소리로 울부짖으며" 애절하게 자유를 달라고 빌고 있음을 묘사했다.[23] 이는 에스파냐형 제국이었으며, 다시 말해서 불관용과 폭력과 박해의 제국이었다. 잉글랜드는 물론 그런 부끄러운 행동을 할 수는 없었다.[24]

그것이 원칙이었다. 그러나 실제로 노예제와 폭력에 대한 태도는 그런 고매한 약속이 암시하는 것보다는 좀 더 모호했다. 1560년대에 잉글랜드 선원들은 돈이 되는 서아프리카의 노예무역에 한몫 끼려고 거듭 애를 썼다. 존 호킨스John Hawkins는 엘리자베스 여왕이 직접 투자한 돈으로 노예들을 대서양 건너로 실어 보내 상당한 이익을 챙겼다. 그는 이렇게 판단했다.

"니그로는 에스파뇰라에서 매우 좋은 상품이며, 기니 해안에 가면 니그로를 많이 잡을 수 있다."

호킨스와 그 후원자들은 이 사업에 끼지 못해 안달했다. 잉글랜드 사회의 최상층에 있는 사람들은 아메리카 대륙의 '압제자'들과의 거래를 거부하기는커녕 그것을 통해 돈을 벌었다.[25]

결국 잉글랜드의 위선적인 태도는 16세기 초의 거대한 변화가 만들어낸 엄청난 기회를 이용하는 데서 불리한 위치에 있었기 때문에 나온 것이었다. 종교 분쟁과 운 나쁜 타이밍으로 인해 이 나라는 세계 강국으로 떠오른 에스파냐와 불구대천의 원수가 되었다. 이에 따라 아메리카로부터, 그리고 동방에서 홍해와 육상 교통로를 통해 베네치아로 들어오는 교역으로부터 나오는 엄청난 이득을 얻기에는 불리한 위치에 서고 말았다.

아무리 에스파냐를 비난하더라도 잉글랜드가 쓰레기 더미나 뒤져 약간의 부스러기만 챙겨도 감지덕지해야 하는 처지임을 숨길 수는 없었다. 잉글랜드는 "이 시기에 용감한 젊은이들이 우글우글"했으며, 만성적인 "일자리 부족"으로 경제 침체에 빠져 있었다고 리처드 해클루트는 썼다. 젊은이들을 고용하여 "이 왕국"을 세계 "모든 바다의 지배자"로 만들 수 있는 해군을 창설하는 것은 신나는 일이 아니겠느냐고 그는 물었다.[26] 바다를 지배한다는 이야기는 야심찬 것이었다. 어쨌든 꿈을 꾸는 것은 잘못이 아니었다.

잉글랜드의 에스파냐 따라잡기

남부 유럽이 흥청거리는 동안 잉글랜드가 가만히 구경만 하고 있었던 것은 아니었다. 사방으로 원정대를 보내 교역로를 열고 새로운 교역망, 수송망, 교통망을 만들고자 했다. 그러나 고무적인 결과는 별로 없었다. 1570년대에 대서양에서 아메리카 대륙 북쪽을 지나 태평양으로 연결되는 '북서 항로'를 탐험하려고 나섰던 마틴 프로비셔 Martin Frobisher의 원정대는 아시아로 가는 유망한 경로를 발견하지 못하고 본국으로 돌아왔다. 그것만으로도 기운 빠지는 소식이었건만, 더 황당한 일이 있었다. 지금의 캐나다에서 상당량의 금을 가지고 돌아와서 아메리카 대륙의 다른 지역에서 발견한 것과 맞먹는 금이 발견되었다고 동네방네 떠들었는데, 알고 보니 금이 아니었던 것이다. 이 반짝이는 금속은 백철광白鐵鑛이었다. '바보의 금'이라 불리는 광물이다.[27]

또 다른 재앙도 있었다. 지금의 핀란드 북쪽인 바렌츠해를 통해 중국에 도달하려던 시도는 비극으로 끝났다. 휴 윌러비 Hugh Willoughby와 선원들을 태운 배가 겨울이 시작될 무렵 무르만스크 부근에서 얼음에 갇혀버렸다. 전원이 동사했고, 그들의 시신은 이듬해에 발견되었다. 런던 주재 베네치아 대사에 따르면 그들은 "조각상처럼 여러 가지 자세로" 딱딱하게 얼어 있었다.

"[일부는] 앉아서 글을 쓰고 있었던 듯 여전히 펜을 손에 잡고 있었고, 입에 수저를 넣고 있는 사람도 있었다. 어떤 사람은 사물함을 열고 있었다."[28]

동방의 물건들을 얻기 위해 러시아와 교역관계를 맺으려는 노력은 두 가지 이유로 애를 먹었다. 첫째는 잉글랜드인들이 도착한 때가 그로즈니(폭군)라는 별칭으로 불린 이반 4세가 한창 포악을 떨 때였다는 점이고, 두 번째는 16세기에 러시아는 아시아와의 교역이 그다지 활발하지 않았다는 점이다. 이 교역이 이후 극적으로 확대되기는 하지만, 카스피해 연안과 그 너머로 연결되는 길은 상인들이 안전하게 지나가기에는 아직 위험 요소들이 너무 많았다. 경호를 잔뜩 붙인 상인 단조차도 강도들에게 습격당하기 십상이었다.[29]

1560년대에는 상인들을 몇 차례 페르시아에도 보냈다. 그곳에서 교역관계를 구축하려는 필사적인 시도였다. 보통 우호와 동맹을 약속하는 엘리자베스 여왕의 문서를 소지한 사절들은 샤에게 "정직한 의도로 폐하의 신민이나 폐하의 나라에서 교역하고 있는 이방인들과 상품 거래를 하는"[30] 데 특권을 요청했다. 잉글랜드인들은 이슬람교와 기독교의 장단점을 묻는 독실한 무슬림 고객들에게 잘못 대답했다가 낭패를 본 적이 있었기 때문에 샤가 상인들에게 종교에 관해 이야기하지 못하도록 엄격한 지시를 내려주기를 바랐다. 여행자들에게는 본국의 신앙 문제에 관한 질문을 받으면 "조용히 그 문제를 넘겨버리고 아무런 이야기도 하지 않는" 것이 낫다고 충고했다.[31] 유럽에서는 가톨릭과 개신교가 서로 격렬하게 싸우면서 종교적 입장이 매우 중요시되었다. 그 밖의 지역에서는 이 문제를 형편에 따라 접어둘 수 있었다.

17세기 초까지 에스파냐와 포르투갈의 성공을 따라하려는 시도들은 별 효과를 거두지 못했다. 1551년에 민간 자금으로 설립된 '신토지 개척무역상 회사'를 시작으로 새로운 무역회사들이 설립되었다. 서로 다른 지역에 대한 개척의 야망을 가진 별개의 회사'들이 그 주위에 우후죽순처럼 생겨났다. 에스파냐 회사, 동방국 회사, 레반트 회사, 러시아 회사, 투르크 회사, 동인도회사가 국왕 면허를 받고 설립되어 지정된 지역 또는 나라에서의 무역 활동에 대한 독점권을 얻었다. 해외 사업이 위험하고 상당한 투자를 필요로 한다는 근거에서다. 이렇게 미래의 성공을 보장함으로써 상인들에게 동기 부여를 한 것은 잉글랜드가 무역 증대를 위해 애쓴 혁신적인 방법이었다. 그리고 이를 통해 이 나라의 정치적인 촉수도 늘렸다.

인상적인 이름과 왕실의 보증, 그리고 높은 기대치에도 불구하고 처음에는 성과가 보잘것없었다. 잉글랜드는 세계 문제에서 여전히 변두리에 머물러 있었고, 에스파냐의 위치는 갈수록 더 강고해지는 것 같았다. 수백 년에 걸쳐 아즈텍인들과 잉카인들이 모은 귀금속이 수십 년 사이에 에스파냐로 보내졌고, 이와 함께 전에 발견되지 않았거나 개발되지 않았던 광산의 재물도 들어왔다. 대표적으로 포토시 광산에서는 에스파냐 왕실을 위해서 매년 100만 페소씩 생산한다고 했다.[32]

에스파냐가 발견한 것이 막대하기는 했지만, 아메리카에서 짜낼 수 있는 보물에는 한계가 있었다. 자원은 결국 한정된 것이었다. 베네수엘라 해안 앞바다에 있던 굴 서식지도 16세기 초 꼭 30년 만에 수백억 개의 굴을 채취한 뒤 바닥이 나버렸다.[33]

그러나 에스파냐인들은 이 횡재를 바닥 없는 광산으로 생각했다. 새로 발견된 부를, 엘에스코리알에 거대한 궁전을 짓는 일 같은 거창한 프로젝트에 돈을 대고, 또한 유럽 전역의 경쟁국들을 겨냥한 끝이 없는 군사작전의 자금으로 사용했다. 에스파냐 궁정에서는 자기네가 전능하신 분의 경찰 노릇을 하며 그분의 의지를 지상에 전할 필요가 있다는 정서가 팽배했다. 필요하다면 힘을 동원해서라도 말이다. 에스파냐는 개신교도 및 무슬림과도 군사적 대결을 피할 수 없음을 깨달았다. 그것은 성전의 새로운 국면이었다.

네덜란드의 탄생

초기 십자군이 보여준 바와 같이, 성전에 소모되는 사람과 돈은 왕실 재정을 파탄 낼 수 있을 정도로 막대했다. 에스파냐 국왕은 각종 프로젝트를 추진하기 위해 빚을 얻어야 했다. 이는 단기적이고 야심찬 결정을 내리는 데 도움을 주었지만, 한편으로 후일에야 분명히 드러나게 되는 결과를 숨기고 있었다. 특히 일이 잘못될 경우의 결과를 말이다. 재정 운용의 실패와 무능은 드러난 실상의 일부일 뿐이었다. 결국 에스파냐는 군사비 지출을 통제하지 못함으로써 재앙을 초래하고 말았다. 믿기 어려운 일이지만, 에스파냐는 16세기 후반에 몇 차례나 빚을 갚지 못하는 처지가 되었다. 적어도 네 번 빚을 갚지 못했다.[34] 거지였다가 갑자기 복권에 당첨된 벼락부자 같았다. 당첨금을 비싼 사치품을 사는 데 흥청망청 낭비한 셈이었다.

부가 쏟아져 들어온 효과는 다른 곳에서도 느낄 수 있었다. 사실 아메리카에서 돈이 흘러들어오면서 인플레이션이 발생하고, 유럽 전역에서 이른바 물가혁명Price Revolution이 일어났다. 이에 따라 자연히 소비자들이 한정된 양의 상품을 따라다니게 되었다. 도시화가 진척되면서 물가가 더욱 치솟았다. 에스파냐에서는 콜럼버스의 '발견' 직후인 16세기 동안에 곡물 가격이 다섯 배로 뛰었다.[35]

사태는 결국 에스파냐 영토의 일부였던 저지대 국가의 지방과 도시들에서 터지고 말았다. 이곳 사람들은 에스파냐가 재정 문제를 해결하기 위해 무거운 세금을 물리자 화가 폭발했다. 북유럽에는 생산성 높은 도심지들이 밀집해 있었다. 안트베르펜, 브뤼셀, 겐트, 암스테르담이 14세기와 15세기에 지중해 지역과 스칸디나비아, 발트해 연안, 러시아, 브리튼 제도에서 들어오고 그쪽으로 나가는 상품의 중요한 교역 중심지로 떠올랐다. 당연히 이 도시들은 인도 및 아메리카와의 교역로가 열린 이후 더욱 꽃을 피웠다.[36]

이들 도시는 사방에서 상인들을 끌어들였고, 그것은 다시 활기찬 사회·경제생활을 누리고 시민으로서의 정체성을 강화하는 데 도움을 주었다. 인구가 증가하면서 주변 땅을 효율적으로 사용할 필요가 생겼고, 주변 지역의 농산물 생산 관리와 관개기술의 발전을 촉진했다. 작은 땅 한 뙈기라도 생산적으로 쓰기 위해 수로와 방조제를 건설했다. 저지대 국가의 도시들과 그 배후지가 급성장하면서 수익성 좋은 '꿀단지'가 되었다. 세금 수입이 창출되는 핵심 지역이었다. 왕실 결혼과 상속이라는 행운 덕분에 이 지역 대부분을 지배하게 된 에스파냐 왕들이 이를 놓칠 리 없었다.[37]

오래지 않아 개별 주와 도시들은 가혹하게 높은 수준의 세금을 매기는 데 깜짝 놀라 울부짖었다. 여기에 더해 신앙 문제에 야만스러울 정도로 폭압적인 태도를 취했다. 딴생각을 품은 정치 지배자들이 구조적으로 타락했다는 사실과 개인의 영적 중요성을 강조하는 마르틴 루터나 장 칼뱅 등의 사상은 이 고도로 도시화한 지역의 비옥한 땅에 떨어져 개신교가 뿌리내리는 데 도움을 주었다. 경제적·종교적 박해가 복합되고 강력해져서 반란을 일으켰고, 마침내 1581년에 위트레흐트 동맹이 탄생했다. 이 독립선언에 의해 '7개 주 동맹'이 이루어지면서 사실상 네덜란드 공화국의 탄생을 알렸다.

에스파냐는 이에 대해 무력 시위로 대응했다. 이와 함께 1585년에 저지대에 대한 통상 금지령이 내려졌다. 반란을 일으킨 주와 도시들을 봉쇄해서 항복을 받아내려는 목적이었다. 종종 그렇듯이 제재 조치가 시행되자 결과는 반대로 나타났다. 선택지가 거의 없는 상황에 몰리자 분리주의자들은 공격적으로 맞섰다. 살아남는 유일한 길은 자신들이 가진 지혜와 기술과 전문지식을 마지막 한 방울까지 짜내 자기네에게 유리하게 사용하는 것이었다. 판을 뒤집을 시간이 된 것이다.[38]

16세기의 마지막 몇 년 동안 저지대에서는 기적이 일어날 수 있는 환경이 조성되었다. 이 지역을 진압하려는 에스파냐의 시도는 대규모 이주를 불러왔다. 주민들은 남부 주들에서 북쪽으로 이주했기 때문에 겐트, 브뤼셀, 안트베르펜 같은 도시들은 어느 학자의 표현대로 '재앙에 가까운 주민 대량 유출'을 겪었다. 타이밍은 운을 도왔다. 통상 금지에 따라 곡물과 청어 재고가 충분했고, 이는 식료품 공급이 넉넉하고 값도 싸다는 얘기였다. 임대료는 급등했지만 인구 증가로 인해 주택 건설 부문이 호황을 누렸고, 에스파냐가 가하는 압박을 피하려 애쓰던 노련한 상인들과 다른 전문인들을 하나의 효율적인 집단으로 묶어주었다.[39]

1590년에 마침내 봉쇄가 풀리자 네덜란드인들은 기민하게 움직여, 질서를 유지하기 위해 파견되었던 에스파냐 군대를 몰아냈다. 에스파냐의 펠리페 2세가 유럽의 다른 곳에서 무력 충돌에 휘말리게 된 것도 그들에게는 기회였다. 갑작스럽게 군사적 압력에서 해방되고 좋은 기회가 눈앞에 나타나자 네덜란드인들은 국제무역에 뛰어들어 아메리카, 아프리카, 아시아와 관계 구축을 시도했다.

독자적인 교역망을 구축한다는 계획에는 분명한 상업적 논리가 있었다. 상품을 네덜란드 공화국으로 직접 가져오면 두 단계의 세금을 피할 수 있다. 우선 상품은 포르투갈과 에스파냐 항구들에서 걷어 가는 관세 없이 도착하게 된다. 그곳에서는 보통 화물이 북쪽으로 보내지기 전에 세금을 물린다. 둘째로, 네덜란드 당국이 이제 수입을 이베리아 반도의 주인에게 보내지 않고 스스로 차지한다는 것은 저지대 국가의 번창하는 사업으로 만들어진 돈이 제국의 야심이나 다른 곳에서의 무분별한 지출을 위해 뜯겨나가지 않는다는 얘기였다. 이는 더 많은 이익이 재투자되면서 즉각적인 편익을 가져오고 선순환을 만들어내며, 자금 흐름을 촉진한다. 그것은 개별 상인에게도 좋은 일이었지만, 갓 태어난 공화국에게도 좋은 일이었다.[40]

네덜란드의 성공 비결

야심찬 계획은 처음부터 이익을 냈다. 1597년에 동방을 향해 출발한 원정대는 이듬해 의기양양하게 본국으로 돌아왔다. 그들이 싣고 온 화물은 400퍼센트의 이익을 남겼다. 선단은 이제 사방으로 파견되었다. 자기네 자본을 크게 늘려준 그런 성공으로 대담해진 투자자들이 돈을 댄 것이다.[41] 1601년 한 해에만도 14개의 원정대가 각각 아시아를 향해 출항했다. 또한 매년 100여 척의 배가 소금을 얻기 위해 대서양을 건너 지금의 베네수엘라에 있는 아라야 반도로 갔다. 소금은 청어 거래를 위해 꼭 필요한 것이었다.[42]

에스파냐인들은 분노했다. 그들은 군사행동을 재개하고 또다시 봉쇄를 가했다. 뛰어난 철학자이자 법률가인 휘호 더 흐로트에 따르면, 이는 그저 네덜란드인들이 자신의 운명을 스스로 결정해야 한다는 주장을 강화하게 했을 뿐이다. 위협과 압박에 직면해 물러서기는커녕, 유일한 선택지는 무역 사업체들에 더 많은 투자를 해서 가능한 한

빨리 교역망을 구축하고 군사력을 증강하여 독립을 강화하는 것이었다. 이는 죽느냐 사느냐의 문제였다.[43]

네덜란드가 거둔 성공의 열쇠는 뛰어난 조선술이었다. 무엇보다도 오랫동안 북해와 수심이 얕은 항구에서 활동하는 청어 선단의 고전적 디자인을 혁신한 일이 주효했다. 과거의 배들은 물에 잠긴 부분이 많지 않아 이런 곳을 드나드는 데 적합했다. 네덜란드는 1550년대부터 잉글랜드가 더 빠르고 강한 군함을 건조하는 것을 보고, 더 조종이 쉽고 더 많은 화물을 나를 수 있으며 더 적은 승무원이 필요한 (따라서 더 적은 비용으로 운항할 수 있는) 배를 개발하는 데 노력을 집중했다. 플라위트라 불린 이 배들은 상선의 새로운 표준이 되었다.[44]

네덜란드인들은 과제를 해결했고, 출항 준비를 완벽하게 마쳤다. 대서양을 건너고 희망봉을 돌았던 유럽의 그 선배들은 미지의 세계로 나아갔지만, 네덜란드인들은 그렇지 않았다. 그들은 자기네가 무엇을 찾아야 할지 알았고, 그것을 어디서 찾을 수 있는지도 알았다. 얀 하위헌 판 린스호턴Jan Huyghen van Linschoten은 《포르투갈령 동인도 여행기Itinerario》(1596)라는 책을 썼다. 고아 대주교의 비서였던 그는 아시아 전역의 교역로와 항구, 시장과 지역의 실태를 연구하는 데 온 시간을 바쳤으며, 동방으로 출발하는 사람들을 위한 포괄적인 안내서를 펴냈다.[45]

다른 저작들 역시 상인들이 여행을 준비하는 데 유용했다. 네덜란드인들은 지도 제작에 관한 한 세계 최고였다. 1580년대에 판화가 루카스 얀스존 바헤나에르Lucas Janszoon Waghenaer가 만든 지도와 해도는 상세하고 정확해서 유럽 전역에서 없어서는 안 될 것으로 인식되었다. 동인도와 카리브해 지역에 관한 정보를 수집하고 상세한 최신 지도를

제작하는 데 관심이 기울여졌다. 이런 노력들이 17세기 초에 근대적인 항해 보조물의 표준을 세웠다.[46]

네덜란드 상인들이 여행에 필요한 낯선 언어들의 어휘와 문법을 소개하는 책도 있었다. 이러한 새 언어들을 연구한 초기 학자 가운데 하나가 프레데리크 데 하우트만Frederik de Houtman이다. 그는 수마트라 술탄에게 붙잡혀 아체 감옥에 갇혔다가 풀려난 뒤인 1603년에 네덜란드어-말레이어 사전과 문법서를 출간했다. 그는 감옥에서 자신을 억류한 사람들의 언어를 부지런히 배웠다.[47] 16세기에 아시아로 가는 상인들은 그런 어휘 목록을 열심히 공부했다. 그들은 네덜란드어에서 말라얄람어, 말레이어, 비사야어, 타갈로그어, 타밀어와 기타 언어들로 번역한 유용한 단어와 구절들을 준비해갔다.[48]

17세기에 네덜란드인들이 거둔 성공의 바탕에는 이러한 상식과 근면이 있었다. 네덜란드인들은 잉글랜드의 사례를 따르지 말아야 한다고 생각했다. 잉글랜드에서는 면허를 받은 회사들이 수혜자를 친밀한 소집단으로 제한해서 서로의 이익을 챙겨주고, 자기네 지위를 보장하기 위해 독점 관행을 이용하는 약삭빠른 짓을 하고 있었다. 네덜란드는 그 대신 가능한 한 넓은 범위의 투자자 집합체에서 자본을 한데 모으고 위험은 함께 나누는 방식을 택했다. 시간이 지나면서 주들과 도시들과 심지어 개별 상인들 사이에서도, 서로 다른 야망과 경쟁심에도 불구하고 교역을 증대하는 가장 효율적이고 강력한 방법은 자원을 합치는 것이라는 인식이 공유되었다.[49]

이에 따라 네덜란드 공화국 정부는 1602년에 아시아와의 교역을 수행할 단일 조직을 만들었다. 단일 조직이 그 부분의 총합보다 더 튼튼하고 강력할 것이라는 신념에서였다. 이는 과감한 조처였다. 특히 이를 위해서는 지역 간에 경쟁을 자제해야 하고, 관련된 모든 당사자들에게 이익은 이 방식에 맞춰져야 할 뿐만 아니라 이 방식으로 더 많이 분배될 수 있음을 확신시켜야 했기 때문이다. 네덜란드 동인도회사와 조금 뒤의 아메리카를 겨냥한 그 자매 회사인 네덜란드 서인도회사의 창설은 세계적인 수준의 다국적기업을 설립하는 방식의 교과서적인 사례였다.[50]

네덜란드 모델은 놀랄 만큼 큰 성공을 거두었다. 상인이자 네덜란드 서인도회사 창설자인 빌렘 위셀링크스Willem Usselincx 같은 일부 사람들은 최선의 방안은 아메리카 대륙의 아직 식민화되지 않은 지역을 식민지화하는 것이라고 주장했지만, 분명한 계획 하나가 모습을 드러냈다.[51] 목표는 포르투갈인, 베네치아인, 독일인들이 함께 거주하는 고아 같은 곳에서 다른 유럽 상인들과 경쟁하지 않는 것이었다. 계획이란 그들을 몰아내는 것이었다.[52]

공격적인 접근은 곧바로 성과를 냈다. 관심은 우선 향신료 제도로 쏠렸다. 그곳에서는 1605년에 고립된 포르투갈 공동체가 추방되었다. 동인도의 지배권을 확립하려는 조직적인 계획의 일환이었다. 이후 수십 년에 걸쳐 네덜란드인들은 입지를 더욱 굳히고 바타비아에 항구적인 거점을 마련했다. 바타비아라는 이름은 로마제국 시대에 저지대 국가의 주민에게 붙여졌던 명칭을 딴 것으로 보이는데, 지금의 자카르타에 있었다.

모국으로 연결되는 여러 지점들을 점령하고 보호하기 위해 군사력이 동원되었다. 네덜란드는 마카오와 고아 같은 몇몇 지점에서는 좌절을 맛봤지만, 17세기에 얻은 소득은 참으로 인상적인 것이었다. 얼마 지나지 않아서 네덜란드로부터 공격을 당하는 것은 유럽인들만이 아니었고, 전략적으로 민감하거나 경제적으로 중요한 영토를 소유한 현지 지배자들도 공격 대상이 되었다. 말라카, 콜롬보, 실론, 코친이 손아귀에 들어왔고, 1669년에는 오늘날 인도네시아 술라웨시 섬의 마카사르 술탄 정권을 목표로 삼았다. 마카사르는 아시아와의 향신료 교역을 독점하는 데 필요한 '빠진 조각'이었다. 이 지역을 점령하여 니우로테르담으로 이름을 바꾸고, 다른 경우와 마찬가지로 그곳에 큰 요새를 건설했다. 얻은 것은 쉽게 내주지 않겠다는 의지의 표명이었다.[53] 헤이그의 국가 기록보관소에 소장된 한 지도는 네덜란드가 동인도에서 입지를 확립하면서 자아낸 틀림없는 거미줄을 그리고 있다.[54]

이런 방식은 다른 지역에서도 반복되었다. 서아프리카에서는 네덜란드인들이 금 교역을 지배하면서 경쟁자들이 이 지역에서 축출되었다. 그리고 시간이 지나면서는 노예를 아메리카로 파는 일에 깊숙이 관여하게 되었다. 새로운 요새들도 건설되었다. 오늘날 가나에 있는 포르트나사우 같은 곳이다. 포르투갈인들은 다른 기지에서도 밀려났다. 가나 해안의 엘미나는 17세기 중반에 네덜란드의 손아귀에 들어왔다. 카리브해와 아메리카 대륙에서도 상당한 성공을 거두었다. 1640년대가 되면 네덜란드는 대서양 횡단 해운의 상당 부분을 차지하게 되고, 설탕 교역을 완전히 장악하게 된다.[55]

저지대 국가는 변신했다. 일찍이 장거리 교역에 투자한 사람들은 돈을 벌었고, 새로운 부의 수혜자들 역시 성공했다. 레이던과 흐로닝언에는 대학이 세워져 학자들이 학문의 지평을 넓혔다. 후원자들의 넉넉한 후원금 덕분이었다. 미술가와 건축가도 많이 나와서 새로이 생겨난 부르주아들의 갑작스러운 관심과 부를 배경으로 흥청거렸다. 이례적으로 풍요로운 시기에 거대한 건물들이 암스테르담에 들어서기 시작했다. 수백 년 전 베네치아가 번성할 때 물가에 솟아올랐던 것 같은 건물들이었다. 암스테르담의 케이제르스 운하와 인근 지역에 뛰어난 시공 기술을 보여주는 경이로운 건축물인 '운하 주택'들이 들어서면서 바다를 매립한 요르단 구역 같은 곳이 생겨났다.

실크로드의 영향은 예술 분야에서도 감지되었다. 하를럼, 암스테르담과 특히 델프트에서 발달한 요업은 동방에서 수입된 제품들의 외관, 느낌, 디자인에 영향을 받았다. 중국의 시각적 주제가 유행했고, 수백 년 전 페르시아만 지역의 도공들이 개발한 (그리고 중국 및 오스만제국에서 인기를 끌었던) 푸르고 흰 도자기가 네덜란드 요업의 특징적인 모습이 되었다. 모방은 진정한 형태의 아첨이라는 말이 있지만, 이 경우에 그것은 또한 북해를 인도양 및 태평양과 연결하는 세계적인 물질문화 시스템에 참여하는 한 가지 방법이었다.[56]

신분을 과시하는 데 유용한 물건의 수요가 늘면서 네덜란드의 예술은 전체적으로 흥성했다. 어떤 사람들은 17세기 동안에 300만 점의 그림이 그려졌다고 주장한다.[57] 이는 불가피하게 새로운 생각을 자극하고 또한 수준을 높여 프란스 할스와 렘브란트, 베르메르 같은 화가들이 숨이 멎을 듯이 아름다운 작품을 만들어낼 수 있는 환경을 제공했다.

네덜란드인들이 함께 일해 성공을 거둔 놀라운 방식을 생각하면 가장 아름다운 그림들 일부에 집단이 묘사된 것은 당연한 일이다. 프란스 할스의 〈성 아드리아누스 의용중대 장교들의 잔치〉(이 의용대는 하를럼의 시민 경비대다)나, 암스테르담 의용경비대 연회장에 장식하기 위해 주문한 렘브란트의 유명한 그림 〈프란스 바닝 코크와 빌렘 판 라위텐부르흐의 의용중대〉(보통 〈야경夜警〉으로 알려져 있다) 등이 그렇다.

개인 역시 열렬한 후원자가 되었다. 예를 들어 상인 안드리스 비커르Andries Bicker는 바르톨로메우스 판 데르 헬스트Bartholomeus van der Helst를 고용하여 자신의 성공과 새로이 상승한 사회적 지위를 기념하는 작품을 만들도록 했고, 조선업자인 얀 레이크센Jan Rijcksen은 렘브란트에게, 함께 선박 디자인 일을 하고 있는 자신과 아내의 초상을 그려달라고 주문했다. 이 시기는 네덜란드가 (그리고 네덜란드 미술이) 황금기로 들어서는 전환기였다.[58]

네덜란드인들은 가정용품을 자랑하는 데 열중했다. 이는 베르메르의 그림 〈창가에서 편지를 읽는 소녀〉에서 볼 수 있는데, 푸른색과 흰색의 그릇이 전경에 두드러지게 그려져 있다.[59] 1640년에 암스테르담을 찾은 한 잉글랜드인은 자신이 본 풍경에 깊은 인상을 받았다. 저지대 국가에서는 "그저 그런 수준"의 집들도 "찬장과 캐비닛, (……) 그림과 도자기, 비싸고 좋은 새장과 새" 등등의 "매우 값비싸고 신기한" 가구와 장식품들이 가득 들어차 "많은 즐거움을 주고 집에 만족하고 있다"라고 피터 먼디Peter Mundy는 썼다. 심지어 푸줏간 주인이나 빵집 주인, 대장장이나 구두 수선공도 집에 그림과 사치스러운 장신구를 가지고 있었다.[60]

대략 비슷한 시기에 영국의 일기 작가 존 이블린John Evelyn은 로테르담에서 해마다 열리는 풍물장터를 보고 "깜짝 놀랐다." 그곳에는 그림이 넘쳐났다. 특히 "풍경화와 그들이 익살맞은 표현이라고 하는 만화" 같은 것들이었다. 심지어 평범한 농부도 열렬한 미술품 수집가가 되었다.[61] 이런 모습은 이 시기에 점점 늘어가고 있던 저지대 국가를 찾는 잉글랜드인들의 전형적인 반응이었다.[62]

네덜란드의 황금기는 계획이 잘 실행된 결과였다. 적절한 시기를 만난 것도 행운이었다. 유럽의 대부분 지역이 혼란에 빠져 돈이 많이 들고 결말이 나지 않는 무력 충돌을 끝없이 벌였으며, 그것이 30년 전쟁(1618~1648) 기간 동안 유럽 대륙 전체를 삼켜버렸다. 이 불안정성이 기회를 제공했다. 다른 나라들이 관심과 자원을 본국에 가까운 곳으로 집중하는 사이에 네덜란드는 다른 대륙의 목표물을 하나씩 따낼 수 있었다. 보복을 당하지 않고 말이다. 네덜란드는 17세기의 혈전 덕분에 동방에서 유럽의 경쟁자들을 물리치고 지배적인 위치를 차지할 수 있었다.

문명의 승리가 아닌 무기의 승리

그러나 유럽의 전쟁은 더욱 중요한 역할을 했다. 그것은 서방의 번영을 촉진했다. 이 시기의 유럽에 대한 논의들은 계몽운동과 '이성의 시대'에 절대주의 사상이 해방, 권리, 자유라는 생각으로 대체되는 시대의 도래를 목격했다고 강조한다. 그러나 유럽이 1490년대의 대탐험 이후 세계의 중심이 된 것은 그들이 폭력 및 군국주의와 굳건한 관계를 맺었기 때문이다.

거의 동시에 이루어진 콜럼버스와 바스쿠 다가마의 발견 이전에도 유럽 왕국들 사이의 경쟁은 치열했다. 수백 년 동안 이 대륙은 국가들 사이의 치열한 경쟁으로 점철되었고, 그것은 종종 공개적인 적대나 전쟁으로 분출되었다. 이는 다시 군사기술의 진보를 촉진했다. 새로운 무기가 개발되고 그런 뒤에 전쟁터에서 검증을 거치고는 개량되었다. 지휘관들이 경험을 통해 배우면서 전술도 진화했다. 폭력의 개념 역시 규정되었다. 유럽의 미술과 문학은 오랫동안 본분에 충실한 기사騎士의 생애와 그가 현명하게 무력을 쓸 수 있는 능력을 상찬해왔다.

그것은 사랑의 행위이자 믿음의 행위였고, 정의의 표현이었다. 고결함과 용감한 행동을 칭송하고 반역과 배신과 맹세 깬 것을 감춘 십자군에 관한 이야기들은 흠뻑 빠져들게 할 정도로 강렬했다.

싸움과 폭력과 살육도 정당성이 있는 한 미화되었다. 이것이 아마도 종교가 그렇게 중요해진 이유 가운데 하나일 것이다. 전쟁이 전지전능하신 하느님을 지키는 일이라는 것보다 더 그럴듯한 명분은 없을 것이다. 애초에 종교와 팽창은 서로 긴밀하게 결합되어 있었다. 콜럼버스가 거느린 배들의 돛에도 커다란 십자가가 찍혀 있었다. 당대의 비평가들이 아메리카에 관해, 그리고 유럽인들이 아프리카와 인도 등 아시아의 여러 지역과 그 뒤에 오스트레일리아에도 퍼져나가면서 끊임없이 강조했듯이, 이는 모두 서방이 지구를 상속받도록 하려는 하느님의 계획의 일환이었다.

실제로 세계의 다른 지역들에 비해 공격적이고 더 변덕스럽고 덜 평화 지향적인 유럽의 특성은 이제 성공을 가져다주었다. 결국 이것은 에스파냐와 포르투갈의 커다란 배들이 대양을 건너고 대륙들을 서로 연결하는 데 성공한 이유였다. 디자인에 거의 손대지 않고 전통적인 방식으로 건조하여 수백 년 동안 인도양과 아라비아해를 건너 항해한 배들은 서유럽의 배들을 상대할 수 없었다. 서유럽의 배들은 전술과 무력 면에서 다른 지역의 배들을 압도했다. 그 배들은 끊임없이 디자인을 개선하여 더 빠르고 더 강해졌으며, 격차를 더욱 치명적으로 벌려놓았다.[63]

군사기술 면에서도 마찬가지였다. 아메리카에서 사용된 무기는 신뢰도와 정확성이 매우 뛰어났기 때문에 소수의 '콩키스타도르'들이 수적으로 훨씬 우세한 주민들을 지배할 수 있었다. 그 주민들은 보잘

것없는 무기만 빼고는 상당히 발전되고 수준 높은 사람들이었다. 잉카 땅에서는 법과 질서가 엄격하게 지켜지고 "상벌이 제대로 시행되는지, 그리고 흉악 범죄나 도둑질을 저지르는 사람이 없는지 감시"[64]하는 데 많은 노력이 기울여지고 있다고 페드로 시에사 데 레온은 썼다. 잉카 제국 전역에서 매년 자료가 수집되어 세금의 정확한 계산과 공정한 징수를 도모했고, 출생과 사망을 중앙에서 기록하고 최신 상태를 유지하도록 했다. 고위층도 매년 정해진 날수만큼 직접 농사일을 해야 했다. "모범을 보이기 위해서"였다.

"누구도 돈이 많다고 해서 (……) 가난한 사람을 업신여기거나 모욕해서는 안 된다는 것을 모든 사람이 알아야 하기 때문이다."[65]

이들은 유럽의 우월주의자들이 묘사하듯이 야만인이 아니었다. 실제로 그들은 대부분의 지역에 등장한 고도로 계층화된 사회들(이런 사회에서는 힘센 사람들과 약한 사람들 사이의 격차가, 강자들의 사회적 지위를 유지하는 귀족들의 세습 재산에 의해 공고화되고 있었다)에 비해 분명히 개명한 사람들이었다. 유럽인들은 자기네가 원시 문명을 발견했고 그래서 그들을 지배해야 한다고 생각했겠지만, 진실은 다른 데 있었다. 서방의 성공 이면에 있던 것은 무기와 전투 기술과 작전의 끊임없는 진보였다.

유럽인들이 아프리카, 아시아, 아메리카를 지배하게 된 원인 가운데 하나는 수백 년에 걸쳐 쌓아온 거의 난공불락인 요새를 건설한 경험이었다. 성벽 건설은 중세 이래 유럽 사회의 주요 요소였고, 대륙 곳곳에 수천 개의 거대한 성채들이 생겨났다. 그들의 목표는 물론 강력하고 집요한 공격을 견뎌내는 것이었다. 그런 성채들이 엄청나게 많다는 사실은 공격이 매우 파괴적이고 빈번했음을 입증한다. 유럽인들은 요새를 건설하거나 공격하는 일에서 세계 최고였다. 유럽인들이 우뚝 한 곳에 성채를 고집스럽게 건설했을 때 이 현지인들은 당혹할 수밖에 없었다. 과거에 다른 어떤 상인들도 그런 요새를 건설한 적이 없는데 유럽인들은 도대체 왜 그렇게 집착하느냐고, 1700년대에 벵골의 한 통치자는 적었다.[66]

그렇다면 거대한 아이러니가 있다. 유럽이 비록 영광스러운 '황금시대'를 경험하고 미술과 문학을 부흥시키고 과학 연구의 도약을 이루었을지라도, 그것은 폭력을 통해 이룬 것이었다. 뿐만 아니라 새로운 세계의 '발견'은 유럽 사회를 더욱 불안정한 상태로 만들었다. 싸울 일이 더 많이 생기고 더 많은 자원을 두고 판돈이 커졌고, 패권 다툼이 치열해지면서 긴장은 한층 더 높아졌다.

유럽이 세계적인 강자로 떠오른 이후 수백 년 동안 끊임없는 합병과 탐욕이 이어졌다. 1500년 유럽에는 500개 정도의 정치 단위가 있었다. 1900년에는 25개였다. 강자가 약자를 집어삼켰다.[67] 유럽에서 경쟁과 무력 충돌은 고질적이었다. 그런 의미에서 20세기의 공포스런 일들은 먼 과거에 뿌리가 있었던 셈이다. 이웃과 경쟁자들을 지배하려는 투쟁은 무기 기술과 기계화, 병참 분야의 개선을 촉진했고, 그것은 결국 전쟁 무대를 넓히고 사망자 수를 수백 명에서 수백만 명으로 늘렸다. 이윽고 박해는 거대한 규모로 자행될 수 있게 되었다. 세계대전과 역사상 최악의 집단 학살의 뿌리가 유럽에 있고 유럽에서 실행되었다는 이야기는 충분한 근거가 있다. 이들은 오래전부터 지속되어온 만행과 폭력의 최신 국면이었다.

따라서 미술에 대한 투자와 새로운 부가 16세기와 17세기 문화에 미친 영향에 초점을 맞추는 일반적인 고찰 대신, 아마도 이 시기에 함께 발달한 무기 제작술을 살펴보는 것이 더 유익할 것이다. 목마른 감상자들을 위해 막대한 양의 그림이 그려졌지만, 총기 역시 마찬가지였다. 무기 제조업자 막시밀리앙 티통Maximilien Titon은 1690년대까지 중부 프랑스에서 60만 정가량의 화승총을 팔았다. 당대의 몇몇 사람들은 생테티엔에 있던 그의 권총 공장에 고용된 노동자 수가 얼마인지 추산조차 불가능하다고 생각했다. 물론 너무 많았기 때문이다. 1600년에서 1750년 사이에 권총의 발사 성공률은 열 배나 뛰었다. 꽂을대와 종이 탄약포, 총검 등을 포함한 기술 진보에 힘입어 값싸고 성능이 뛰어나고 빠르고 치명적인 총이 개발되었다.[68]

마찬가지로 갈릴레오 갈릴레이, 아이작 뉴턴, 레온하르트 오일러 같은 과학자들의 이름은 어린 학생들에게도 유명해졌지만, 그들이 총포의 정확성을 높이기 위해 발사체의 탄도나 편차의 원인을 찾아내는 데 몰두했다는 사실은 잘 알려져 있지 않다.[69] 이들 유명한 과학자들은 더 강력하고 확실한 무기를 개발하는 것을 도왔다. 군사와 기술의 진보는 계몽주의 시대와 밀접하게 연관되어 있었다.

다른 사회에는 공격성이 없었다는 말은 아니다. 다른 대륙 곳곳의 수많은 사례들이 보여주듯이, 모든 정복은 대규모의 죽음과 고통을 초래할 수 있다. 그러나 이슬람교가 확산된 처음 수십 년이나 몽골의 정복 시기 같은 아시아와 북아프리카에서의 폭발적인 팽창의 기간 뒤에는 안정과 평화, 그리고 번영의 기간이 오래 이어졌다. 전쟁의 빈도와 주기에서 유럽은 세계의 다른 지역과 차이가 있었다. 하나의 충돌이 해결되자마자 또 다른 충돌이 터지곤 했다. 경쟁은 잔혹하고 집요했다.

그런 의미에서 토머스 홉스의 《리바이어던Leviathan》(1651) 같은 고

전적인 저작들은 서방의 대두를 설명한 전형적인 책이었다. 오직 유럽인 저자들만이 끊임없는 폭력 상태는 인간의 자연스러운 상태라는 결론을 내릴 수 있었을 것이다. 그리고 유럽인 저자들만이 옳았을 것이다.[70]

더구나 무력 충돌에 대한 갈증은 전쟁과 긴밀하게 연관되게 마련인 재정 문제의 배후에도 놓여 있었다. 유럽 각국 정부는 군비에 충당할 자금이 부족하자 대출 시장을 만들었고, 그곳에서 미래의 세금 수입을 담보로 돈을 끌어올 수 있었다. 이기는 쪽에 걸면 약삭빠른 투자자들은 상당한 이윤을 얻고 작위와 기타 사회적 편익을 누릴 수 있었다. 정부 부채에 대한 그들의 투자는 애국심으로 포장될 수 있었다. 국가 재정에 투자하는 것은 출세하는 길이었고, 또한 부자가 되는 방법이었다. 런던과 암스테르담은 세계적인 금융 중심지가 되었다. 국가 부채가 전문이었지만, 점점 복잡해지는 증권시장 기능도 있었다.[71]

낡은 유럽과 새로운 유럽

런던과 암스테르담이 금융의 중심지로 떠오른 배경에는 북유럽의 사회적·경제적 약진이 있었다. 최근의 연구는 잉글랜드와 저지대 국가의 인구가 1500년에서 1800년 사이에 거의 두 배로 늘었다고 주장한다. 이런 성장의 대부분은 인구가 밀집한 지역에서 일어났고, 그런 곳들에서는 대도시의 수가 거의 세 배나 많았다.[72] 그런 과정은 특히 저지대국에서 현저했다. 17세기 중반에 암스테르담 거주자의 절반 정도가 다른 곳에서 이주해온 사람들이라고 생각되었다.[73]

도심지가 더 많은 나라들이 농촌 주민이 많은 나라들보다 상당히 유리한 것으로 여겨졌다. 도시에서 세금을 거두는 것은 시간이 덜 걸리면서 더 쉽고 더 효율적이었으며, 특히 상거래 속도가 농촌에 비해 훨씬 빨랐다. 인구가 밀집한 지역은 또한 안정적인 소득의 흐름을 만들어냈고, 대출해주어도 덜 위험했다. 잉글랜드와 네덜란드 공화국은 다른 상업적·정치적 경쟁자들에 비해 더 많은 돈을 싼 이자로 빌릴 수 있었다.[74] 그때나 지금이나 금융업으로 돈을 벌자면 똑똑하기만 해서 될 일은 아니었다. 자리를 잘 잡아야 했다. 그리고 점차 그 좋은 자리는 런던과 암스테르담이었다.

이것이 이탈리아와 아드리아해 지역에는 죽음의 종이 울리기 시작했음을 의미했다. 이들 도시국가들은 부유한 소비자들에게 직접 상품을 가져다주는 새로운 운송로가 열린 까닭에 이미 뒤처져 있었는데, 뿌리 깊은 경쟁 때문에 자기네 자원을 결집시킬 능력과 의지가 있는 도시들을 상대로 승산이 전혀 없었다. 확장 자금을 대기 위해 너무도 많은 돈을 끌어댔기 때문에 국가 수입의 절반 이상이 이자 내는 데 들어가는 것이 다반사였다.[75] 이웃들을 상대로 끊임없이 전쟁을 벌이고, 정치적·상업적·문화적 우위를 차지하기 위해 줄기차게 분투하는 데는 비용이 많이 들었다. 유럽은 두 가지 속도로 달리는 대륙이 되었다. 하나는 수백 년 동안 지배권을 행사해왔으나 이제는 약화되고 침체된 동부와 남부의 '낡은 유럽'이고, 또 하나는 호황을 누리고 있는 북서부의 '새로운 유럽'이었다.[76]

일부 사람들은 남들보다 일찍 재앙의 조짐을 알아차렸다. 베네치아 주재 잉글랜드 대사 더들리 칼튼Dudley Carleton은 1600년에 이미 "무역 부문의 쇠퇴가 너무도 역력해서 20년 안에" 이 도시가 거의 망할 것이라고 썼다. 베네치아는 한때 동방과의 교역을 지배했지만 더 이상 경쟁할 수 없었다. "각기 1000톤이 넘는" 거대한 배들이 물건을 본국으로 실어오는 데 쓰이거나 다시 채우러 나갔지만, 이제는 "하나도 보이지 않았다."[77] 오래지 않아 이 도시는 다른 모습을 띠기 시작했다. 상업 중심지에서 향락적인 삶과 쾌락주의적인 즐거움의 중심지로 변했다. 당국은 더 크고 더 좋은 보석을 매다는 일이나 호사스러운 파티와 쾌락 추구적인 선정성을 막으려 애를 썼지만, 이 도시의 변모는 여러 가지 측면에서 이해할 만했다. 그들이 그것 말고 할 수 있는 일이 무엇이겠는가?[78]

국제무역과 군사·외교에서 밀려난 베네치아, 피렌체, 로마는 신흥 부자들을 위한 관광 코스의 중간 기착지가 되었다. 이런 여행은 1670년에 처음 그랜드투어Grand Tour(16~17세기에 잉글랜드 등의 부유한 귀족 자제들이 학업을 마칠 때 했던 외국 여행—옮긴이)로 언급되었지만, 실제로는 그보다 100년 전부터 시작되었다.

이때 이탈리아 여행은 처음으로 고급 골동품이나 유행하는 미술품을 살 수 있는 기회로 인식되었고, 방문객 수가 증가하면서 그 가격도 뛰었다.[79] 그랜드투어는 하나의 통과의례였다. 거기에 참여하는 개인만을 위한 것이 아니라 전체 문화를 위한 것이기도 했다. 남유럽의 과실을 북유럽에서 따먹은 것이다. 대륙의 무게중심이 이동하면서 고대와 당대 문화의 보물들의 주인도 바뀌었다. 고대 조각품들을 모은 세계 3대 소장처는 대영박물관과 케임브리지의 피츠윌리엄 미술관, 옥스퍼드의 애시몰 박물관인데, 여기에 소장된 미술품들은 문화적 호기심을 가졌던 돈 많은 여행자들이 수집한 것들이다.[80]

그들은 건축과 기념 분묘 디자인, 조각에 관한 아이디어를 가지고 돌아왔다. 오래지 않아 고전고대古典古代의 시, 미술, 음악과 정원 디자인, 의약과 과학에 대한 광범위한 차용이 이루어졌다. 잉글랜드와 저지대 국가가 과거의 영광을 바탕으로 현재의 영광을 드러내기 위해 나서면서다.[81] 로마 시민들은 제국의 한때 수풀이 우거졌던 (또는 오지의) 지방 출신의 소지주와 말단 관리들이 자기의 반신상을 주문하면서 그저 로마인의 후예가 아니라 황제로 묘사되고 싶어하는 것을 알고 할 말을 잃곤 했다.[82] 이제 곧 그들은 더 심한 일을 하게 된다. 로마의 속주였던 브리타니아가 지배자 자리에 오르려 하고 있었다.

14

제국으로 가는 길

청교도들의 이주

힘이 유럽 북부로 이동하자 일부는 이와 경쟁하고 따라갈 수가 없었다. 예컨대 오스만 세계에서는 인구 만 명 이상의 도시 수가 1500년에서 1800년 사이에 대체로 같은 수준을 유지했다. 늘어나는 수요에 부응하기 위해 농업 생산을 늘려야 한다는 압력은 없었고, 그것은 경제가 부진하고 정체되어 있다는 의미였다. 세금 징수 역시 비효율적이었다. 그 원인 가운데 하나가 징세 도급제였다. 이는 개인만 배불리고 국가의 장기적인 수입에 해를 끼치도록 조장했다.[1]

오스만 관료들은 매우 숙련된 행정가였다. 수확물과 보급품이 가장 필요한 곳으로 가도록 하기 위해 자원을 중앙으로 일원화하고 주민의 배치를 관리하는 일에 능숙했다. 15세기와 16세기에 제국이 더 많은 영토를 흡수하고 있을 때 이는 효율적이고 매끄럽게 굴러갔다. 그러나 팽창의 동력이 잦아들면서, 두 개의 전선(서쪽의 유럽과 동쪽의 사파비 왕조 페르시아)에서 군사작전을 지속하는 데 드는 비용의 부담이 커지면서 시스템의 취약성이 드러났다. 그러나 이는 또한 오스만 세계에 특히 커다란 영향을 미쳤던 기후 변화의 결과이기도 했다.[2]

무슬림 세계의 사회구조는 서유럽과는 아주 다른 줄기를 따라 발전해왔는데, 이것 역시 중요한 요인으로 드러났다. 이슬람 사회는 일반적으로 기독교 사회에 비해 재산을 좀 더 평등하게 분배했다. 대체로 코란이 유산에 대해 매우 상세하게 설명해놓은 덕분이다. 여성도 아버지나 남편의 재산을 상속받을 수 있게 한 것이다. 따라서 무슬림 여성은 유럽 여성보다 더 많은 유산을 상속받으리라고 기대할 수 있었다. 그러나 이는 한 가정에 세습 재산이 집중되는 것을 막는 효과를 냈다.[3] 이는 다시 돈 있는 사람과 돈 없는 사람의 격차가 유럽에서만큼 첨예해지지 않는다는 얘기가 된다. 돈이 더 널리 재분배되고 다시 돌기 때문이다. 이런 관행이 어느 정도 성장을 저해했다. 일반적으로 유산에 관한 이런 규정은 가정에서 몇 세대에 걸쳐 자본을 축적하기 어렵다는 얘기였다. 상속이 진보적이고 평등했기 때문이다. 유럽에서 장자 상속제는 자원을 한 자식에게 몰아주어 많은 재산을 축적할 수 있는 바탕이 되었다.[4]

어떤 사람들에게는 유럽(더 정확히는 북서 유럽)이 유례없이 좋은 상황이라는 것이 걱정거리였다. 저지대 국가의 칼뱅파 사제들은 돈이 악의 근원이며 사치에 빠지면 위험하다는 확신을 갖고 설교를 했다.[5] 비슷한 정서는 잉글랜드에서도 찾아볼 수 있었다. 17세기 초에 특히 분노를 표출한 비판자 토머스 먼Thomas Mun은 "시간을 게으름과 쾌락에 (……) 허비하는 일"에 대해 한탄하고, 물질적인 부는 지식의 빈곤과 육신 및 영혼의 "총체적인 타락"을 초래할 것이라고 경고했다.[6]

물론 성장의 열매는 공평하게 분배되지 않았다. 임대료가 오르는 것은 지주에게는 좋지만 임차인에게는 나쁜 일이었다. 더 큰 시장에 노출된다는 것은 국내에서 생산되는 양모, 직물과 기타 상품들이 더 심한 경쟁에 노출되어 상당한 가격 압박을 받는다는 얘기였다.[7] 경제적·사회적 격변에 따라 도덕이 타락하면서 일부에서는 과격한 조치를 취하기에 이르렀다. 보수적인 사람들은 새로운 목장을 만들 때가 왔다고 결론 내렸다. 종교적 헌신과 영적 순결을 우선시하는 단순한 생활을 영위하는 곳 말이다. 그곳은 새로운 출발을 위한 곳이자, 기본으로 돌아가기 위한 곳이었다.

뉴잉글랜드에 정착한 청교도들은 유럽의 부상에 따른 변화와 그 이후의 풍요에 항의하여 이주했다. 그들은 세계를 아주 다른 곳처럼 보이게 한 새로운 사상과 상품이라는 낯선 흐름에 반응하고 있었다. 그곳은 가정의 식탁 위에 중국산 도자기가 놓이는 곳이고, 피부색이 다른 사람들이 유럽인과 결혼해서 정체성과 인종에 관한 의문을 불러일으키는 곳이고, 몸에 대한 태도가 최근 한 학자의 말대로 '1차 성性 혁명'[8]을 촉발한 곳이었다.

이런 곳에서 도피하기 위한 해답은 대서양을 건너가는 것이었다. 그들이 선택한 목적지는 많은 사람들이 건너가서 노예노동을 이용하여 땅을 사탕수수 농장으로 바꿔놓고 있던 카리브해 지역이 아니라 뉴잉글랜드의 미개척지였다. 그곳에서는 이민자들이 독실하고 순박한 이상적인 삶을 영위할 수 있었다. 유일한 어려움은 물론 원주민이었다.

"[원주민들은] 할 수 있는 가장 잔혹한 방법으로 사람들을 고문하는 것을 즐긴다. 조개 껍데기 같은 것으로 산 사람의 가죽을 벗기고, 팔다리와 관절을 조금씩 잘라내어 숯불 위에서 구우며, 아직 살아 있는 희생자가 지켜보는 가운데 그 살점을 먹으며, 그 밖에 입에 올리기도 끔찍한 잔학 행위들이 벌어진다."[9]

물론 그럼에도 불구하고 위험을 무릅쓸 가치는 있었고, 그래도 그들이 떠나온 세계보다 더 나을 터였다. 처음에 그들이 풍요의 땅에 무사히 도착한 것을 기념하기 위해 열었던 추수감사절 축제가 사실은 세계화에 반대하는 운동을 기념하는 것이기도 했다는 사실은 잊기 쉽다. 이는 새로운 에덴동산을 발견한 것을 축하하는 것이었을 뿐만 아니라 고국에 있는 파괴된 낙원을 득의양양하게 거부하는 것이었다.[10]

금욕과 종교적 보수주의의 보루를 건설하는 일에는 관심이 없지만, 새로운 것을 발견하고 세계에서 제공되는 매혹적인 것과 감질나게 하는 즐거움에서 이득을 얻고 그것을 함께 누리려는 사람들. 이런 성향을 가진 사람들에게는 또 다른 선택지가 있었다. 동방으로 떠나 아시아로 가는 것이었다. 잉글랜드가 아시아와 체계적이고 조직적인 방식으로 관계를 맺기 위한 토대를 만드는 것은 느리고 때로는 좌절감을 느끼게 하는 과정이었다.

잉글랜드와 네덜란드의 경쟁

1600년 희망봉 동쪽 지역과의 무역에 관한 왕국의 독점권을 부여받은 잉글랜드 동인도회사는 페르시아만의 반다르아바스와 인도 서부의 수라트에서 무력으로 포르투갈인을 몰아내는 데 성공하여 발판을 건설했다. 그것은 장래의 기회를 암시하는 것이었다. 그렇지만 막강한 네덜란드 동인도회사와 경쟁하는 것은 하나의 도전이었다.[11] 잉글랜드 본국으로 가는 교역 물량이 늘어나기 시작했지만, 네덜란드의 패권은 강력했다. 17세기 중반에 그들은 가액 기준으로 잉글랜드의 세 배에 해당하는 물량을 운송하고 있었다.[12]

잉글랜드와 네덜란드의 관계는 복잡했다. 우선 네덜란드는 잉글랜드 상품을 위한 시장과 신용을 제공했다. 따라서 두 나라의 동인도회사는 서로 상업적으로 경쟁하는 관계였지만 그들의 성공이 서로 배치되는 것은 아니었다. 또 하나, 두 견실한 개신교 국가들에는 에스파냐라는 공동의 적이 있었기에 서로 군사적·정치적으로 협력할 근거가 되었다. 잉글랜드의 일부 지도급 인사들은 네덜란드 해군이 1639년에 잉글랜드 해협에서, 그리고 한참 뒤에 브라질 해안 이타마라카 앞바다에서 에스파냐에 승리를 거두는 것을 보고 용기를 얻었다. 이에 따라 거만한 올리버 신전 Oliver St John이 헤이그에 파견된 여러 차례의 대표단 가운데 하나를 이끌어 관계를 공고히 다지고 심지어 두 나라가 "긴밀한 동맹과 더 가까운 연합에 들어가자"는 급진적인 제안까지 했다. 두 나라가 하나로 합쳐야 한다는 말이었다.[13]

유럽 열강들은 예측하기가 어려웠다. 연합을 제안한 지 겨우 1년 뒤에 잉글랜드와 네덜란드는 전쟁에 돌입했다. 개전 사유는 신전 대표단이 귀국한 직후 통과된 항해법이었다. 의회는 잉글랜드로 가는 화물은 잉글랜드 배에 실려 잉글랜드 항구에 들어와야 한다는 법을 만들었다. 틀림없이 이 입법의 배후에는 상업적 동기가 있었다. 말하자면 내분으로 피폐해진 경제를 살리기 위해 수입을 창출하자는 것이었다. 그러나 네덜란드인들이 이익에만 집착하고 너무 물질적이며 종교적 확신이 없다고 주장하는 잉글랜드의 로비 세력이 점점 커지고 예언자나 되는 듯이 목소리를 높이고 있었던 점도 중요한 요인이었다.[14]

이 법은 잉글랜드의 열망이 분명해지고 있음을 드러냈다. 100년 전 에스파냐에 대한 표현이 점점 험악해졌던 것과 마찬가지로 네덜란드에 대한 비판 역시 점점 험악해졌다. 특히 네덜란드가 잉글랜드 해협과 북해를 지나 자기네 항구로 들어오는 항로를 고수하면서 바다에서 격렬한 전투가 벌어졌을 때는 더욱 그러했다.

이는 잉글랜드에서 거의 해사 혁명maritime revolution이나 다름없는 일을 촉발했다. 해군은 튜더 왕조 시대에도 충분한 자금을 지원받고 있었다. 그러나 그것은 이제 체계적인 점검을 받았다. 17세기 후반에 상당한 자원이 대규모 선박 건조 사업에 퍼부어졌다. 곧 국가 예산의 5분의 1이 해군의 사업에 투입되었다.[15] 이 과정을 감독한 사람이 새뮤얼 피프스Samuel Pepys였다. 그러나 그의 개인적인 일기는 당시 일어나고 있던 군사적·지정학적 변동에 대해서는 거의 눈길을 주지 않는다. 나라 곳곳의 조선소에서 일어난 변화의 규모에 대해서도.[16]

피프스는 선박 건조에 관한 일류 이론가인 니콜라에스 비첸Nicolaes Witsen의 책을 비롯한 네덜란드 전문가들의 최신 자료들을 수집한 뒤, 항해술을 가르치는 학교를 설립하는 일에서부터 야심차고 넉넉한 지원을 받는 새로운 세대의 디자이너들을 위해 최신 기술을 정리한 이론서를 주문하는 일까지 엄격하고 체계적으로 처리했다.[17]

해사 혁명은 서로 다른 세 가지 진단에 바탕을 두고 있었다. 첫째, 전문화되고 무거운 배가 가벼운 배보다 더 효율적이다. 승리는 화력을 집중적으로 가할 수 있느냐, 그리고 그것을 견뎌낼 수 있느냐에 달려 있었다. 이에 따라 선박 디자인이 수정되었다. 마치 물에 떠 있는 성채처럼 보이는 크고 강력한 배를 만든다는 계획이었다.

두 번째, 경험이 더 좋은 가르침을 줄 수 있다. 1650년대와 1660년대에 네덜란드 함대와 부딪치면 파멸적인 손실을 입었다. 배가 침몰하고 나포된 규모에서도 그렇고, 전투 과정에서 잃은 고위 장교와 함장의 수에서도 그렇다. 1666년에는 한 차례의 전투에서 10퍼센트 가까운 해군 고위 지휘관이 사망했다. 그런 손실을 남긴 교전 후에 해군 전술은 체계적으로 재평가되었다. 이 시대의 위대한 해군 지도자인 로버트 블레이크Robert Blake 제독의 《전투 지침Fighting Instructions》 같은 훈련 매뉴얼이 보급되고 학습되었다. 지식을 공유하고 과거로부터 배우는 것이 잉글랜드 해군을 세계 최강으로 만드는 데 긴요했다. 1660년에서 1815년 사이에 잉글랜드(나중에는 영국) 함장들의 전투 중 치사율은 놀랍게도 98퍼센트나 감소했다.[18]

마찬가지로 중요한 세 번째 진단은 해군 조직의 점검이었다. 해군 대위가 되려면 3년을 바다에서 보내고 상관이 실시하는 시험에 통과해야 했다. 이후의 승진은 추천보다는 엄격하게 능력에 따라 이루어졌다. 이는 가장 능력 있는 사람이 정상에 오른다는 이야기일 뿐만 아니라, 그들이 동료들의 인정을 받아 그 자리에 올랐다는 얘기다. 동기 부여가 되는 이 능력제의 투명성은 가장 중요한 자리에서 가장 오래 근무한 사람에게 보상을 해주는 시스템으로 더욱 강화되었다. 이는 이슬람교의 등장 초기에 시행되고 무슬림의 정복 과정에서 매우 효과적임이 입증된 조직과 대체로 같은 것이었다. 이제 잉글랜드에서도 전리품은 미리 정해진 분배 원칙에 따라 나누어졌다. 장교와 사병들은 계급과 근무 기간에 따라 보상을 받았다.

이제 사병들은 승진을 바라고 돈도 더 벌 수 있게 되었다. 이는 다시 가장 능력 있는 사람이 높은 자리에 오르도록 촉진했다. 특히 이 과정은 해군본부위원회가 감독하기로 했다. 위원회의 목표는 정실과 편애를 걸러내는 것이었다. 이는 최고의 노동 계약이었다. 다시 말해서 성과에 대해 보상하고 장려하기 위해 설계된 것이었다. 게다가 공정하기까지 했다.[19]

오래지 않아 개혁은 보상을 가져왔다. 해군에 많은 투자를 한 결과 잉글랜드의 세력 범위는 상당히 확대되었고, 유럽 국가들의 경쟁관계나 전쟁 발발 또는 카리브해나 다른 지역에서 저절로 생겨나는 기회들을 활용할 수 있는 가능성을 제공했다.[20] 이는 또한 아시아에서 강력한 교역 입지를 구축하기 위해 노력하는 길고도 느린 과정과도 긴밀하게 연결되었다. 그곳에서는 근면의 열매가 마침내 무르익어가고 있었다.

동인도회사의 제국 권력

동인도회사는 수라트와 함께 인도아대륙 동남부 마드라스(현재의 첸나이)에 중요 거점을 만들었다. 그곳에서는 17세기 전반기에 현지 지배자와의 타협을 통해 관세 없이 거래할 수 있는 이권을 얻어냈다. 현대의 기업들은 바로 인정하겠지만, 세금 감면은 큰 혜택이었다. 장거리 교역 경쟁자들보다 싼 가격에 물건을 공급할 수 있었고, 시간이 지나면서 현지 상인들보다도 싸게 팔 수 있었다. 그리고 현대의 기업들이 역시 인정할 수 있듯이, 정착 규모가 더 커지고 더 큰 성공을 거둠에 따라 회사는 아주 좋은 위치에서 갈수록 더 좋은 조건을 따낼 수 있었다. 70년 만에 마드라스는 번성하는 대도시로 변모했다. 이런 패턴은 다른 지역들에서도 반복되었는데, 대표적인 예가 봄베이와 벵골의 보석인 캘커타였다. 이에 따라 동인도회사의 재산은 꾸준히 증가했다.[21]

네덜란드 동인도회사의 경우와 마찬가지로, 잉글랜드 정부와 동인도회사 사이의 계통이 애매해졌다. 두 회사는 국가의 분신 비슷하게 행동할 권리를 가지고 있었다. 주화를 발행하고 동맹을 맺고 군대를 유지하고 운용할 권리까지 부여받았다. 정부의 보호와 강력한 투자자 양쪽으로부터 편익을 얻는 매우 상업화된 조직에 근무하는 것은 매력적인 직장생활이었다. 이 회사에서 일하기 위해 사람들이 잉글랜드 전역에서 왔고, 정말로 세계의 다른 지역에서도 왔다. 보수주의의 보루인 뉴잉글랜드에서도 왔다. 야심차고 영리한 사람들은 회사에서 승진을 거듭해 많은 보상을 받았다.[22]

그런 전형적인 사람 가운데 하나는 1649년 미국 매사추세츠 주에서 태어났다. 그는 어린 시절에 가족과 함께 잉글랜드로 이주했다가 뒤에 동인도회사에 들어갔다. 처음에는 낮은 자리인 서기로 근무하다가 승진을 거듭하여 마드라스 총독이 되었다. 그는 그곳에서 돈을 많이 벌었다. 사실 너무 많이 벌어서 5년 뒤에 면직되었다. 재임 중에 얼마나 많이 챙겼는지에 대한 소문들이 나돌았다. 그가 5톤이나 되는 향신료와 많은 양의 다이아몬드, 무수한 귀중품들을 가지고 고국에 돌아왔다는 사실은 비난에 충분한 근거가 있음을 보여준다. 노스웨일스 렉섬에 있는 그의 묘비에는 이렇게 적혀 있다.

"미국에서 태어나 유럽에서 자랐으며, 아프리카에서 여행하고 아시아에서 결혼했다. (……) 좋은 일은 많이 하고, 못된 짓은 조금 했다. 그러니 아무런 빛 없이, 그의 영혼이 은총을 입어 천국으로 가시기를."

그는 잉글랜드로 돌아간 뒤 돈을 펑펑 써댔다. 물론 그는 자신이 태어난 땅을 잊지 않았다. 그는 삶을 마칠 무렵에 미국 코네티컷 주의 컬리지엇 스쿨에 많은 돈을 기부했다. 학교는 나중에 더 기부할지도 모르는 이 기부자 이름을 따서 학교 이름을 개명함으로써 그를 표창했다. 그의 이름은 일라이휴 예일 Elihu Yale이다.[23]

예일은 알맞은 시기에 알맞은 곳에 있었다. 1680년대에 중국의 청나라 조정이 대외무역 제한을 철폐하자 홍차와 도자기, 중국산 설탕

수출이 크게 늘어났다. 그 결과 마드라스와 봄베이 같은 항구들은 중요한 교역 중심지일 뿐만 아니라 새롭고 활기찬 세계 교역망에서 중간 기착지가 되었다.[24] 17세기 말은 유럽과 중국 사이의 새로운 접촉이 시작된 시기였다. 이 접촉은 상업에만 국한되지 않았다. 이진법을 개발한 수학자 고트프리트 라이프니츠는 17세기 말에 베이징에 살고 있던 예수회 소속의 친구가 보내준 중국의 연산 이론에 관한 책을 읽고 자신의 생각을 정리할 수 있었다. 당시 새로운 상업적·지적 연계를 이용할 수 있던 사람들은 큰 성공을 거두었다.[25]

예일은 학교에 기부를 하던 시기에 동방, 특히 인도가 큰돈을 버는 지름길이라는 것을 잘 알고 있었다. 그는 자신의 대자代子 일라이휴 닉스에게 이렇게 썼다.

"네 일의 진척에 대해 초조해하거나 돈을 벌려고 서두르지 마라. (……) 나는 30년 동안 인내한 끝에 재산을 일구었다."[26]

돈을 많이 번 첫 세대 잉글랜드인으로서 다음 세대에게 그런 엄격한 충고를 한다는 것은 좀 우스운 일이었다. 그리고 마침 아시아에서 불가능할 정도로 부자가 되는 일은 더욱 쉬워질 전망이었다. 잉글랜드에서 '황금시대'가 시작되고 있었다.

섬나라 영국은 어떻게 제국을 건설했나

북대서양의 한 섬이 국제 문제를 지배하게 되고, 세계의 4분의 1을 통제하고 더 먼 지역에까지 영향을 미치는 제국이 된 것은 역사가들이나 과거의 제국 건설자들에게 놀라운 일이었을 것이다. 브리튼 섬은 살기 척박한 곳이고 어떤 곳에서는 공기가 매우 유독해서 바람의 방향이 바뀌면 사람을 죽일 수도 있다고 고대 말기의 어느 유명한 역사가는 썼다.[27] 그곳에는 브리튼인들이 살고 있었는데, 조금 후대의 한 작가는 그 이름이 '도리를 모르는' 또는 '우둔한'의 뜻인 라틴어 브루투스brūtus에서 온 것이 아닐까 추측했다.[28] 잉글랜드 해협으로 나머지 유럽과 분리된 영국은 멀고 외진 변두리였다. 이런 약점은 이제 가공할 강점이 되었다. 그리고 역사상 가장 큰 제국 가운데 하나의 부상을 뒷받침했다.

영국이 성공한 데는 여러 가지 이유가 있었다. 예컨대 학자들은 사회적·경제적 불평등의 수준이 유럽의 다른 나라들에 비해 낮고, 최하층 주민들의 칼로리 섭취량이 대륙의 다른 나라들보다 현저히 많았음을 지적한다.[29] 최근 연구들은 또한 경제 성장이 가져다준 보상 덕분에 노동 참여율과 효율성이 급격히 상승하면서 일어난 생활방식의 변화도 한몫했음을 강조한다. 영국의 갑작스러운 성공은 또한 이 나라에서 매우 많은 혁신가들이 나왔다는 점도 상당 부분 작용했다.[30] 다른 유럽 국가들에 비해 낮은 출생률 역시 1인당 소득과 밀접한 연관성이 있었다. 자원과 재산이 대륙에서보다 더 적은 사람의 손에 들어간 것이다.[31]

그러나 타의 추종을 불허하는 것으로 드러난 으뜸패는 지리적 이점이었다. 잉글랜드(1707년 스코틀랜드와 합병한 이후에는 영국)는 나라를 경쟁자들로부터 지켜주는 천연 방벽을 두르고 있었다. 바로 바다였다. 이는 군사적 위협에 대처하는 데도 도움이 되었지만, 정부 지출을 생각하면 하늘이 준 선물이었다. 방어할 육상 국경이 없기 때문에 영국의 군비 지출은 대륙 경쟁자들의 지출에 비하면 푼돈이었다. 추산에 따르면 1550년에 잉글랜드의 군 병력은 대략 프랑스의 병력과 비슷했지만, 1700년 무렵에 프랑스의 군 병력은 잉글랜드의 거의 세 배에 달했다. 군대를 유지하려면 장비와 급료가 필요하다. 그만큼 돈을 많이 지출해야 한다. 프랑스에서는 과세할 수 있는 소득을 창출하거나 소비를 통해 간접세를 낼 수 있는 사람들이 육·해군 병사로 복무하기 위해 들판과 공장과 그 밖의 일자리에서 떠났기 때문에, 국가 수입도 줄어들 수밖에 없었다.[32]

영국으로서는 결코 끝나지 않을 것 같은 전쟁이라는 유럽의 전염병에 대한 예방주사를 맞은 것이나 마찬가지였다. 대륙의 나라들은 17세기와 18세기에 서로 상대를 바꾸어가며 티격태격 싸움을 벌였다. 영국인들은 현명하게 개입해서 자신들에게 유리한 상황을 이용하지만 입장이 불리해질 경우에는 관여하지 않는 방법을 터득했다.

또한 유럽에서 일어난 일이 세계의 다른 지역에서 한 나라의 운명을 결정할 수 있다는 사실도 분명해졌다. 누가 오스트리아 왕위를 잇느냐 하는 격렬한 논쟁은 전쟁과 세계 각처에 있는 유럽의 식민지들을 교환하는 결과를 초래할 수 있었다. 예컨대 1740년에 마리아-테레지아의 승계가 적법한지를 둘러싼 논쟁이 아메리카 대륙과 인도아대륙에까지 전쟁을 촉발했고, 그 전쟁은 10년 가까이 이어졌다. 1748년에 마침내 사태가 매듭지어졌을 때 결과는 전쟁 도중 영국과 프랑스가 각기 점령했던 캐나다의 카프브르통 섬과 인도의 마드라스를 교환하여 원래의 주인에게 돌려주는 것이었다.

유럽의 각축장이 된 아시아

이는 유럽 열강들 사이의 경쟁이 어떻게 세계의 다른 지역에 영향을 미쳤는지에 관한 하나의 사례일 뿐이다. 유럽의 아우크스부르크 동맹전쟁(1688~1697)의 합의 결과로 네덜란드는 1690년대 말에 인도의 도시들을 프랑스에 넘겨주었다. 20년 뒤 유럽에서 벌어진 더욱 격렬한 전쟁 뒤의 평화협정에 따라 영국과 프랑스는 카리브해의 섬들을 맞교환했다. 에스파냐 왕위를 둘러싼 분쟁이 해결되었을 때는 영국과 프랑스가 북아메리카의 넓은 땅을 교환했다.

결혼을 통해서도 방대한 영토와 전략적인 교두보, 또는 대도시의 주인이 바뀔 수 있었다. 1660년대 포르투갈의 카타리나 데 브라간사가 잉글랜드 왕 찰스 2세와 결혼하면서 지참금으로 봄베이를 잉글랜드에 넘겨준 것 같은 경우다. 그런 너그러운 행동은 이 도시의 포르투갈 총독이 예견했듯이 인도에서 포르투갈 세력이 소멸되는 결과를 낳았다.[33]

유럽의 침실에서 일어나는 움직임, 수도에 있는 궁정 복도에서 신부 후보에 관해 속삭이는 비밀스러운 이야기, 조그만 일에도 자존심 상해 하는 경박한 지배자가 저질렀다고 추정되는 무례는 수천 킬로미터 밖에까지 영향을 미치고 파문을 일으켰다.

어떤 면에서 그런 비밀스러운 일들은 동방에 있는 사람들에게는 큰 관심사가 아니었다. 그들은 네덜란드든 영국이든 프랑스든 또 다른 나라든 누가 우위에 있는지 별로 신경 쓰지 않았다. 실제로는 오히려 유럽에서의 경쟁이 다만 점점 더 많은 이익을 만들어내는 것처럼 보였다. 17세기 동안에 경쟁국들은 무굴제국 황제와 중국 및 일본 지배자들에게 사절을 파견했다. 그들의 환심을 사서 새로운 교역상의 특혜를 얻거나 이전에 받은 특혜를 재확인하기 위해서였다. 이는 중개인의 중요성을 부각시켰고, 그 결과 그들은 큰돈을 벌었다. 17세기 초 무굴제국의 자한기르 황제에게 뇌물을 준 구자라트의 한 항구 관리 무카라브 칸Muqarrab Khan이 대표적이다.[34] 칸의 경우에 1610년에 그가 산 상품

들(아랍산 말과 아프리카 노예, 기타 사치품)의 통관 절차를 마치는 데만도 두 달 이상이 걸렸다.[35]

아시아의 영국인들은 한 역사가가 말했듯이 "물건이든 사람이든 모두 제값을 줘야 한다"는 원칙에 입각하여 사업을 했다.[36] 이는 지나친 선물 공세를 유발했다. 그러나 또한 로비 대상의 탐욕을 비난하는 사람들의 저항도 있었다. 예컨대 무굴 황제 자한기르는 "커다란 코끼리"를 (그리고 아마도 도도새도) 선물로 받은 것은 커다란 약점이 있었고, "너무도 탐욕스러운" 마음을 갖고 있었다고 한다.

"그는 한 번도 충분히 가졌다고 생각한 적이 없었다. 밑 빠진 돈궤라도 되는 듯이 결코 채울 수가 없었다. 가질수록 더 큰 욕심을 부렸기 때문이다."[37]

네덜란드 사절들은 1660년대에 대형 마차와 갑옷, 장신구와 옷감, 심지어 안경까지 가지고 베이징에 왔다. 타이완에서 거점을 잃자 호의를 구하고자 하는 노력이었다.[38] 푸짐한 선물을 싸들고 간 또 다른 네덜란드 사절단(1711년에 라호르에 간 사절단)에 관한 기록은 그들이 비위를 맞추고 중요한 만남을 성사시키기 위해 엄청난 노력을 했음을 보여준다. 사절단이 북쪽으로 길을 가다가 우다이푸르에서 성대하게 환대받는 모습은 그림으로 그려지기도 했다. 일본산 칠기와 실론산 코끼리, 페르시아산 말을 선물로 준비했고, 네덜란드 식민지에서 나는 향신료와 대포, 망원경, 육분의六分儀, 현미경 같은 유럽 제품들도 있었다. 그저 운에 맡기는 법은 없었다. 비록 이 경우에는 교역상의 특혜를 갱신하려는 사절단의 요청이 해결되지 못했지만 말이다.[39]

유럽의 종잡을 수 없는 상황이 그들의 아시아 진출 노력에 미치는 영향을 완전히 파악하는 데는 오랜 시간이 걸렸다. 사실상 더 많은 상인들이 교역을 하러 도착하고 배가 클수록 더 유리했다. 이는 선물을 많이 주면 보상이 많고 더 많은 거래를 할 수 있다는 의미였다. 사실 아크바르와 샤 자한, 아우랑제브 같은 무굴 황제들은 자기 생일날 보석과 귀금속, 기타 보물들을 거듭 저울 위에 올려놓고 자기 몸무게와 균형을 이룰 때까지 달아보곤 했다. 이는 군살 없는 허리를 유지하기 위한 최고의 유인책이 되기는 어려웠다.[40]

여행자와 상인들을 목적지까지 '호송'한다며 돈을 요구하는 중개업자들에게도 뇌물을 주어야 했다. 이것 역시 그 원칙이나 양에 대해 짜증을 느꼈던 사람들에게는 상당한 불만거리였다. 1654년 아크바르나가르(오늘날의 라지마할)에서 상품을 압수당한 잉글랜드 상인들은 총독과 관원들에게 뇌물을 주는 수밖에 다른 도리가 없음을 깨달았다. 네덜란드인들이 늘 그렇게 해왔듯이 말이다.[41] 공정성이 결여되었다는 불만은 무굴 황제에게 전달되기도 했고, 황제는 가끔 지나치게 제 주머니를 채운 사람들을 처벌했다. 공정치 못하다고 고발당한 한 법관은 군주 앞에 불려나가 코브라에 물려 죽었다. 어떤 악사가 황제로부터 받은 급료의 일부를 궁궐에서 나가는 길에 문지기들에게 줘야 했다고 항의하자 문지기들이 매를 맞은 일도 있었다.[42]

인도로 들어오는 돈은 예술과 건축과 문화의 개화를 촉진했다. 이는 16세기 초 이래 자본이 대량으로 쏟아져 들어온 것과 동시에 일어난 일이었다. 점점 더 많은 돈이 중앙아시아로 스며들어갔다. 아우랑제브 같은 군주들이 북방과의 평화로운 관계를 보장하기 위해 공물을 납부한 결과이기도 했지만, 스텝 지대에서 가축을 기르고 있던 사육자들로부터 말을 대량으로 사들인 결과이기도 했다. 해마다 북인도의 시장에서 10만 마리나 되는 말이 거래되었다. 그리고 일부 자료를 믿을 수 있다면 가격은 천정부지로 치솟았다.[43] 더 많은 수의 가축들 역시 인도에서 온 상인들과 페르시아·중국 상인, 그리고 점점 더 늘어나는 러시아 상인들에게 팔려 이 지역으로 더 많은 돈이 흘러들어왔다. 현재의 우즈베키스탄에 있던 코칸트 같은 도시들이 번성하면서, 싼 값에 대량으로 구매할 수 있는 대황, 홍차, 도자기, 비단의 품질에 관해 열광적으로 이야기하는 기록들을 남겼다.[44]

유럽인들에 의해 새로운 교역로가 개척되었지만, 아시아의 등뼈를 가로지르는 교역망은 여전히 북적거리고 활기찼다. 이는 매년 낙타 수만 마리분의 직물이 인도에서 중앙아시아를 거쳐 페르시아에 이르는 옛 길로 운송되었다는 네덜란드 동인도회사의 기록으로 확인할 수 있다. 잉글랜드, 프랑스, 인도, 러시아의 사료들 역시 육상 교역로가 계속 가동되었다는 사실에 관한 정보를 제공하고 있으며, 17세기와 18세기에 그 규모가 어느 정도였는지에 대한 약간의 지식을 제공하고 있다.

중앙아시아 여행자들은 이구동성으로 많은 양의 상품들이 시장에서 팔렸으며, 엄청난 수의 말이 사육되어 카불 같은 곳으로 이송되어온다고 말했다. 카불은 "훌륭한 교역 중심지"로, 아시아 전역에서 모여든 상인들이 온갖 직물과 향초 뿌리, 정제 설탕, 기타 사치품들을 사고팔았다.[45] 이 육상 교역에서 상거래를 원활하게 해주는 소수민족들의 역할이 점점 더 중요해졌다. 이들은 풍습이 같고, 서로 혈연관계로 연결되어 있으며, 먼 거리에서도 통용되는 신용 네트워크를 형성했기 때문이었다. 과거에는 소그드인들이 이 역할을 했다. 이제 유대인들과 특히 아르메니아인들이 그 일을 맡았다.[46]

교역이 아닌 수탈로 바뀌다

표면 아래서 강력한 흐름이 눈에 띄지 않은 채 소용돌이치고 있었다. 아시아에 대한 유럽인들의 태도가 뻣뻣해지고 있었다. 동방을 이국적인 초목과 보물로 가득한 놀라운 나라로 보던 태도를 바꾸어, 현지 주민들을 아메리카 주민들과 마찬가지로 나약하고 쓸모없는 사람들로 생각하기 시작했다. 로버트 오르메 Robert Orme의 시각은 18세기 사람들이 보여준 태도의 전형이었다. 오르메는 동인도회사의 첫 공식 역사가로 《인도스탄 Indostan 주민의 나약함에 관하여》라는 에세이를 썼는데, 이 제목은 당대의 인식을 단적으로 보여준다. 제목을 붙이는 데서부터 강경한 정서가 급속히 확산되고 있었다.[47] 아시아에 대한 태도는 얻을 수 있는 이득으로 인한 흥분에서 노골적인 수탈에 대한 생각으로 바뀌었다.

이런 관점은 본래 무굴제국의 지방장관을 가리키던 말인 나와브 nawab(영어로는 네이바브 nabob)가 아시아에서 엄청나게 돈을 번 동인도회사 관리를 지칭하는 말로 변질된 데서도 잘 드러난다. 그들은 마치 폭력배나 고리대금업자처럼 행동했다. 주변 사람들에게 지나치게 높은 이자로 돈을 빌려주고, 회사 자원을 개인의 이익을 위해 사용하며, 거래에서 터무니없는 이득을 챙겨 자기 배를 채웠다. 그것은 '거친 동부'였다. 100년 뒤 북아메리카 서부에서 연출되는 '거친 서부'라는 비슷한 장면의 서곡이었다. 회고록의 저자 윌리엄 히키 William Hickey의 아버지는 아들에게 이렇게 말했다.

"돈 많은 놈들 대여섯 머리를 쳐버리고 (……) 나와브가 되어서 돌아오라."

인도의 동인도회사에 근무하는 것은 재산을 모으는 가장 확실

한 방법이었다.[48]

이 길에 어려움이나 위험이 없는 것은 아니었다. 인도아대륙의 환경은 거칠었고, 질병이 야망을 조기에 끝장낼 수 있었다. 우리가 증거를 통해 확인할 수 있는 바로는 하수 처리 시설과 위생, 의약과 의료의 개선으로 사망률이 떨어지기는 했지만, 본국으로 돌려보내거나 근무에 적합하지 않다고 생각되는 사람의 수는 꾸준히 늘었다.[49] 경험은 트라우마가 될 수 있었다. 상선 선원 토머스 보우리Thomas Bowrey와 그 친구들이 17세기 말 인도에서 각기 대마초를 달인 즙인 '방bhang' 한 그릇을 6페니에 사고 나서 깨달은 사실이었다.

"한 사람은 바닥에 앉아 오후 내내 비통하게 울었다. 또 한 사람은 공포에 질려 커다란 항아리 속에 머리를 처박고 네댓 시간 또는 그 이상을 계속 그 자세로 있었다. (……) 네댓 명은 카펫 위에 누워 큰 소리로 서로를 극구 칭찬했다. (……) 또 한 사람은 싸움꾼이 되어서 현관의 나무 기둥을 붙잡고 손가락 피부가 다 까질 때까지 싸웠다."[50]

세계의 다른 지역에 익숙해지는 데는 시간이 걸렸다.

반면에 보상은 놀라웠다. 너무도 놀라워서 극작가, 언론인, 정치인들이 벼락부자를 조롱하는 것이 일상사가 되었다. 펜싱이나 춤 같은 신사의 취미를 가르치는 개인 교사 채용 붐에 대해, 훌륭한 재단사를 선택하려고 노심초사하는 데 대해, 식사 자리에서 적합한 화제를 찾기 위해 애쓰는 일에 대해 멸시를 담은 떠들썩한 웃음이 터져나왔다.[51]

위선이 만연했다. 윌리엄 피트William Pitt the Elder는 18세기 말에 동료 의원들에게, 그것은 기괴한 일이라고 말했다.

"외국에서 금을 가지고 들어온 사람들이 은밀하게 타락의 급류를 크게 일으키며 의회로 입성했는데, 개인적인 세습 재산을 바탕으로 한 기존 의원들이 그들을 당할 수 없습니다."[52]

그는 자신의 할아버지 토머스 피트가 인도에서 근무하다가 세계에서 가장 큰 보석의 하나인 '피트 다이아몬드'를 들여오고 인도에서 마드라스 총독으로 근무하면서 축적한 재산으로 시골 영지를 구입한 일(의회 의석은 그 결과였다)에 대해서는 언급할 필요가 없다고 생각했다.[53] 다른 사람들 역시 거침없었다. 에드먼드 버크는 얼마 뒤에 하원의 질의에 분노에 차서 대답하면서, '나와브들'이 사회를 파괴하고 있는 것은 끔찍한 일이라고 주장했다. 주변에 재산을 뿌리며 의회 의원이 되고 상류층의 딸과 결혼하고 있다는 것이다.[54] 그러나 그렇게 화를 내봐야 별 효과가 없었다. 도대체 어느 누가 야심차고 부유한 젊은 남자를 사위로 삼고 싶지 않고, 어느 누가 넉넉한 배우자를 남편으로 맞고 싶지 않겠는가?

이 거대한 재산에 접근하는 열쇠는 동인도회사가 상품을 한 대륙에서 다른 대륙으로 운송하는 무역업체에서 점령 세력으로 변모한 데 있었다. 마약 거래와 협잡질로 이동하는 일도 자연스러웠다. 아편은 인도의 농장에서 갈수록 더 많은 양이 재배되었다. 중국에서 비단과 도자기, 그리고 무엇보다도 홍차 살 돈을 대기 위해서였다. 홍차 수입이 급증해 공식 물량으로도 1711년 65톤에서 80년 뒤 6800톤으로 늘었다. 이 수치는 세금을 피하기 위해 밀수출되었을 물량은 포함하지 않은 것이다. 그것은 깔끔한 데칼코마니였다. 서방에서 사치품 중독이 늘어나는 것은 사실상 중국에서 마약 중독자가 늘어나는 것과 교환된(그리고 곧 필적하게 되는) 것이었다.[55]

다른 수상쩍은 방식으로 돈을 버는 것도 이에 못지않게 수익성이 좋았다. 인도에서 18세기에 지방 지배자들에 대한 보호가 점점 정규적이고 대규모로 제공되고는 있었지만, 1757년에 결정적인 움직임이 나타났다. 벵골 나와브 시라지 웃다울라가 캘커타를 공격하여 점령한 뒤 로버트 클라이브가 이끄는 원정군이 이 도시에 파견되어 개입했다. 클라이브는 곧 권력을 잡고 싶어하는 현지의 여러 경쟁자들로부터 지원을 해달라는 제안을 많이 받았다. 곧바로 그는 지역의 조세 수입인 디와니diwani를 통제할 수 있는 권한을 부여받았다. 그리고 아시아에서 가장 인구가 많고 경제적으로 활기찬 지역 가운데 한 곳이자 영국이 동방에서 수입하는 모든 물량의 절반 이상을 생산하고 있는 직물업 중심지의 수입을 마음대로 이용할 수 있게 되었다. 거의 하룻밤 사이에 그는 세계에서 가장 돈 많은 사람 가운데 하나가 되었다.[56]

벵골 정복의 여파를 점검하기 위해 1773년에 구성된 영국 하원 특별위원회를 통해, 벵골 재무 당국으로부터 넘겨받은 돈이 엄청난 액수에 이른다는 것이 드러났다. 200만 파운드(오늘날의 가치로 환산하면 수백억 파운드)가 '선물'로 분배되어 현지에서 동인도회사 직원들의 주머니로 들어갔다.[57] 분노는 벵골에서 나타난 수치스럽고 충격적인 모습으로 인해 가중되었다. 1770년 무렵 곡물 가격은 갈수록 치솟았고, 기근이 시작되면서 처참한 결과를 낳았다. 사망자 수는 수백만 명에 이르는 것으로 추산되었다. 총독조차도 주민의 3분의 1이 죽었다고 선언했다. 현지 주민들이 굶어 죽어가는 상황에서도 유럽인들은 자기 배 불리는 데 여념이 없었다.[58]

이런 상황은 완전히 피할 수 있었다. 많은 사람들의 고난은 개인적인 소득을 위한 희생이었다. 비웃기라도 하듯이 클라이브는 자신의 최우선 과제가 주주들의 이익을 보호하는 것이지 현지 주민들의 이익을 보호하는 것이 아니라고 선언했다. 경영난에 처한 은행 회장 같은

투였다. 그가 자신의 사업에서 비난받아야 할 일은 없었다.[59]

사태는 더욱 악화되었다. 벵골에서는 노동력이 줄어 지역의 생산력이 파탄 났다. 수입이 급감하면서 비용이 급격하게 치솟고 공황 상태를 불러왔다. 황금알을 낳는 거위가 마지막 알을 낳았다. 이에 따라 동인도회사의 주식 매물이 쏟아져 나왔고, 회사는 파산 직전으로 치달았다.[60] 회사 임원들은 초인적인 관리자이자 부의 창출자와는 거리가 멀었고, 회사의 관행과 문화는 대륙 간 금융 시스템을 휘청거리게 만든 것으로 드러났다.

아메리카 식민지의 반란

런던의 정부는 절박한 논의 끝에 동인도회사가 파산할 경우 충격이 너무 크다고 판단하고 이를 구제하는 데 동의했다. 그러나 자금을 대기 위해서는 돈을 모아야 했다. 눈길은 북아메리카 식민지로 향했다. 그곳의 세금은 영국 본토에 비해 상당히 낮은 수준이었다. 프레더릭 노스Frederick North의 정부가 1773년에 홍차법을 통과시키자 동인도회사 구제자금을 댈 해법을 찾아낸 것으로 보였다. 또한 아메리카 식민지 조세 체계를 부분적으로라도 영국의 체계에 가깝게 맞추는 것으로 보였다. 그러나 그것은 대서양 건너 정착민들의 분노를 촉발했다.

동인도회사를 "압제, 약탈, 탄압, 살육에 능한" 기관으로 묘사한 전단과 팸플릿들이 펜실베이니아에서 널리 유포되었다. 동인도회사는 영국과 관련한 모든 잘못된 것의 상징이었다. 그곳에서는 사회 고위층이 보통 사람들을 희생시켜 제 배를 불리는 탐욕스럽고 이기적인 이익집단의 손아귀에 잡혀 있었다.[61]

홍차를 싣고 온 배들은 입항이 거부되었다. 식민지의 연합전선이, 그들의 대표를 정치적 결정에 끼워주지 않는 정부의 요구를 거부했다. 세 척의 배가 보스턴 항구에 입항하자 현지 주민들과 당국 사이에 팽팽한 대치 상태가 조성되었다. 12월 16일 밤, "아메리카 원주민" 복장을 한 작은 무리가 배에 올라 홍차를 바다에 버렸다. 홍차를 바다 밑에 가라앉힐지언정 강요된 세금을 런던에 내지는 않겠다는 항의였다.[62]

미국의 관점에서 보면, 독립선언으로 이어진 일련의 사건은 매우 미국적인 맥락을 지니고 있었다. 그러나 더 높은 조망 위치에서 보면 그 원인은 새로운 기회를 찾아 더 멀리 뻗어나가는 영국 세력의 촉수로 거슬러 올라갈 수 있다. 또한 실크로드의 효용성으로 인해 너무 많은 것을 너무 빨리 펴가는 바람에 생긴 불균형도 하나의 원인이었다. 영국 정부는 지구 반대쪽에서 경쟁적으로 일어나는 수요의 균형을 맞추려 애쓰고 있었고, 한 지역의 세금으로 생긴 수입을 가지고 다른 지역에서 지출되는 비용을 대려 하고 있었다. 이것이 환멸과 불만을 불러오고, 결국 반란으로 이어졌다.

이익 추구는 끝이 없었고, 그것은 다시 자신감과 오만의 증대를 자극했다. 클라이브는 동인도회사 붕괴 직전에 이 회사가 이름만 빼고는 모든 것이 제국 권력이었다고 조사관들에게 말했다. 회사는 "풍요롭고 인구가 많으며 생산적인" 나라들을 지배했고, "2000만 신민을 (……) 보유"[63]하고 있었다. 아메리카 식민지 사람들이 인식하고 있었던 것처럼, 본국에서 통제하는 영토의 신민이 되는 것과 다른 조직이 통제하는 신민이 되는 것은 결국 별 차이가 없었다. 벵골인들이 굶어 죽는 것을 방치한다면 아메리카 식민지에 살고 있는 사람들의 경우라고 해서 다르겠는가? 더 낫거나 더 많은 권리를 가진 것으로 보이지 않는데 말이다. 이제 홀로서기를 해야 할 시간이었다.

미국 독립전쟁은 영국에서, 단지 상업적으로 수익성이 좋을 뿐만 아니라 정치적 영향력도 있는 교역 입지를 다져가고 있는 지역을 어떻게 대해야 하느냐에 관한 깊은 반성을 촉발했다. 벵골을 사실상 정복한 것은 중요한 순간이었다. 영국이 자기네 나라에서 이주해나간 정착민들을 지원하는 나라에서 다른 민족을 지배하는 나라가 되었다는 측면에서다. 그것은 가파른 학습곡선이었다. 그것이 무엇을 의미하는지, 그리고 어떻게 하면 제국 중앙의 욕구와 그 말단의 필요 사이의 균형을 맞출 수 있는지를 쉽게 이해했다. 영국은 자기네가 독자적인 법과 풍습을 지닌 민족을 통치하고 있으며, 이 새로운 사회에서 무엇을 빌려오고 무엇을 빌려줄지 알아내야 함을 인식했다. 그리고 잘 돌아가고 오래 갈 수 있는 기반을 어떻게 건설할 것인지도. 하나의 제국이 탄생하고 있었다.

그 제국의 탄생은 한 시대의 종말이었다. 인도의 대부분이 영국의 손에 넘어가자 육상 교역로가 생명력을 잃었다. 구매력과 소비력, 자산과 관심이 결정적으로 유럽 쪽으로 옮겨갔다. 군사 기술과 전술(특히 화력 및 중포와 관련한)이 더욱 발전하면서 기병대의 중요성이 떨어진 것 또한 수천 년 동안 아시아를 이리저리 연결해주던 길을 따라 운송되던 물량의 감소를 촉진했다. 중앙아시아는 그 이전의 남부 유럽과 마찬가지로 사라져가기 시작했다.

북아메리카에 있던 13개 식민지의 상실은 영국에게 굴욕적인 실패였고, 자기네가 보유하고 있는 영토를 지켜내는 것이 얼마나 중요한지를 일깨워주었다. 그런 의미에서 인도 총독에 찰스 콘월리스Charles Cornwallis를 임명한 것은 눈이 휘둥그레질 조치였다. 대서양 건너에서 겪은 대실패에서 중요한 역할을 한 사람이 바로 콘월리스였고, 미국 독립전쟁을 사실상 종결시킨 결정적인 전투에서 요크타운을 조지 워싱턴에게 내준 사람도 바로 그였다. 아마도 뼈아픈 교훈을 얻었으니 그런 교훈을 아는 사람은 같은 일이 다른 곳에서 재발하지 않도록 보장하는 최적임자라는 판단이었을 것이다. 영국은 미국을 잃었을지 모르지만, 인도는 절대로 잃을 수 없었다.

위기로 가는 길

러시아의 변신

아메리카에서 만난 재앙은 영국에게 커다란 충격이었다. 이 좌절은 대영제국이 약화될 수 있음을 시사하는 것이었다. 영국은 직접, 그리고 동인도회사를 통해 지배자의 위치를 차지하는 데 성공했다. 그것이 번영과 영향력과 권력을 가져다주었다. 그들은 악착같이 그 디딤돌들(본국 런던과 연결하는 오아시스들)을 지켰다. 그리고 자바해에서 카리브해까지, 캐나다에서 인도양까지 걸쳐 있는 연락망에 대한 영국의 지배력을 박탈하거나 약화시키려는 어떠한 시도에 대해서도 빈틈없이 경계하고 있었다.

19세기를 보통 영국의 입지가 계속 강화되고 있던 제국의 절정기로 보지만, 사실은 그 반대라는 징표들이 있다. 영국의 지배력이 약화되면서 필사적인 지연 작전을 펼쳤고, 종종 전략적·군사적·외교적으로 처참한 결과를 가져왔다. 세계 곳곳에 흩어진 영토들을 점령하고 유지하려 노력하는 현실은 현지 및 세계의 경쟁자들과 벌이는 위험한 벼랑 끝 게임으로 이어졌다. 그리고 그 판돈은 점점 더 커졌다.

1914년이 되면 판돈은 더욱 커져 유럽에서의 전쟁 결과에 제국의 운명을 걸기에 이르렀다. 제국들을 무릎 꿇린 것은 런던, 베를린, 빈, 파리, 상트페테르부르크의 권력 중추에서 일어나는 여러 가지 불행한 사건이나 고질적인 오해들이 아니라 수십 년 동안 부글부글 끓고 있던 아시아 지배를 둘러싼 갈등이었다. 1차 세계대전 뒤에 도사리고 있던 것은 독일의 망령이 아니었다. 러시아의 망령(특히 동방에 드리운 그 그림자)도 아니었다. 세계를 전쟁으로 끌어들이는 데 중요한 역할을 한 것은 바로 이 그림자가 커지는 것을 막으려는 영국의 필사적인 시도였다.

러시아가 영국에 가하는 위협은 오스트리아의 제위 계승권자 프란츠 페르디난트 대공의 암살을 앞둔 19세기에 암처럼 자랐다. 러시아가 농업경제에 바탕을 둔 흔들흔들하는 구식 왕국에서 혁신되고 야망에 찬 제국으로 변신하면서였다. 러시아가 성장하고 팽창하면서 영국과 이익을 다투게 될 뿐만 아니라 영국을 압도할 만한 위협 세력이라는 것이 분명해지면서 런던에서는 더욱 자주, 더욱 크게 경종이 울려퍼졌다.

문제의 첫 번째 징후는 1800년대 초에 나왔다. 러시아는 수십 년 동안 국경선을 밀고 나가 중앙아시아 스텝 지대에서 새로운 영토와 새로운 주민들을 편입시켰다. 이 지역은 키르기스인, 카자흐인, 오이라트인 등 남쪽과 동쪽의 여러 종족 주민들의 모자이크로 이루어져 있었다.

우선 이 과정은 상당히 부드러운 방식으로 전개되었다. 카를 마르크스는 '새 러시아인'을 만드는 제국주의적 과정에 대해 비판적이었지만, 그것은 상당히 세심하게 진행되었다.[1] 많은 경우에 현지 지도자들은 상당한 보상을 받았을 뿐만 아니라 권좌에 눌러앉는 것도 허용되었다. 자기네 영토 안에서 그들의 지위는 러시아에 의해 보장되고 공식적으로 인정되었다. 포괄적인 세금 감면과 토지 불하, 병역 면제 같은 특혜 역시 러시아의 지배를 더 쉽게 받아들이게 된 요인이었다.[2]

영토 확장은 19세기 내내 가속화되던 경제 성장에 불을 붙였다. 우선 이전에는 스텝 지대로부터의 습격과 공격에 방어하기 위해 많은 비용을 지출했으나 그 비용이 줄어 재정을 다른 곳에 사용할 수 있게 되었다.[3] 또 하나, 놀랄 만큼 비옥한 스텝 지대의 땅을 이용하게 되면서 많은 보상을 얻을 수 있었다. 스텝 지대는 흑해 북쪽에 뻗어 있고 동쪽으로 멀리까지 이어져 있었다.

러시아인들은 과거 경작에 적합하지 않은 땅에서 농작물을 재배해야 했고, 그 결과 곡물 생산이 유럽에서 최하 수준이었다. 이에 따라 주민들은 기근의 위협에 노출되어 있었다. 18세기 초에 이 지역을 찾은 한 영국인은 오이라트의 한 분파로 볼가 강 하류 유역과 카스피해 북안에 자리 잡은 칼미크인들이 잘 무장되고 신체가 튼튼한 병사 10만 명을 동원할 수 있다고 썼다. 그러나 거의 쉴 새 없는 공격에 대한 공포 때문에 농업은 제대로 발달하지 못했다. 이 지역의 "수백 헥타르"의 비옥한 땅은 "잉글랜드에서는 엄청난 가치가 있을 테지만, 여기서는 버려져 경작되지 않는다"라고 그 여행자는 썼다.[4] 교역이 활발하지 못하고, 도시들의 발전 역시 마찬가지여서 규모가 시시한 수준에 머물렀다(그 숫자 역시 마찬가지였다). 1800년 이전에 주민의 극히 일부만이 도시화된 지역에 살고 있었다.[5]

그러나 상황이 변하면서 러시아의 야망과 시야도 확대되기 시작했다. 19세기 초에 제국 군대가 오스만제국을 공격해서 큰 할양지를 확보했다. 그 가운데는 드네스트르 강과 프루트 강 사이 지역인 베사라비아와 카스피해 주변의 상당 부분이 들어 있었다. 그리고 얼마 지나지 않아서 캅카스 산맥 남쪽을 공격하여 페르시아에게 몇 차례 당혹스러운 패배를 안겼다.

캅카스 지역의 세력 균형은 눈에 띄게 기울어지고 있었다. 이 지역은 독립적이거나 수백 년 동안 페르시아에 속했던 구역과 주와 칸국들이었다. 이런 지도를 다시 그리는 것은 이 지역에서 중대한 변화였고, 러시아가 남쪽 변경을 탐내던 야욕을 분명하게 드러낸 것이었다. 영국은 오래지 않아 그 중요성을 알아차렸다. 특히 프랑스의 파견단이 페르시아로 향해 동방에서 영국의 위치를 위태롭게 할 것이라는 소식이 들린 뒤에는 더욱 분명했다. 1789년 프랑스에서 일어난 혁명은 페스트와 비슷한 결과를 만들어냈다. 대규모의 환난은 해결과 부활의 새로운 시대로 대체되고 있었다.

나폴레옹의 야욕

18세기 말에 나폴레옹 보나파르트는 이집트 정복뿐 아니라 인도에서 영국을 몰아내려 하고 있었다. 그는 마이소르 왕국의 강력한 티푸 술탄에게 편지를 보냈다. 천하무적의 프랑스 대군이 곧 "당신을 영국의 쇠고랑으로부터 구출"[6]할 것이라고 했다. 확실히 프랑스 전략가들에게 인도는 상당히 탐나는 곳이었다.[7] 그런 생각은 이후에도 이어졌고, 나폴레옹이 1807년에 신임하는 장군인 클로드 마티외 드 가르단Claude Mathieu de Gardane을 페르시아에 보내 샤와 동맹을 맺도록 지시하고 또한 인도아대륙에 대한 프랑스의 대규모 원정에 대비하여 상세한 지도를

작성하게 한 것도 그런 이유에서였다.[8]

영국은 즉각 대응했다. 고위 관료인 고어 우슬리Gore Ouseley를 파견하여 프랑스가 샤에게 제안한 것에 맞서도록 했다. 그는 상당히 인상적인 대표단과 함께 갔는데, 대표단은 "영원한 우리 종교로 대부분의 현지인들에게 인상을 주게"[9] 된다. 여러 가지 노력을 통해 이제 그들은 샤와 그 신하들에게 깊은 인상을 심어주었다. 물론 자기네끼리만 있는 곳에서는 현지 풍습에 대한 경멸을 숨기지 않았지만 말이다. 끝이 없을 듯이 이어지는 선물 요구는 특히 경멸의 대상이 되었다. 우슬리는 자신이 조지 3세 국왕의 편지와 함께 페르시아 지배자에게 선물한 반지가 너무 작아 시시하게 여겨졌다는 사실을 알고 당황했다. 그는 분개해서 이렇게 썼다.

"이 사람들의 천박함과 탐욕스러움에 몹시 구역질이 납니다."[10]

대략 비슷한 시기에 테헤란을 방문한 영국 관리도 비슷한 생각을 가지고 있었다. 페르시아인들은 선물과 예물을 증정하는 격식에 집착하는데, "앉았다 일어서는 규칙"[11]에 관한 긴 책을 쓸 수 있을 정도라고 그는 썼다.

대중 앞에서는 이와 전혀 달랐다. 페르시아어를 유창하게 구사했던 우슬리는 도착할 때 프랑스 사절보다 수도에서 더 멀리까지 나와 영접해줄 것을 요청했다. 이것이 자신과 자신의 임무를 더 중시한다는 표시임을 알았기 때문이다. 또한 경쟁자보다 빠르게 샤와 회견을 주선하도록 신경을 썼으며, 그의 의자가 통례보다 옥좌에 더 가까이 위치한 것을 기뻐하며 언급했다.[12]

호의를 얻으려는 노력은 영국 군사 고문의 파견으로까지 이어졌다. 영국 포병 장교 두 명, 하사관 두 명, 포병 열 명이었다. 이들은 페르시아 병사들을 훈련시키고, 변경 방어에 관해 조언했으며, 심지어 술타나바드에 있는 러시아 진지에 대한 기습공격을 이끌기도 했다. 그곳에서 1812년 초 수비대를 격파한 일은 선전에 크게 활용되었다.

사태는 같은 해 6월 나폴레옹이 러시아를 공격하면서 변했다. 프랑스가 모스크바를 향해 진격하자, 영국은 페르시아와 거리를 두면서 러시아를 지원하는 것이 유리하다고 판단했다. 우슬리가 로버트 스튜어트 외무부 장관에게 보낸 편지에서 러시아를 "우리의 좋은 친구"라고 부를 정도였다. 이 보고에는 프랑스가 러시아를 공격하는 일의 광범위한 영향도 언급되어 있다. 이것이 최선이라고 우슬리는 결론지었다. 그 이유는 이러했다.

"페르시아인은 성격이 매우 비뚤어진 구석이 있어서, 자기네가 받는 어떤 호의에도 무감각하고 감사할 줄 모릅니다."

그는 친선을 맺기 위해 그렇게 열심히 노력했지만, 그 친선은 별다른 유감 표명도 없이 가볍게 무시될 수 있었다. 페르시아인은 "세상에서 자기밖에 모르는 이기주의자"[13]이기 때문이다.

영국이 러시아와의 관계를 우선시하자 페르시아는 실망했다. 이전에 믿을 만하다고 생각했던 동맹자가 갑자기 태도를 바꾼 것이기 때문이다. 이는 1812년 나폴레옹을 격퇴해 용기를 얻은 러시아군이 캅카스 산맥을 넘어 기습공격을 감행한 뒤 격렬한 비난으로 바뀌었다. 샤와 돈독한 관계를 맺으려고 그렇게 안달했던 우슬리가 굴욕적인 1813년의 골레스탄 조약을 기초한 것은 배신 행위나 마찬가지인 것으로 보였다. 러시아-페르시아 전쟁 이후에 맺은 이 조약으로 러시아는 다게스탄, 사메그렐로, 압하지야, 데르벤트, 바쿠 등 카스피해 서안 대부분을 얻었다.

조약 내용이 러시아에 유리하다는 사실은 페르시아인들 사이에서 혐오감을 불러일으켰다. 그들은 이것을 영국이 너무나 믿을 수 없고 이기적인 징표라고 해석했다. 페르시아 대사 미르자 아볼하산Mirza Abolhasan은 영국 외무부 장관 로버트 스튜어트에게 보낸 편지에서, 영국의 행동에 크게 실망했다고 썼다. "나는 영국의 친밀한 우정"과 페르시아를 지원하기로 했던 "굳은 약속"을 믿었다고 했다. 대사는 이어 이러한 사태 전개에 "완전히 실망"했다며 이렇게 경고했다.

"사태가 이런 식으로 유지된다면 그것은 영국의 명예에 전혀 도움이 되지 않을 것입니다."[14]

나폴레옹의 공격의 결과로 영국에게 러시아는 유용한 동맹자가 되었다. 페르시아와 관계가 깨진 것은 치러야 할 대가였다.

러시아의 기회, 동쪽인가 서쪽인가

러시아는 국제사회에서 점점 비중이 커지고 있었다. 비단 유럽이나 서아시아에만 국한된 것은 아니었다. 러시아의 촉수가 더 멀리까지 뻗쳐 있었기 때문이다. 지금 우리가 세계를 보는 방식과는 반대로, 19세기 전반기에 러시아의 동쪽 국경은 아시아가 아니라 전혀 다른 곳에 있었다. 바로 북아메리카다. 식민지가 처음 베링해 건너 알래스카에 건설되었고, 그 뒤 캐나다 해안과 그 너머 남쪽으로 캘리포니아 주 소노마 군의 포트로스에까지 공동체들이 만들어졌다. 1800년대 초의 일이다.

이들은 결코 잠시 묵어가는 상인들이 아니었고, 항구와 저장 시설과 심지어 학교 건설에 힘썼던 영구 정착민들이었다. 북아메리카 태평양 연안 지역의 현지 '혼혈' 소년들은 러시아어로 가르치는 학교에 다니며 러시아에서 배우는 것을 배웠으며, 일부는 상트페테르부르크

로 유학을 가기도 했다. 유명한 의학 전문학교에 들어가기도 했다.[15]

차르가 보낸 제국 대표단이 에스파냐 총독과 협정 문제를 논의하기 위해 샌프란시스코만에 나타난 것은 1812년 나폴레옹의 침공 이후 고어 우슬리가 러시아와의 동맹을 타진하고 있던 것과 거의 같은 시기였다. 시기적으로 기묘한 우연의 일치였다.[16]

문제는 러시아의 영토가 빠른 속도로 확장되면서 자신감도 점점 커지고 있었다는 점이다. 국경 너머에 있는 사람들에 대한 태도도 강경해졌다. 갈수록 남아시아와 중앙아시아 사람들은 야만적이어서 계몽의 대상이라고 생각하였다. 이는 처참한 결과를 낳았다. 가장 유명한 것이 체첸의 사례다. 이곳에서는 1820년대에 고집불통에다 흉포한 장군 알렉세이 예르몰로프가 현지 주민들에게 충격적인 폭력을 가했다. 이러한 상황은 카리스마 있는 이맘(종교 지도자) 샤밀이 등장해 저항운동을 이끌게 했을 뿐만 아니라, 여러 세대 동안 이 지역과 러시아의 관계에 악영향을 끼쳤다.[17]

캅카스와 스텝 세계가 폭력이 난무하며 무법 상태라는 상투적인 이미지는 푸시킨의 〈캅카스의 포로〉나 미하일 레르몬토프의 〈카자흐 자장가〉 같은 시들에서 정형화되었다. 레르몬토프의 시에서는 피에 목마른 체첸인이 강둑을 따라 살금살금 다가오는 장면이 나온다. 단검으로 무장하고 아이를 죽이러 온다.[18] 한 급진적 정치 지도자는 키예프에서 청중에게, 러시아는 서쪽으로 "가장 세련된 문명 세계"와 접하고 동쪽으로 엄청나게 무지한 사회와 만나고 있다고 말했다. 따라서 "우리의 식견을 야만에 가까운 이웃에게 나누어주는 것"[19]은 그들의 의무였다.

모든 사람이 그렇게 생각한 것은 아니었다. 러시아 지식인들은 이후 수십 년 동안 제국이 어느 쪽을 바라봐야 하는지를 놓고 논쟁을 벌였다. 서방의 '살롱'과 고상함을 바라봐야 하는가, 동방의 시베리아와 중앙아시아를 바라봐야 하는가. 다양한 대답이 나왔다. 철학자 표트르 차다예프는 이렇게 썼다.

"우리는 인류라는 대가족의 어느 쪽에도 속하지 않습니다. 우리는 서방에 속한 것도 아니고, 동방에 속한 것도 아닙니다."[20]

그러나 다른 사람들은 동방의 미개척지에 기회가 있다고 보았다. 러시아가 자기만의 인도를 차지할 수 있는 기회였다.[21] 유럽의 강대국들은 더 이상 흉내 내야 할 모범이 아니었고, 그 패권에 도전해야 할 경쟁자가 되었다.

작곡가 미하일 글린카는 자신의 오페라 《루슬란과 류드밀라》의 영감을 얻기 위해 초기 루시의 역사와 하자르인들에 의지했다. 한편 알렉산드르 보로딘은 동방을 바라보며 교향시 〈중앙아시아에서〉와 〈타타르인의 춤〉을 작곡했다. 앞의 곡은 스텝 지대를 가로지르는 상인단과 장거리 교역을 떠올리게 하고, 뒤의 곡은 유목적 생활방식의 리듬에서 영감을 얻은 것이다.[22] '동양적인 것'에 대한 관심은 주제와 화성和聲, 기악 편성 등에서 19세기 러시아 고전음악의 특징이었다.[23]

표도르 도스토옙스키는 러시아가 동방과 접촉해야 할 뿐만 아니라 동방을 껴안아야 한다는 열정적인 주장을 내놓았다. 그는 19세기 말에 유명한 에세이 《동방은 우리에게 무엇인가》에서 러시아가 유럽 제국주의의 족쇄에서 해방되어야 한다고 주장했다. 러시아가 유럽에서는 식객이고 노예지만, 아시아에서는 "우리가 주인 노릇을 한다"[24]라고 그는 썼다.

이런 관점들은 해외에서 거둔 잇단 성공에서 나온 것이었다. 캅카스에서는 1820년대에 페르시아의 공격이 실패로 돌아간 뒤 추가적인 소득이 있었다. 골레스탄 조약의 조항들로 여전히 속이 쓰린 데다 예르몰로프 장군에 대한 현지 주민들의 반감(여자와 아이들까지 공공 광장에서 교수형에 처해 사람들에게 혐오감을 불러일으켰다)에 용기를 얻은 샤 파트흐알리 Fat'h-Ali는 1826년에 러시아 진지를 향해 진격하라고 명령했다.[25] 그 대가는 처참했다. 예르몰로프가 해임된 뒤 차르의 병사들은 남쪽으로 몰려가서 캅카스의 산 고개를 넘었다. 그들은 페르시아군을 무너뜨리고 1828년에 협정을 강요했다. 15년 전보다 훨씬 가혹한 조건이었다. 땅이 추가로 러시아에 양도되었고, 막대한 배상금도 물어야 했다. 힘이 빠진 샤는 자기가 죽은 뒤 후계자인 아바스 미르자 왕자의 승계를 공식적으로 인정해달라고 차르에게 간청할 정도로 굴욕적인 처지가 되었다. 그러지 않으면 아들이 권력을 잡기는커녕 즉위조차 할 수 없었다.

그로부터 얼마 지나지 않아 테헤란에서 격렬한 폭동이 일어났다. 군중은 1829년 2월 러시아 공사관을 습격했다. 이 도시 주재 공사로서 비타협적 태도를 취하던 알렉산드르 그리보예도프 Aleksandr Griboedov가 살해되었고, 한 폭도가 여전히 제복 차림인 그의 시신을 끌고 도시 거리를 돌아다녔다. 그리보예도프는 서른여섯 살의 극작가로 《이성적인 슬픔》의 저자였다.[26]

샤는 전면적인 침공을 막기 위해 즉각 행동에 나섰다. 그는 사죄를 하기 위해 아끼는 손자를 파견하고, 시인들을 함께 보내 차르를 "우리 시대의 쉴레이만"으로 극찬하도록 했다. 더욱 중요한 것으로, 세계에서 가장 큰 보석 중 하나를 선물로 보냈다. 무게가 90캐럿 가까이 되는 이 다이아몬드는 한때 여러 개의 루비와 에메랄드에 둘러싸인 채

인도 황제의 옥좌에 달려 있었으나 최고의 화해 선물로 상트페테르부르크로 보내졌다. 그것은 효과가 있었다. 차르 니콜라이 1세는 이제 모든 일은 잊을 것이라고 선언했다.[27]

런던에서는 긴장이 높아졌다. 19세기 초에 나폴레옹의 위협과 과대망상에 맞서기 위해 영국 대표단이 페르시아로 파견되었다. 그러나 영국은 이제 다른 경쟁자, 예상치 못한 경쟁자의 도전에 직면했음을 깨달았다. 그것은 프랑스가 아니었고, 그들은 더 이상 위협이 되지 않았다. 새로운 위협은 러시아였다. 게다가 러시아의 세력 범위는 날마다, 모든 방향으로 확장되고 있는 듯했다.

일부에서는 그들이 오고 있음을 보았다. 영국의 정책은 "페르시아의 손발을 묶어 상트페테르부르크 궁정에 넘겨준다"는 뜻이라고, 테헤란 주재 대사였던 하퍼드 존스-브리지스Harford Jones-Brydges는 적었다. 다른 사람들은 더 솔직했다. 1820년대 아서 웰슬리 내각의 고위 인사였던 에드워드 로Edward Law는 아시아에서의 정책에 관한 한 영국의 역할은 단순하다고 썼다. 바로 "러시아의 세력을 견제하는 것"[28]이었다.

아프가니스탄의 지정학적 중요성

그러므로 페르시아에서 전개된 사건들이 차르의 입장을 강화시켜 샤와 그 정권의 보호자로 만든 것은 정말로 걱정스러운 일이었다. 1836~1837년 카자흐 스텝에서 러시아의 지배에 반대하는 심각한 폭동이 일어나서 중앙아시아 및 인도와의 교역에 문제가 생기자 러시아는 새로운 페르시아의 샤 모하마드를 부추겨 아프가니스탄 서부의 헤라트로 진군하도록 했다. 동방으로 가는 새 대안 교역로를 열 수 있으리라는 희망에서였다. 페르시아군에 병력 및 병참 지원도 제공되었다.[29] 영국은 곤경에 빠졌다. 그리고 공포에 질렸다.

외무부 장관 헨리 존 템플Henry John Temple은 이러한 형세 변화에 깜짝 놀랐다. 1838년 봄에 그는 이렇게 썼다.

"러시아와 페르시아가 아프가니스탄에서 농간을 부리고 있습니다."

다만 그는 사태가 곧 해결될 것이라는 낙관론을 가졌다.[30] 그러나 몇 주 되지 않아 그는 정말로 걱정이 되었다. 대영제국에서 가장 귀중한 것이 갑자기 위태로워 보였다. 러시아가 움직임으로써 "인도의 우리 문 앞에 너무 가까이" 다가왔다고 그는 한 친구에게 썼다. 한 달 뒤 그는 유럽과 인도 사이의 장벽이 치워져 "바로 우리의 문으로 이어지는 침략의 길을 활짝 열어놓았다"[31]라고 다른 사람들에게 경고했다. 상황은 정말로 암울해 보였다.

페르시아만의 하르크 섬을 점령하기 위해 부대를 긴급 파견하는 것만으로도 샤의 관심을 돌리고 헤라트 포위를 풀게 하기에 충분했다. 그러나 다음 단계로 취한 조치는 재앙이었다. 영국은 중앙아시아에서 자기네 위치를 더욱 강력하게 보장할 수 있도록 도와줄 믿을 만한 지도자들을 포섭하려고 노심초사하고 있었는데, 이를 위해 아프가니스탄에서 지저분한 문제에 개입했다. 이 나라의 지도자 도스트 모하마드Dost Mohammad가 협력을 제안하는 러시아 사절을 접견했다는 보고를 받은 뒤 영국은 모하마드의 경쟁자인 샤 슈자 두라니Shujah Durrani를 지원하기로 결정했다. 모하마드 대신 그를 세우겠다는 의도였다. 슈자는 그 대신에 영국군의 카불 주둔에 동의하고 영국의 협력자인 강력하고 영향력 있는 펀자브의 마하라자(대왕)가 최근 페샤와르를 병합한 것을 인정하기로 했다.

우선 사태는 퀘타, 칸다하르, 가즈니, 카불 등 동서 축과 남북 축 접근을 통제할 수 있는 핵심 지점들을 큰 문제 없이 장악하면서 순조롭게 진행되었다. 그러나 처음은 아니지만 (그리고 마지막도 아니었다) 외부의 간섭은 이질적이고 통상 분열되어 있는 아프가니스탄 내부의 분파들에게 공공의 적을 만들어주었다. 부족, 민족, 언어의 차이는 한쪽으로 치워졌다. 주민들은 이기적이고 어수룩해서 인기가 없는 샤 슈자를 버리고 도스트 모하마드를 지지했다. 특히 지역 주민들을 희생시켜 영국의 편의를 봐주는 듯한 명령들이 내려진 뒤에 그랬다. 전국 각지의 이슬람 사원에서는 후트바에서 지배자를 칭송할 때 슈자의 이름을 빼기 시작했다.[32] 오래지 않아 카불은 모든 영국인과 친영적인 정서를 지녔다고 의심되는 사람들에게 점점 더 위험한 곳이 되었다.

1841년 11월, 이 지역을 널리 여행한 사실이 영국에서 잘 알려진(책을 내고 끊임없이 자기 홍보한 덕분이었다) 스코틀랜드인 알렉산더 번스Alexander Burnes가 카불에서 매복했던 사람들에게 암살되었다.[33] 그 후 얼마 지나지 않아서 영국은 인도로 철수한다는 결정을 내렸다.

1842년 1월, 영국군의 역사에서 가장 창피하고 악명 높은 사건이 일어났다. 윌리엄 엘핀스턴William Elphinstone 소장의 지휘 아래 철수하던 부대가 산길을 통해 잘랄라바드로 가던 도중 공격을 받아 한겨울 눈 속에서 전멸한 것이다. 전하는 바에 따르면, 살아서 마을에 도착한 사람은 딱 한 명이었다. 바로 윌리엄 브라이던William Brydon 박사로, 《블랙우즈 매거진》 한 부가 그의 목숨을 구했다. 그는 머리를 따뜻하게 하려고 잡지를 말아 모자 안에 넣었는데, 칼날이 그곳으로 집중되었다. 그런 요행이 없었더라면 틀림없이 칼에 맞아 죽었을 것이다.[34]

중앙아시아에서 벌어진 '큰 게임'

다른 곳에서 러시아의 전진을 미리 막으려던 영국의 시도는 더 이상 성공을 거두지 못했다. 부하라의 토후에게 접근해서 아프가니스탄 북부에서 영향력을 얻으려던 작전은 엄청난 역효과를 낳았다. 번스 같은 사람들이 묘사한 이 지역의 고풍스럽고 소박한 모습은 영국인이 전폭적인 환영을 받을 것이라는 오해를 심어주었다. 이는 사실과 한참 동떨어진 것이었다. 히바, 부하라, 코칸트 등 지독하게 독립적인 중앙아시아의 칸국들은 '큰 게임 Great Game'(이는 전형적으로 자기본위적인 영국의 한 막후 실력자 지망생이 순진하게 붙인 이름이었다)에 얽혀드는 어떤 일에도 관심이 없었다.[35] 중앙아시아에서의 영국-러시아 관계에 대한 해법을 제안하기 위해 1840년대 초 부하라에 도착한 두 명의 영국 장교 찰스 스토다트 대령과 아서 코놀리 대위는 수많은 열광적인 구경꾼들이 지켜보는 가운데 참수당했다.[36]

부하라에 도착한 세 번째 인물은 요제프 볼프 Joseph Wolff라는 흥미로운 사람이었다. 독일 랍비의 아들인 볼프는 기독교로 개종했다. 그는 로마의 신학대학에서 퇴학당한 뒤 케임브리지 대학에서 반反유대주의자 교수의 지도 아래 신학을 공부했다. 그 지도교수는 매우 도발적인 견해를 가지고 있어 케임브리지 거리에서 학생들로부터 썩은 달걀 세례를 받기도 했다.[37] 선교사로 나선 볼프는 처음에 이스라엘의 사라진 지파들을 찾아 동방으로 향했다. 마침내 그는 실종된 사절들을 찾아 부하라로 향했는데, 그들의 행방은 완전히 오리무중이었다. 그곳 토후는 미리 다음과 같은 편지를 받고 아마도 괴짜 하나가 오고 있나 보다, 생각했을 것이다.

"나 요제프 볼프는 유명한 기독교의 다르비시(이슬람교 수피파의 수도승—옮긴이)입니다."

그는 이어 코놀리와 스토다트가 처형되었다는 소문이 사실인지 조사하기 위해 "내가 부하라로 들어가려" 한다고 했다.

"나는 부하라 주민이 친절한 사람들이라는 것을 잘 알고 있기 때문에 [그 소문을] 믿지 않습니다."

그는 투옥되어 죽음을 기다리라는 말을 들었지만, 운 좋게도 두 사람과 같은 길을 걷지는 않았다. 그는 마침내 석방되어 자유로이 가도록 허용되었다. 그러나 그야말로 간발의 차였다.[38]

역설적으로 부하라와 좀 더 일반적으로 중앙아시아는 러시아에게 전략적으로 중요한 지역이 아니었다. 알렉세이 레브신Alexey Levshin이 카자흐인들에 대해 쓴 민족지民族誌 같은 책들이 상트페테르부르크에서 인기를 얻었는데, 이는 글을 읽을 줄도 쓸 줄도 몰라 분명히 무지하고 거칠지만 "음악과 시의 기초"를 찾아볼 수 있는 이 사람들에 대한 호기심을 보여주었다.[39] 번스의 글이 지적했듯이, 이 지역에서 러시아의 목표는 분명히 대단한 것이 아니었다. 두 가지 최우선 과제는 교역을 진흥하는 것과 러시아인들을 노예로 팔지 못하게 하는 것이었다. 그런데 문제는 번스의 책에서는 이런 메시지가 충분히 이해되지 않았다는 점이다. 본국인 영국에서 정말로 주목한 것은 군걱정을 불러일으키는 그의 보고였다.

"상트페테르부르크 궁정은 오랫동안 아시아의 이 지역에 대한 구상을 가지고 있었다."[40]

이는 다른 지역에 대해 커지고 있던 영국의 불안과 맞물려 있었다. 바그다드 총영사 헨리 롤린슨Henry Rawlinson은 지칠 줄 모르고 로비를 하며 아무에게나 경고했다. 러시아의 대두를 저지하지 않으면 대영제국은 인도에서 중대한 위협에 직면하게 될 것이라고. 영국에게는 두 가지 선택지가 있었다. 하나는 제국을 메소포타미아로 확장하여 서방에서 접근해오는 것을 막는 완충 지대를 만드는 것이고, 또 하나는 인도에서 캅카스 지역으로 군대를 보내 러시아를 공격하는 것이었다.[41]

롤린슨은 현지에서 반러시아 폭동 조짐이 보이기만 하면 나서서 지원했다. 그는 이맘 샤밀에게 무기와 돈을 대주었는데, 체첸에 있는 샤밀의 세력 기반은 19세기 중반 러시아에게는 끊임없는 고민거리였다.[42] 그가 제공한 지원은 러시아에 대항하는 체첸의 오랜 테러리즘 전통을 확립하는 데 기여했다.

그리고 영국은 러시아의 콧대를 꺾어놓을 가능성이 보이자마자 그 기회를 붙잡았다. 오스만제국의 기독교도들에 대한 처우를 둘러싼 몇 차례의 실랑이는 곧바로, 그리고 의도적으로 긴장을 고조시켰고, 결국 영국은 1854년에 흑해에 상당한 규모의 병력을 파견했다. 이스탄불, 알레포, 다마스쿠스에서 광범위한 사업적 이익을 보호하기 위해 노심초사하던 프랑스도 그곳에서 합류했다. 목표는 단순했다. 러시아에게 따끔한 맛을 보여주는 것이었다.[43]

적대감이 불붙고 있을 때 헨리 존 템플은 이렇게 말했다.

"전쟁을 하는 중요한, 그리고 진짜 목적은 러시아의 저돌적인 야심을 억누르는 것이다."

크림 반도와 아조프해에서 벌어지고 다른 곳들(예컨대 캅카스 지역과 도나우 강 유역)에서 잠깐 비쳤던 어렴풋한 전쟁은 겉으로 보이는 것보다 훨씬 중요한 이익이 걸려 있었다. 카리스마 있고 존경받는 영국 외무부 장관 본인은 러시아 분할을 위한 공식 계획을 정부 각료들에게 제시하기까지 했다. 러시아를 통제하고 암묵적으로 인도에서의 영국의 이익을 보호하는 방법은 크림 반도와 캅카스 전역의 통제권을 오스만에 넘겨주는 것이었다.[44] 이런 터무니없는 계획은 비록 실행되지는 못했지만, 러시아의 팽창이 영국 관리들에게 얼마나 큰 이슈가 되었는지를 분명하게 보여준다.

러시아의 절치부심

일부 사람들은 영국과 프랑스의 침략에 경악했다. 카를 마르크스는 분노에 차서 이 전쟁에 대해 상세하게 썼다. 그는 몇 년 전《공산당 선언》에서 처음 제기한 제국주의의 파멸적인 영향에 관한 생각을 발전시킬 수 있는 풍부한 자료들을 발견했다. 마르크스는 육·해군의 지출 증가를 상세히 기록하고《뉴욕 트리뷴》에 계속 분석 기사를 기고했다. 이 기사들에서 그는 서방을 전쟁에 끌어들인 사람들의 위선을 거세게 공격했다. 그는 러시아에서 많은 사상자가 난 데 대한 환멸이 확산되면서 조지 해밀턴-고든이 총리직에서 물러나자 기쁨을 감추지 못했다. 런던에서 물가가 오르고 본국에서 시위가 일어났다. 마르크스는 영국의 제국주의적 정책이 소수 지배층의 요구에 따른 것이고 대중의 희생을 바탕으로 한 것이라고 보았다. 공산주의는 크림 전쟁으로 말미암아 태어난 것은 아니지만, 분명히 그 전쟁으로 인해 심화되었다.[45]

이탈리아의 통일운동도 마찬가지였다. 프랑스와 영국 병사들의 희생(그 가운데는 악명 높은 '경기병의 돌격' 작전에 참여했던 사람들도 있다) 속에 러시아의 코피가 터진 뒤 마침내 파리에서 협상 조건이 논의되었다. 협상 테이블에 앉아 있던 사람들 가운데 하나가 사르데냐 왕국 총리 카밀로 벤소Camillo Benso였다. 그가 이 자리에 간 것은 국왕 비토리오 에마누엘레 2세가 프랑스를 돕기 위해 흑해로 지원군을 보내기로 결정한 덕분이었다. 그는 자신이 스포트라이트를 받는 위치에 있는 순간을 약삭빠르게 이용해서 이탈리아의 통일과 자주를 요구했다. 이런 구호는 동맹국들에게 호의적으로 받아들여졌고, 본국의 지지자들을 자극했다.[46]

5년 뒤 사르데냐 왕은 이질적인 도시와 지역들로 만들어진 새 나라 이탈리아 왕이 되었다. 로마의 중심부에는 "로마가 이탈리아인을 느끼고 이탈리아가 로마인을 느끼도록" 하기 위해(유대계 이탈리아 과학자 프리모 레비의 말이다) 30년 후에 인상적인 기념물 '조국의 제단Altare della Patria'을 건립했는데, 이는 땅과 영향력을 둘러싸고 수천 킬로미터 동쪽에서 벌어진 싸움에 의해 탄력을 받은 발전 과정의 정점을 이룬 것이었다.[47]

1856년 파리 평화회담에서 부과한 조항은 러시아에게 재앙이나 마찬가지였다. 영국과 프랑스는 협력해서 자기네 경쟁자의 목을 올가미로 묶었다. 러시아는 캅카스에서 어렵사리 얻은 이득을 빼앗겼고, 흑해의 군사적 접근을 박탈당하는 굴욕을 겪었다. 그곳은 중립 지대로 선포되어 모든 군함이 통제되었다. 마찬가지로 해안 지대도 비무장 지역으로 만들어, 요새를 만들거나 병기를 보관할 수 없었다.[48]

그 목적은 러시아에 굴욕감을 주고 야망을 꺾어버리는 데 있었다. 그러나 이는 역효과를 낳았다. 이는 훗날의 베르사유 조약과도 같은 순간이었다(독일에 지나친 배상금이 부과되어 결국 나치스의 등장을 초래했다—옮긴이). 이 조약을 통한 해결이 오히려 위험한 결과를 초래했기 때문이다. 합의 내용이 매우 가혹하고 구속적이어서 러시아가 즉각 그 족쇄에서 빠져나오려 했다는 사실과 별개로, 그것은 변화와 개혁의 시대를 재촉했다. 크림 전쟁은 차르의 군대가 연합군에 전혀 상대가 되지 않음을 보여주었다. 연합군은 더 경험이 많고 잘 훈련되어 있었다. 러시아군의 약점을 무자비할 정도로 시시콜콜 지적한 몇몇 강력한 보고서가 차르 알렉산드르 1세에게 제출된 뒤 군에 대한 철저한 점검이 이루어졌다.[49]

극적인 조치가 취해졌다. 징집병의 복무 기간을 25년에서 15년으로 줄여 군대의 평균 연령을 단번에 낮추었다. 또한 최신 장비를 대량 발주하여 낡고 비효율적인 무기를 대체했다.[50] 가장 놀라운 변화는 광범위한 사회개혁으로부터 온 것이었다. 차르의 농노제 폐지는 1850년대의 심각한 금융위기가 일정한 역할을 하기는 했지만, 이를 촉진한 것은 크림 전쟁에서의 패배와 그 이후에 나온 치욕적인 합의 내용이었다. 농노제는 주민 대다수가 땅에 묶이고 부유한 지주에게 고용되는 제도였다. 농노제는 5년이 지나지 않아 일소되어 러시아에서 수백 년 동안 이어져온 노예제를 종식시켰다.[51]

당대의 일부 사람들에 따르면 이는 이른 것이 아니었다.[52] 이는 19세기 후반에 경이로운 성장률을 촉진했던 현대화와 경제 자유주의라는 파도의 전조가 되었다. 철강 생산은 1870년에서 1890년 사이에 다섯 배로 뛰어올랐고, 인상적인 철도망 확장은 현대의 한 학자가 말했듯이 "러시아를 지리적 제약으로부터 해방"시켰다. 다시 말해서 광대한 나라를 하나로 연결했다는 말이다.[53] 영국은 러시아를 병 속에 가둬두기는커녕 요정이 병 속에서 나오도록 도와주었다.

러시아의 열망이 강화되고 있음은 파리에서 조인된 조약의 잉크가 채 마르기 전에 느낄 수 있었다. 평화 회담에 나선 차르의 대표단 가운데 한 사람인 니콜라이 이그나티예프Nikolai Ignatiev라는 육군 무관은 러시아에 대한 처우와 특히 흑해의 자기네 해안에 대한 러시아의 통제권 행사를 제한한 조치에 매우 격분해서 푸시킨의 동창생이자 친구인 알렉산드르 고르차코프 Alexandr Gorchakov 공작과 함께 중앙아시아 원정대 파견을 이끌 준비를 했다. 그 목표는 분명했다.

"[이 지역에 대한] 조사와 우호적인 관계 수립은 러시아의 영향력을 증대시킬 것이다. 그리고 영국의 영향력은 줄어들 것이다."[54]

이그나티예프는 페르시아와 아프가니스탄에 원정대를 파견하고 히바와 부하라 칸국을 방문할 대표단을 보내기 위해 열심히 로비를 벌였다. 그는 아랄해로 흘러들어가는 시르다리야 강이나 아무다리야 강을 거쳐 인도로 가는 길을 찾는 것이 목적이라고 직설적으로 말했다. 러시아가 인도와 국경을 맞대고 있는 민족들과 동맹관계를 맺고 또한 영국에 대한 적대감을 불러일으킬 수 있다면 가장 좋을 것이라고 그는 주장했다. 이것이 러시아가 우위를 차지할 수 있는 방법이었다. 그리고 그 우위는 아시아에 국한되지 않았다.[55]

이그나티예프 등이 이끈 프로젝트는 성과를 거두었다. 러시아는 크림 전쟁이 끝난 후 15년 사이에 무력에 의존하지 않고 수십만 제곱킬로미터의 땅을 통제 아래 넣었다. 지휘가 잘된 원정대와 기민하게 중국에 가한 외교적 압력을 통해 "10년이라는 짧은 기간 안에" 동아시아에서 "거대한 발걸음"을 내디딜 수 있었다고, 한 노련한 관찰자는 1861년 런던의 외무부를 위해 쓴 보고서에서 말했다.[56]

그 뒤 오래 지나지 않아서 스텝 지대 남부의 더 많은 부분이 러시아의 지배 아래로 들어왔고, 아시아의 심장부에 자리 잡은 오아시스 도시들도 마찬가지였다. 1860년대 말까지 타슈켄트, 사마르칸트, 부하라와 번영하고 있던 페르가나 분지의 상당 부분이 러시아의 '보호령' 또는 속국이 되었다. 제국 안에 완전히 병합되고 편입되기 위한 서막이었다. 러시아는 독자적인 거대한 교역망과 교통망을 건설하고 있었다. 그것은 이제 동쪽의 블라디보스토크를 서쪽의 프로이센과의 국경 지대와 연결하고, 북쪽 백해白海의 항구들을 남쪽의 캅카스 지방 및 중앙아시아와 연결했다.

상황이 계속 낙관적이었던 것은 아니다. 크림 전쟁에서 패배한 이후 긴요했던 현대화 프로그램이 시작되기는 했지만, 러시아가 성장하면서 그 힘줄에 무리가 갔다. 제국의 팽창에는 끝없이 자금을 쏟아부어야 한다는 게 문제였다. 이것이 알래스카를 지정학적·재정적 이유로 처분하는 당혹스러운 결정으로 이끌었다.[57] 그럼에도 불구하고 러시아의 변화가 대영제국에 끼칠 영향에 대한 우려가 커지면서 영국인들의 생각은 흐름을 저지할 방법을 찾아야 한다는 쪽으로 바뀌었다. 그러지 못할 경우 러시아의 관심을 다른 곳으로 돌려야 했다.

전쟁으로 가는 길

영국의 러시아 견제

19세기 말에 러시아의 자신감은 (심지어 완고함은) 빠르게 커가고 있었다. 그들은 얼마 지나지 않아 파리 조약의 흑해 관련 구절을 백지화하는 문제에 관심을 가졌다. 유럽 각국 주재 공관들은 차례차례 조약을 개정하고 특히 민감한 구절을 삭제하는 일에 대한 지지를 조용히 호소하기 시작했다. 대부분은 특별히 반대하지 않았다. 단 하나 예외가 있었다. 바로 영국이었다. 1870년 겨울, 그런 구절들을 삭제하자는 제안이 요약되어 영국 내각에 제출되었던 회람 사본이 상트페테르부르크 언론에 새어나갔다. 그것이 런던에서 단호히 거부되었다는 소식도 함께였다. 이 문제를 밀어붙이려는 고르차코프 공작의 노력은 러시아에서는 잘 진행되었다. 그러나 영국 언론에서는 분노에 찬 목소리가 들려왔다.[1]

잡지《스펙테이터》에 실린 기사는 충격과 분노 그 자체였다. 러시아의 재협상 시도는 극악무도한 것이라고 기사는 단언했다.

"유럽의 법과 국제사회의 도덕, 그리고 영국의 정책에 대한 공개적인 도전으로 이 러시아의 문서보다 더 위험한 것은 세상에 없었다."[2]

일부 사람들은 그 구절들을 삭제하자는 제안으로 인해, 전쟁이 임박했으며 영국은 러시아에 대한 제재를 유지하기 위해 무력을 사용하는 수밖에 없다고 확신했다. 존 스튜어트 밀은《타임스》에 보낸 편지에서, 이런 영국인들의 반응은 터무니없는 것이라고 썼다. 그런 움직임이 도발적이기는 하지만 그로 인해 군사적 충돌이 일어나서는 안 된다고 했다. 빅토리아 여왕조차도 이에 동의하고 외무부 장관 그랜빌 조지 리브슨-가워에게 이런 전문電文을 보냈다.

"주요 언론들이 더 이상 호전성을 부추기지 않도록 넌지시 일러 줄 수 있겠습니까?"[3]

극심한 불안감은 흑해에 대한 우려보다도 러시아가 갈수록 강한 힘을 과시하고 있다는 사실에서 기인했다. 군사행동은 비현실적인 가능성이었고 쓸 수 있는 카드도 별로 없어, 영국은 받아들이는 수 외에 다른 도리가 없었다. 이 때문에 윌리엄 글래드스턴 총리와 하원의 카리스마 있는 지도자 벤저민 디즈레일리는 신랄한 언쟁을 벌여야 했다.

러시아는 원하던 것을 얻었다. 다시 말해 해안 지역에서 자기네가 하고 싶은 대로 하고 크림 반도의 항구나 흑해 북안의 다른 지역 어디에든 군함을 배치할 자유를 얻었다. 한 영국인 목격자에 따르면 상트페테르부르크에서는 기쁨 속에 이를 맞았고, 러시아의 "승리"로 해석되었다. "펄 듯이 기뻐했다고 하는" 차르 알렉산드르 2세는 겨울궁전 예배에서 〈테 데움Te Deum〉 성가를 부르고 그런 뒤에 페트라파블라 대성당에서 "진한 감정을 담아"[4] 기도를 올리라고 명령했다.

영국은 그동안 경제적 힘을 외교적·군사적 성공으로 전환시킬 능력이 없었다. 그러다가 곧 새로운 접근법을 채택했다. 논의의 주제 가운데 하나가 영국 지배자의 칭호 문제였다. 영국 군주에 복속하는 영토와 지역, 민족과 장소 등의 규모와 분포를 감안하여 칭호를 왕에서 황제로 격상해야 한다는 제안이 나왔다. 이런 허울뿐인 변경을 놓고 의회에서 치열한 논쟁이 벌어졌다. 전통주의자들은 수백 년 동안 유지되어온 신분과 칭호와 이름들을 바꾼다는 생각에 경악했다. 왕은 휘하 지배자들에 대해 최고 권위를 지니고 있다고 그랜빌 조지 리브슨-가워는 상원에서 말했다. 군주의 명칭을 격상시킬 이유나 명분도 없다고 했다. 그는 이렇게 단언했다.

"의원 여러분, 폐하의 존엄과 관련해서 '그레이트브리튼과 아일랜드 여왕 빅토리아'만큼 강력하게 상상에 호소할 수 있는 이름은 존재하지 않습니다." 군주는 이런 이름으로 불려야 한다는 것이었다.[5]

문제는 러시아와 차르였다. 차르의 공식 칭호는 제정 로마를 떠올리게 하지만(차르Tsar는 카이사르Caesar를 간단하게 줄인 것이다), 공식적인 편지나 의례적인 행사에서는 그가 지배하고 있는 땅들의 이름이 상세하고도 길게 언급되었다.

1870년대 중반 당시 총리였던 디즈레일리는 의회에서, 여왕보다 더 높은 칭호를 쓰면 인도 주민들이 자신감을 갖는 데 도움이 될 것이라고 강조했다. 인도에서는 러시아가 중앙아시아로 진군해오는 것에 대해 이미 우려하고 있었다. 빅토리아 여왕은 이 원칙에 동의하고 디즈레일리에게 "인도에서 러시아를 공격하는 것은 정당한 방법"이며, 격상된 칭호가 인도에 있는 자기 신민들의 충성심을 모으는 데 도움이 될 것이라는 내용의 편지를 썼다.[6]

일부 의원들은 이런 식의 경쟁에 회의적이었다. 한 의원은 틀림없이 "100년 동안 인도를 통치해온" 우리 영국인들은 오로지 "우리 군주가 러시아 황제와 대등한 위치에 서도록 하기 위해"[7] 여왕의 칭호를 바꿀 필요가 있는지 확신하지 못하고 있다고 말했다. 그러나 다른 사람들은 동방에서 상황이 극적으로 변했음을 강조하고, "영국의 힌두스탄 지배는 유지되어야 하며" 따라서 "그 영토의 어느 부분도 내주어서는 안 된다"라고 도전적으로 선언했다. 러시아 국경이 이제 인도에 있는 폐하의 영토에서 며칠의 진군으로 닿을 거리라는 사실은 경계해야 할 일이었다.[8] 의회에서 열띤 논쟁이 벌어진 끝에 1876년 법안이 통과되어 빅토리아는 거의 40년 전 즉위한 대로 여왕일 뿐만 아니라 여제이기도 하다는 선언이 내려졌다. 여왕도 환영했다. 크리스마스에 여왕은 디즈레일리에게 "여왕 겸 여제 Regina et Imperatrix 빅토리아"라고 서명한 카드를 보냈다.[9]

영국이 경쟁자들에게 밀리고 있다고 끊임없이 조바심하면서 갈수록 긴박해지는 상황에서, 이런 피상적인 조치들과 함께 좀 더 실질적인 수단들도 마련되었다. 영국과 러시아는 모두 상대방을 염탐하고 현지 주민들을 끌어들이며 주민들에게 영향력을 행사할 수 있는 네트워크를 만드는 데 집착했다.

펀자브 기병대와 인도정무국Indian Political Service 소속의 머클린 대령은 1880년대에 페르시아, 인도, 아프가니스탄 사이의 국경 지대에서 일어나는 사건에 관한 정보를 수집하는 임무를 맡고 있었다. 그는 상인과 현지 전신 교환수들의 조직을 만들어 돈을 주며 이 지역에서 일어나는 일들에 대한 정보를 넘겨받았다. 머클린은 무슬림 성직자들에게 접근해서 숄, 카펫, 담배와 심지어 다이아몬드 반지를 선물했다. 현지 주민들에게 영국인과 협력하면 이득이 생긴다는 인상을 심어주기 위한 것이었다. 머클린은 이런 뇌물이 영향력 있는 친구들을 지원하는 방법이라고 합리화했다. 실제로 그것은 외부 세력들 간의 극심한 경쟁이 벌어지는 민감한 지역에서 종교적 권위를 강화하는 데 도움이 되었다.[10]

영국의 관점에서는 러시아의 의도와 능력에 관한, 그리고 러시아의 중앙아시아로의 팽창이 인도 방어에 미치는 위협에 관한 실질적인 우려가 존재했다. 런던에서는 러시아와의 무장 대치가 화제가 되었다. 디즈레일리는 여왕에게 영국군을 "페르시아만 지역에" 대한 파병 재가를 결심해야 하고 "인도의 여제로서 휘하 군대에 러시아인들을 중앙아시아에서 쓸어내 카스피해 지역으로 쫓아내도록 명령해야"[11] 한다고 조언했다. 이런 상황에 불안해진 인도 총독 로버트 불워-리튼Robert Bulwer-Lytton은 1878~1880년에 두 차례나 아프가니스탄 침공을 명령하여 꼭두각시 지배자를 카불의 권좌에 앉혀놓았다.

영국은 페르시아에 열심히 구애하고 설득해서 헤라트 협약에 서명하게 했다. 이 협약에서 페르시아는 러시아의 진군에 맞서 중앙아시아를 보호하기로 약속했다. 그것은 쉬운 일이 아니었다. 페르시아는 이 지역에 독자적인 이해관계가 있었고, 영국이 최근에 자기네를 희생시켜 아프가니스탄의 편의를 봐주는 비우호적인 간섭을 한 이후 그 상처를 달래던 중이었다.[12] 그러는 사이에 칸다하르 너머로 접촉을 늘리기 위한 조치들이 취해졌다. 러시아의 어떤 도발(군사적인 것이든 다른 것이든)에 대해서도 더 나은 조기 경보 시스템을 갖추기 위해서였다.[13]

고위 관리들은 앞으로 러시아가 영국 통치하의 인도를 침략하면 어떻게 대처할지를 놓고 소모적인 논쟁을 벌였다. 1870년대 말부터 이 문제를 광범위한 전략적 관점에서 바라본 보고서들이 작성되었다. 다른 지역에서 러시아와 의견 충돌이 생기고 긴장이 높아지면 동방에도 영향이 미칠 수 있고 그렇게 될 것으로 인식되었다. 한 비망록은 "오스만이 러시아를 상대로 벌이는 전쟁에서 영국이 오스만 쪽으로 가담할 경우 인도에서 취해야 할 조치들"을 검토하고 있었다. 러시아가 1877년에 발칸 반도를 침공한 이후다. 1883년에 쓰인 또 다른 비망록은 이런 질문을 던진다.

"러시아의 인도 침략은 가능한가?"

그로부터 얼마 지나지 않아서 또 다른 비망록은 이렇게 묻는다.

"러시아가 취약한 지점은 어디이며, 최근의 사태들이 인도에서의 우리의 변경 정책에 어떤 영향을 미쳤는가?"

이 문제의 심각성은 이 글들을 쓴 강경파 장군 프레더릭 로버츠Frederick Roberts를 1885년 인도의 총사령관으로 임명한 데서 분명히 드러난다.[14]

러시아의 위협

모든 사람이 아시아의 상황에 대해 이런 암울한 견해를 공유하고 있었던 것은 아니다. 심지어 러시아의 알렉세이 쿠로파트킨Aleksei Kuropatkin 장군이 마련한 일련의 침략 계획을 1886년 영국이 입수한 뒤에도 마찬가지였다.[15] 군사정보국장 헨리 브래컨버리Henry Brackenbury는 러시아의 위협이 과장되었다고 생각했다. 러시아의 공격 의지라는 측면에서, 그리고 차르의 군대가 그렇게 할 수 있는 능력이라는 측면에서다.[16] 당시 촉망받는 젊은 의회 의원으로 옥스퍼드 대학 올소울스 칼리지에서 성적 우수 장학금을 받았고 10년 이내에 인도 총독이 되는 조지 커즌George Curzon은 더욱 상대를 무시했다. 그는 러시아가 동방에 관심을 가지고 있지만 총괄 계획이나 원대한 전략은 없다고 보았다. 그는 러시아의 정책이 "일관되거나 꿋꿋하거나 깊이 있는" 것과는 거리가 멀다고 1889년에 썼다.

"나는 그것이 임시변통의 정책, 현상 따라가기에 급급한 정책, 남의 실수 덕이나 보고 스스로도 자주 그런 실수를 저지르는 정책이라고 생각한다."[17]

중앙아시아에서의 큰 그림(특히 인도와 관련하여)에 대한 러시아의 태도에는 상당한 허세와 희망적 사고가 많은 것이 사실이었다. 군부 안에는 러시아가 인도아대륙의 지배 세력으로서 영국을 대체하는 거창한 계획을 이야기하는 성급한 사람들도 있었고, 한편으로 러시아의 관심이 소극적인 것은 결코 아님을 시사하는 조치들도 취해졌다. 예를 들어 장교들을 힌두어 교육 프로그램에 보낸 것은 인도에 대한 개입을 준비하는 것으로 보였다.

긍정적인 부분들도 있었다. 펀자브의 마하라자인 달리프 싱Dalip Singh은 차르 알렉산드르 3세에게 "영국 지배의 가혹한 멍에를 지고 있는 대략 2억 5000만의 우리 나라 사람들을 구출"하겠다고 약속하는 편지를 썼다. 그는 또한 자신이 "인도의 대다수 강력한 군주들"을 대변하고 있다고 주장했다. 이는 러시아에게 국경을 더 남쪽으로 확장하라는 공개적인 초청장처럼 보였다.[18]

그러나 실제로는 사태가 그렇게 단순하지 않았다. 우선 러시아는 이미 제국의 세력권 안으로 들어온 방대한 새 지역들을 편입시키는 문제로 골치를 썩이고 있었다. 관리들이 투르키스탄(투르크계 민족들이 살던 중앙아시아와 중국 서부 지역을 가리키는 용어 — 옮긴이)에 파견되어 복잡하고 때로는 모순되는 토지 등록 문제와 씨름했고, 현지의 세제와 법

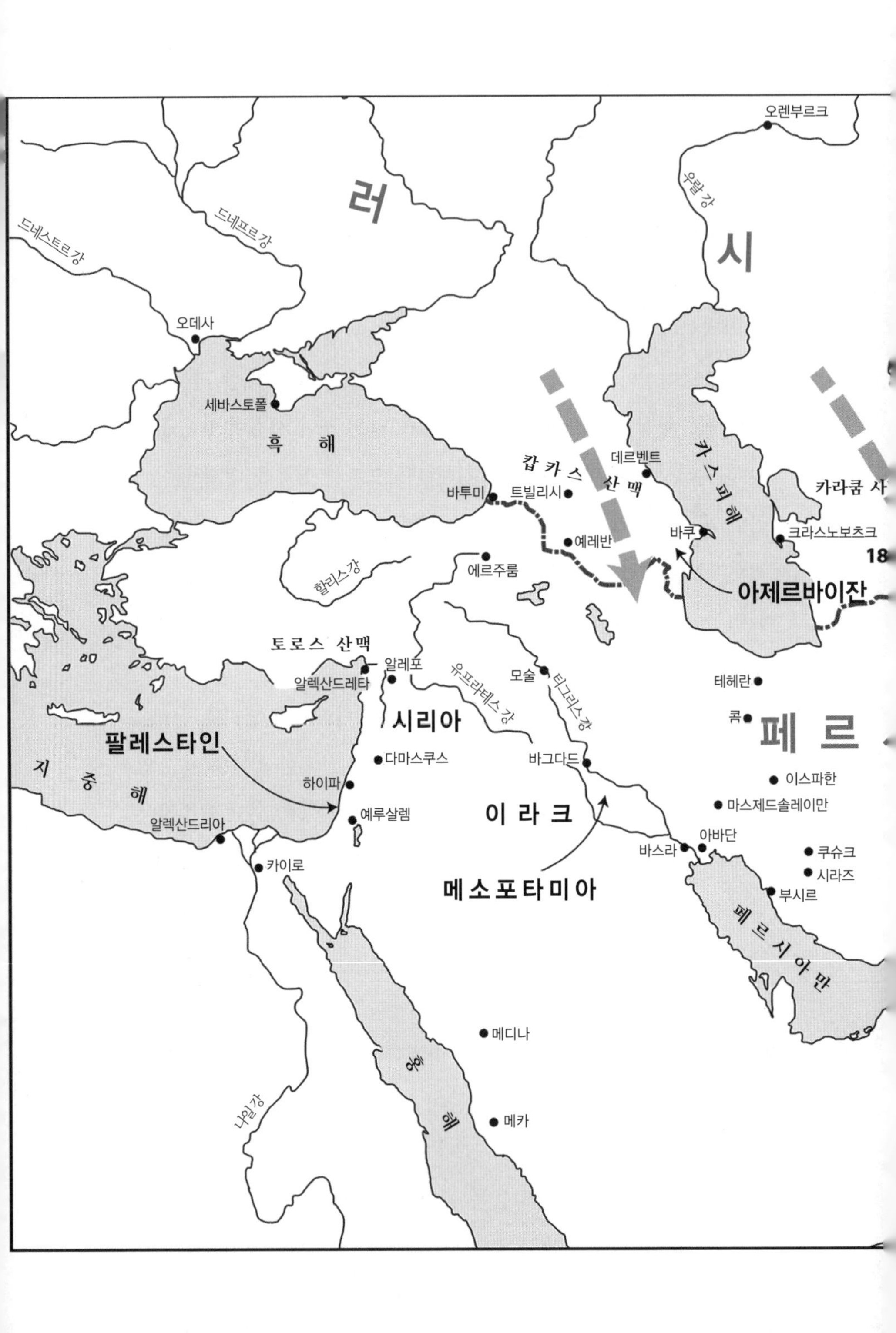

오렌부르크
우랄 강
러
시
드네스트르강
드네프르강
오데사
세바스토폴
흑 해
카스피해
데르벤트
캅 카 스 산 맥
카라쿰 사
바투미
트빌리시
예레반
바쿠
크라스노보츠크
18
할리스강
에르주룸
아제르바이잔
토로스 산맥
알레포
알렉산드레타
유프라테스 강
모술
티그리스강
테헤란
시리아
콤
페 르
팔레스타인
다마스쿠스
바그다드
지 중 해
하이파
이스파한
마스제드솔레이만
예루살렘
이 라 크
알렉산드리아
아바단
바스라
쿠슈크
카이로
시라즈
메소포타미아
부시르
페르시아만
메디나
홍해
나일강
메카

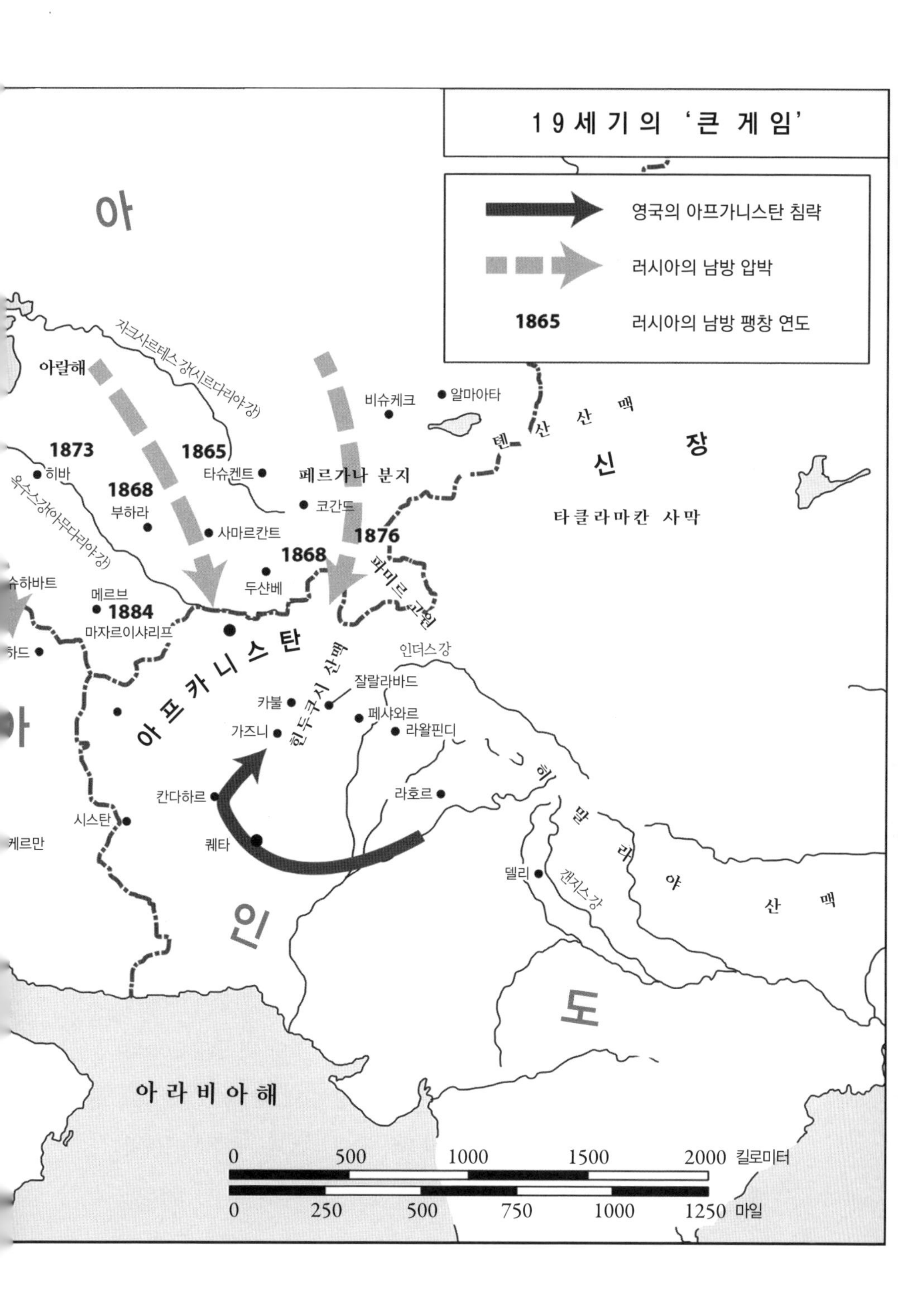

19세기의 '큰 게임'
영국의 아프가니스탄 침략
러시아의 남방 압박
1865
러시아의 남방 팽창 연도
아
아랄해
자크사르테스 강(시르다리야강)
옥수스강(아무다리야강)
1873
1865
1868
1868
1876
1884
히바
부하라
타슈켄트
사마르칸트
페르가나 분지
코칸드
비슈케크
알마아타
두샨베
텐 산 산맥
신 장
타클라마칸 사막
파미르 고원
메르브
마자르이샤리프
아프가니스탄
힌두쿠시 산맥
인더스강
잘랄라바드
카불
페샤와르
가즈니
라왈핀디
칸다하르
시스탄
퀘타
케르만
라호르
히말라야 산맥
델리
갠지스강
인
도
아라비아해
0 500 1000 1500 2000 킬로미터
0 250 500 750 1000 1250 마일

을 정비하려는 그들의 시도는 불가피하게 반대에 부닥쳤다.[19]

그리고 여론이 불러일으킨 음울한 현실이 있었다. 그것은 상트페테르부르크의 각료 회의가 "우리 동부 변경 지대의 광신적인 분위기"라고 부른 것을 조성했다. 그것은 이제 차르 제국의 일부가 된 "새 러시아인들"의 일상생활에 이슬람교가 영향을 미치기 때문에 생긴 것이었다.[20] 이 새로 편입된 지역에서 반란이 일어날 우려가 매우 커서 이 지역에서는 의무 군 복무를 시행하지 않았고, 재정적인 요구도 의도적으로 낮은 수준을 유지했다. 한 유명 지식인이 냉소적으로 말했듯이, 러시아 농민은 그런 너그러운 대우를 받아보지 못했다.[21]

현지 주민들에 관한 관점에서 합병증도 생겨났다. 러시아의 비판자들은 영국인들의 편견이 심한 태도에 관심을 기울였다. 영국 병사들이 타슈켄트 시장의 상인들을 "사람보다는 동물에 더 가까운 어떤 존재로" 취급하고 있다고 보았다. 한 영국군 대위의 아내는 카슈미르의 마하라자가 만찬장으로 안내해주려고 하자 "더러운 인도인"이라고 주장하면서 거부했다.

그렇다고 해서 러시아인들의 태도가 더 개화된 것은 아니었다. 차르의 장교들은 자기네들끼리는 영국인들이 현지인을 대하는 방식에 대해 한탄했지만, 그들이 정말로 다른 관점을 지녔다는 증거는 별로 없었다. 19세기에 인도를 방문했던 한 러시아인은 이렇게 썼다.

"모든 인도인들은 예외 없이 자기네가 가진 모든 기술과 자기네의 모든 영혼을 가장 끔찍한 고리대금업자에게 갖다 바친다. 그들의 거짓 약속에 현혹된 불행한 원주민들에게 재앙이 있으리라!"[22]

그럼에도 불구하고 러시아가 접촉하게 된 새로운 세계에는 짜릿한 흥분이 있었다. 내무부 장관 표트르 발루예프Pyotr Valuev가 1865년 일기에서 표현한 대로다. 그는 이렇게 썼다.

"타슈켄트는 미하일 체르냐예프 장군에 의해 점령되었다. 어떤 목적이었는지는 아무도 모른다. (……) [그러나] 우리가 우리 제국의 머나먼 변경에서 하고 있는 그 모든 일에는 어딘가 짜릿한 구석이 있다."

국경의 확장은 놀라운 것이라고 그는 썼다. 러시아는 먼저 아무르 강에 도달했고, 이어 우수리 강에 닿았다. 그리고 이제는 타슈켄트였다.[23]

그러나 약간의 문제가 있음에도 불구하고 러시아가 독자적인 교역로를 개척하면서 동방에서의 영향력과 개입은 점점 더 빠른 속도로 확대되었다. 시베리아 횡단 철도를 건설하고 중국 둥칭東淸 철도와 연결한 것은 즉각적인 교역 증대를 불러와서, 1895년부터 1914년 사이에 교역 물량이 거의 세 배로 뛰었다.[24] 이는 동아시아에서 경제적 팽창을 재정적으로 지원하기 위해 설립된 화어다오성華俄道勝 은행 같은 새로운 업체들이 뒷받침했다.[25] 러시아 총리 표트르 스톨리핀Pyotr Stolypin이 1908년 두마(러시아 의회)에서 말했듯이, 동방은 가능성과 자원을 가진 지역이었다.

"멀고도 살기 힘든 우리의 변경 땅에는 금과 나무와 모피가 많고, 농경에 알맞은 공간이 매우 넓습니다."

지금은 사람이 드문드문 살고 있지만 이 공간들은 오랫동안 비어 있지는 않을 것이라고 그는 주의를 환기시켰다. 러시아는 지금 자기 앞에 열려 있는 기회를 잡아야 했다.[26]

영국의 특권

이것은 영국인들에게는 결코 좋은 일일 수 없었다. 그들이 동아시아에서 자기네 입지를 그렇게 빈틈없이 지켜왔음을 고려하면 말이다. 특히 중국 시장을 개척하는 것은 쉽지 않은 것으로 드러났다. 예컨대 청나라 건륭제乾隆帝의 조정은 1793년 영국의 첫 사절단이 상인들의 집단 거주지를 만들 수 있는 권리를 요청하자 거만하게 대했다. 중국의 거래처는 "하늘 아래 모든 나라" 속으로 깊숙이 뻗어 있었다. 따라서 영국의 요청은 전혀 예상할 수 없었던 것이 아니라고 중국 황제는 영국왕 조지 3세에게 답서를 보냈다. 황제는 멸시하는 투로 이어갔다.

"그대가 보낸 대사가 직접 보았듯이, 우리는 없는 것이 없소. 나는 이상하고 교묘한 물건에 관심이 없고, 그대 나라의 제품들을 쓸 일도 전혀 없소."[27]

사실 이것은 허세였다. 시간이 지나면서 조건에 합의가 이루어졌기 때문이다. 공격적인 반응은 오히려 영국의 촉수가 더욱 멀리 뻗어 있으며 공격은 최선의 방어라는 생각에서 나온 것이었다.[28] 나중에 드러나듯이 중국이 처음 가졌던 의구심은 오해만은 아니었다. 영국인들은 교역 특권이 주어지자 조금도 망설이지 않고 무력을 동원해서 자국의 무역을 보호하고 확장했기 때문이다.

교역 확대의 핵심은 아편 판매였다. 중국인들은 거세게 저항했지만, 마약 중독의 처참한 결과에 대한 분노를 영국 당국은 간단히 무시했다.[29] 아편 거래는 중국이 1차 아편전쟁에 패해 1842년 난징 조약을 맺은 이후 엄청나게 증가했다. 이 조약에 따라 그동안 교역이 제한되었던 항구들이 개방되었고, 홍콩이 영국에 이양되었다. 이어 1860년 2차 아편전쟁에서 영국과 프랑스군이 베이징으로 진격하여 원명원圓明園을 약탈하고 불태운 뒤에는 더 많은 특권들이 주어졌다.[30]

어떤 사람들은 이것이 서방의 성공사에서 또 하나의 시대를 연

중요한 순간이라고 보았다. 영국 언론의 한 기사는 이렇게 전한다.

"이렇게 아주 오랫동안 유럽 세계를 혼란스럽게 한 정부 조직을 무너뜨리고 그들의 허약함과 사악함을 자기네 신민들에게 드러내도록 만드는 것은 영국의 운명이었다."

또 다른 비평가 역시 단도직입적이었다. 청제국의 "혼란스럽고 배타적인 야만성"은 "적극적이고 개입적인 서유럽 문명의 힘"[31]에 의해 해체되었다고 그는 썼다.

영국은 러시아가 동아시아에서 계속 세력을 키워가는 것에 대응하기 위해 1885년에 한반도 남해안 앞바다의 거문도를 점령한다는 결정을 내렸다. 내각에서 설명한 바로는 "태평양 지역에서 러시아 세력을 봉쇄하기 위한 기지로서", 그리고 "블라디보스토크를 상대로 한 작전을 지원하기 위한 전방 기지로서"[32] 확보한 것이었다. 이것은 영국의 전략적 위치를 보호하기 위한 조치였다. 무엇보다도 중국과의 교역을 위한 것이었고, 필요할 경우 선제 타격도 할 터였다.

철도가 새로운 가능성을 열어놓기 전인 1894년, 중국이 거둔 전체 관세 수입의 80퍼센트 이상은 영국과 영국 회사들이 낸 것이었다. 또한 영국 배들은 중국의 전체 교역의 5분의 4가 넘는 화물을 운송했다. 러시아의 부상, 그리고 물건을 유럽으로 수송하는 새로운 육상 교통로의 부상은 영국을 제물로 삼을 것임이 분명했다.

1890년대 말에 러시아가 페르시아에 접근하기 위한 조치를 취하기 시작했음을 알게 된 것은 이렇게 경쟁과 긴장이 높아가던 상황에서였다. 이에 따라 인도의 북서쪽 변경을 위협할지도 모를 동맹이 이루어질 가능성이 높았다. 비록 상당한 숙고 끝에 나온 결론이기는 했지만, 런던에서는 러시아가 아프가니스탄을 거치고 힌두쿠시 산맥을 지나 인도아대륙을 압박하는 데는 한계가 있다는 것을 인정한 바 있었다. 연필과 지도로 무장한 전략가들에게 중앙아시아에서 출발하여 이 험난한 지역을 통과하는 루트를 계획하는 것은 문제가 없어 보였다. 그러나 소규모의 기습공격은 배제할 수 없지만, 이 지형이 매우 위험하고 돌파하기 힘든 것으로 악명 높은 산길을 통과해서 대규모 군사작전을 펴는 것이 어렵다는 사실은 인정되고 있었다.

페르시아를 통한 접근은 또 다른 문제였다. 러시아는 남쪽 측면을 공략하며 1884년에 메르브를 점령하고 테헤란 지도부에 접근했다. 영국 관리들과 요원들을 경악하게 한 작전이었다(이들은 신문을 보고서야 이 사실을 알았다). 러시아 국경이 이제 헤라트에서 300킬로미터 밖에 있으니 칸다하르와 당연히 인도로 가는 길은 활짝 열린 셈이었다.

더욱 걱정스러운 것은 새로 확장된 영토를 러시아 심장부와 연결하기 위한 기반시설 공사들이 뒤따르고 있다는 점이었다. 1880년 중앙아시아 철도(카스피해 횡단 철도) 건설이 시작되었고, 그 노선은 곧 사마르칸트 및 타슈켄트로 연결되었다. 그리고 1899년까지는 지선이 메르브를 쿠슈크와 연결했다. 쿠슈크는 헤라트에서 엎어지면 코 닿을 곳에 있었다.[33] 이 철도들은 단순히 상징적인 것이 아니었다. 그것은 보급품과 무기와 병사들을 대영제국의 뒷문까지 실어다줄 수 있는 동맥이었다. 육군 원수 프레더릭 로버츠가 그 후 얼마 지나지 않아서 동부군 사령부 장교들에게 강조했듯이, 그 철도가 그렇게 멀리까지 확장된 것은 통탄할 일이었다.

어쨌든 이제 '러시아가 넘어서는 안 될' 선이 만들어졌다. 러시아가 만약 이를 넘는다면 그것은 바로 '개전 사유'로 간주될 터였다. 다시 말해 전쟁의 명분이 되는 것이었다.[34]

철도는 또한 경제적 위협을 의미했다. 1900년 상트페테르부르크 주재 영국 대사관은 철도 선로를 페르시아와 아프가니스탄으로 연장하는 것을 옹호하는 한 러시아 관리의 팸플릿 요약본을 런던으로 발송했다. 이 관리는 영국이 이 새로운 수송 시스템에 호의적으로 반응하지 않으리라는 점은 인정했다. 그러나 이는 놀랄 일이 아니었다. 결국 아시아에 뻗어 있는 철로망은 "인도 및 동아시아와 러시아 사이의 모든 교역과 유럽 자체를 [러시아의] 손에 넘겨주게"[35] 될 터였다. 이 보고에 관한 답신에서 한 고위 외교관이 말했듯이 이는 어느 정도 과장된 것이었다. 찰스 하딩Charles Hardinge은 이렇게 썼다.

"보고서 작성자가 제기한 전략적 고려는 큰 가치가 없습니다."

영국이 페르시아만 지역을 장악하고 있음을 고려하면 러시아가 이 지역에서 움직이는 것은 미친 짓이 될 것이기 때문이었다.[36]

영국과 러시아의 충돌하는 이익

그럼에도 불구하고 영국의 조바심이 이미 고조된 시기에 러시아의 상업적인 세력 범위가 이 방향으로 뻗쳐오고 있다는 이야기는 또 다른 우려를 낳았다. 사실 망상과 음모는 곳곳에서 보였고, 걱정에 휩싸인 영국 외교관들은 이를 충실하게 기록했다. 파스쿠스키Paschooski 박사라는 사람이 부시르에 나타난 것을 왜 더 빨리 알아채지 못했는지에 관한 곤란한 질문이 제기되었다. 그리고 전염병 환자를 치료한다는 그의 주장이 사실인지에 관한 최신 정보도 요구되었다. '다비자 대공'으로 알려진 한 러시아 귀족의 방문은 마찬가지로 의혹의 눈초리를 받았고, 그가 자신의 "움직임과 의도에 대해 굳게 입을 다물고" 있는 듯이 보인다는 내용이 기록되고 전달되었다.[37] 런던의 내각 회의에서는 러시아가 핵심 의제가 되어 총리가 직접 관심을 보였고, 외무부의 최우선 과제 중 하나가 되었다.

단기적으로는 페르시아가 경쟁이 가장 치열한 무대가 되었다. 페르시아 군주들은 자국과 좋은 관계를 수립하고자 애쓰는 사람들이 제공하는 싼 이자의 차관을 넉넉히 얻어 돈이 많았다. 이 나라는 동방과 서방 사이의 지렛목으로서 남들이 부러워하는 전략적 위치를 차지하는 행운을 누리고 있었다.

영국은 19세기 말에 페르시아 군주들의 죽 끓듯 하는 변덕과 재정적 요구를 조심스럽게 들어주었는데, 그러다가 1898년 코밑수염을 풍성하게 기른 샤 모자파르 옷딘 Moẓaffar od-Dīn이 폭탄선언을 했다. 새로이 제안한 200만 파운드의 차관을 거부한 것이다. 사정을 더 자세히 알아보기 위해 즉각 고위 관리가 파견되었으나 벽에 가로막혔다. 영국 총리 로버트 개스코인-세실 Robert Gascoyne-Cecil(솔즈베리 경)이 직접 나서서 융자 조건을 더 완화하고 액수를 늘리라고 재무부에 지시했다. 막후에서 어떤 일이 벌어지고 있는지에 관한 소문이 나돌기 시작했다. 러시아가 영국보다 훨씬 더 많은 액수를 훨씬 더 좋은 조건으로 융자해주겠다고 제안했다는 것이었다.[38]

이것은 러시아의 영리한 책동이었다. 러시아의 조세 수입은 급증하고 있었고, 외국인 투자가 밀려들기 시작했다. 서서히, 그러나 분명하게 중산층이 떠오르고 있었다. 바로 안톤 체호프의 《벚꽃 동산》에 나오는 로파힌 같은 사람들로, 한 세대 전만 해도 땅에 묶여 있었지만 사회 변화와 새로운 국내 시장, 새로운 수출 기회를 이용하여 자수성가한 사람들이었다. 경제사학자들은 도시화의 급진전이나 선철 생산량과 철도 선로 부설의 급증 등으로 성장을 부각시키기를 좋아한다. 그러나 무슨 일이 일어나고 있었는지는 이 시기의 문학, 미술, 무용, 음악만 들여다봐도 알 수 있다. 톨스토이, 칸딘스키, 디아길레프, 차이콥스키 등 많은 예술가들이 꽃을 피웠다. 러시아는 문화적으로, 그리고 경제적으로 융성을 누렸다.

경제 사정이 점점 좋아지면서 러시아는 페르시아의 만족할 줄 모르는 돈에 대한 갈증을 채워줌으로써 이 나라에 접근하게 되었다. 페르시아가 돈을 필요로 했던 것은 비효율적인 행정 구조 때문이기도 했지만, 다른 한편으로 지배층의 사치스러운 취향 때문이기도 했다.

테헤란 주재 영국 공사 모티머 듀랜드Mortimer Durand는 1900년 초 이스탄불의 오스트리아 정보원으로부터 수집한 정보를 본국에 보고했는데, 차르의 정부는 사실상 영국보다 나은 조건으로 돈을 빌려줄 것이라는 얘기여서 런던에서는 난리가 났다.[39] 철도를 퀘타에서 시스탄까지 연장하는 것을 검토하고 전신망을 건설하기 위한 위원회들이 만들어졌다. 커즌이 쓴 대로 "남부 페르시아가 [러시아의] 통제 아래에 떨어지는 것을 막기"[40] 위해서였다.

이 같은 러시아의 행보에 맞서기 위해 파격적인 제안이 이루어졌다. 시스탄 지역에서 땅을 경작하고 지역적인 연계를 맺는 방법으로 대규모 관개시설 공사를 약속하는 것도 그 가운데 하나였다. 심지어 인도로 가는 길을 효율적으로 방어하기 위해 영국이 헬만드 주의 땅을 임대하는 방안을 모색하고 있다는 말까지 나왔다.[41] 이 무렵에는 러시아가 과연 공격해올 것인지가 아니라 그 시기가 언제인지가 문제였다. 커즌은 1901년에 이렇게 썼다.

"우리는 우리와 러시아 사이에 완충 국가들이 존재하는 것을 바라고 있습니다."

그러나 이런 나라들은 하나씩 "무너져 사라졌다." 중국, 투르키스탄, 아프가니스탄과 이제는 페르시아도 판에서 치워졌다. 완충 지역은 "얇은 과자 두께로 줄어들었다"[42]라고 그는 덧붙였다.

개스코인-세실 총리는 절박한 심정으로 페르시아에 돈을 빌려줄 방법을 찾아보라고 외무부 장관 헨리 페티-피츠모리스Henry Petty-Fitzmaurice를 다그쳤다. 총리는 1901년 10월에 이렇게 썼다.

"상황은 (……) 절망적으로 보입니다."

재무부는 샤와 그 측근들이 상당한 돈을 금세 써버리는 것을 보고 놀라서 좀 더 호의적인 제안을 하는 데 주저했다. 선택의 여지가 없었다. 총리는 이렇게 썼다.

"그런 돈을 제공하지 못하면 러시아는 [페르시아를] 사실상 보호령으로 삼을 것이고, 우리는 페르시아만의 항구들이 러시아의 손에 들어가는 것을 막으려면 무력을 사용하는 수밖에 없습니다."[43]

바로 그런 상황에 대한 공포는 그 전해에 표면화되었다. 러시아가 호르무즈 해협(페르시아만에서 가장 좁은 지점이다)을 통제하는 데 전략적으로 중요한 반다르아바스 항의 통제권을 장악할 계획이라는 보고가 들어왔다. 깜짝 놀란 한 상원 의원은 동료 의원들에게 이렇게 말했다.

"페르시아만에 한 강대국이 통제하는 해군 공창工廠이 생기면 우리가 인도나 중국과 교역하는 데는 물론이고 오스트레일리아와 교역하는 데도 위협이 될 것입니다."[44]

러시아의 움직임이 보일 경우 대응 조치를 취하기 위해 군함을 발주하면서 페티-피츠모리스는 단호하게 말했다.

"우리는 어떤 다른 강대국이라도 페르시아만 지역에 해군기지나 방어시설을 갖춘 항구를 만드는 것은 영국의 이익에 대한 엄중한 위협으로 간주해야 합니다."

그 결과는 심각할 것이라고 그는 말했다. 그가 이야기한 것은 바로 전쟁이었다.[45]

러시아의 망령은 도처에 있었다. 불안해진 외무부 관리들은 페르시아 내 차르의 관리와 기술자, 연구자들의 활동에 관한 보고들을 자세히 살폈고, 그 결과는 런던으로 밀려들어갔다.[46] 러시아의 지원 아래 흑해 연안의 오데사와 페르시아 남해안의 부시르 사이에서 활동하고 있는 새 무역회사의 중요성에 관해 의회에서 열띤 토론이 벌어졌다. 의원들은 "새와 나비, 그리고 다른 작은 동물들"을 찾으러 다닌다고 주장하는 정체불명의 사람들이 사실은 논란이 있는 국경 지역의 부족민들에게 총을 나눠주고 불만을 부추기는 러시아 요원들이라는 보고에 깜짝 놀랐다.[47] 이런 상황은 국왕 에드워드 7세의 주목을 끌었고, 그는 1901년 페티-피츠모리스 외무부 장관에게 자신의 우려를 전하는 편지를 썼다.

"페르시아에서 러시아의 영향력이 나날이 커져 영국에 해가 되고 있는 듯합니다."

왕은 장관에게, 샤가 러시아에 저항하지 않는다면 가만있지 않겠다는 말을 하라고 다그쳤다.[48] 그는 테헤란 주재 영국 대리공사 세실 스프링-라이스Cecil Spring-Rice가 보고한, 샤가 했다는 다음과 같은 단언을 그다지 신뢰하지 않았다.

"[나는] 페르시아에서 인도 침략을 용이하게 하는 태세를 갖출 의사가 없소."[49]

대영제국의 불안

불안은 커져갔다. 제국이 일을 너무 벌려놓고 있다는 통렬한 자각이 나오는 시기였다. 남아프리카에서 보어인들과 대치하고 중국에서 의화단義和團 운동이 일어나자 영국이 해외에서 패배할 위험에 처해 있다는 생각을 받아들일 수밖에 없었다. 이는 러시아의 진격에 대한 공포를 더욱 부채질했다.

1901년 말 영국 내각에 제출된 파멸을 예고하는 한 보고서는 철로가 오렌부르크에서 타슈켄트까지 연결되면 러시아는 20만 명의 병사를 중앙아시아에 보낼 수 있고, 그 수의 절반 이상은 불안하게도 인도 국경 가까이로 파견될 가능성이 있다고 말했다.[50] 이는 러시아가 2만 명의 병력을 중앙아시아로 보내려 하고 있다는, 조지아의 바투미에서 온 보고 직후에 나왔다. 나중에 잘못된 정보로 밝혀졌지만 말이다.[51] 문제는 영국으로서는 선택지가 적다는 점이었다. 국경을 보강하는 비용은 파멸을 가져올 정도였다. 몇 년 뒤에 추산한 바로는 적어도 200만 파운드는 들여야 했고, 여기에 반복되는 연간 비용이 더 추가되었다.[52]

'피의 일요일'로 불린 1905년 상트페테르부르크 거리의 폭력적인 장면과 러일전쟁에서 차르의 해군이 참패한 일은 러시아가 족쇄를 벗어던지는 것이 단지 시간문제라고 생각했던 사람들에게 작은 위안을 주었다. 영국은 많은 사람들이 "러시아의 위협적 진격"이라고 말하는 것에 저항할 형편이 되지 못했다. 상황이 더욱 나빠지는 것을 막을 다른 해법이 필요했다. 군 정보기관이 작성한 한 보고서는, 아마도 러시아의 관심을 돌리기 위해 독일과 협정을 맺을 때가 아닐까 하고 말했다.[53]

런던에서는 메소포타미아에서 영국군이 개입할 가능성을 검토하기 시작했다. 영국이 서아시아 곳곳에서 더 많이 개입해야 한다는 이야기는 이제 집착증이 되었다. 제국방위위원회(CID)는 바스라 점령 가능성을 검토했고, 한편으로 유프라테스 강 유역의 넓은 들판을 이용하기 위해 오스만의 아시아 영토를 분할하는 문제에 관해 열띤 토론을 벌였다. 1906년에는 페르시아만에서 모술까지 철로를 건설하자는 제안도 나왔다. 그렇게 되면 무엇보다도 영국군을 캅카스에 있는 러시아의 취약 지점으로 이동시킬 수 있었다.[54] 그러나 실현 가능성과 비용 등을 근거로 이런 제안들은 차례대로 폐기되었다. 신임 외무부 장관 에드워드 그레이Edward Grey가 경고했듯이 침공 비용(그리고 새로운 변경을 확보하고 지키는 비용)은 수백만 파운드에 이를 터였다.[55]

그레이는 다른 생각을 했다. 동방에서 영국의 입지는 제한적인 데다 위험에 노출되어 있었다. 따라서 러시아의 관심을 완전히 다른 곳으로 돌릴 필요가 있었다. 1905년 말 장관 취임 불과 한 달 전에《타임스》와의 인터뷰에서 그는 대담한 발언을 했다. 러시아가 "우리의 아시아 점령지"에 관해 묵인해준다면 많은 것을 얻을 수 있음을 분명히 밝힌 것이다. 어떤 영국 정부도 "유럽에서 러시아의 정책을 방해하거나 가로막는 일을 업무로 삼지 않을 것"이라고 그는 말했다. 따라서 "러시아의 입지와 영향력"이 유럽에서 확대되는 일이 "긴급하게 필요"했다. 다시 말해서 아시아로부터 관심을 옮겨야 한다는 것이다.[56]

독일을 견제하기 위한 동맹

타이밍은 그보다 더 좋을 수 없었다. 프랑스는 이웃이자 앙숙인 독일의 급격한 경제 성장에 갈수록 동요되고 있었다. 1870~1871년 프로이센-프랑스 전쟁에서 프로이센이 파리를 점령하고 휴전 협정이 조인된 뒤에 프로이센 병사들이 시내 중심가에서 승리의 행진을 벌였는데, 그 전쟁의 기억은 아직도 마음속에 생생했다. 당시 침략 속도는 큰 충격이었고, 그런 번개 같은 공격이 또다시 불시에 프랑스에 닥칠 수 있다는 공포심을 촉발했다. 특히 독일이 제국의 깃발 아래 통일되었음을 바로 베르사유 궁전에서 선포했던 일은 그런 공포심을 부채질했다.

그것은 너무도 좋지 않았다. 프랑스인들은 독일 공업이 1870년 이후 20년 사이에 급속히 성장하는 것을 보고 깜짝 놀랐다. 석탄 생산은 두 배로 늘었고, 금속 생산은 세 배로 늘었다.[57] 경제가 발전하자 이미 인상적인 수준이던 군 장비(육군과 해군 모두)에 더 많은 투자가 이루어졌다. 프랑스 외교관들은 1890년대 초 러시아와 군사 협정을 맺고 더 나아가 완전한 동맹을 맺기 위해 막후에서 맹렬히 활동했다. 가장 큰 목적은 자기 방어였다. 프랑스와 러시아는 독일이나 그 동맹국이 군사행동을 할 경우 독일을 공격하기로 합의했다. 그리고 둘 중 한 나라가 영국의 공격을 받으면 영국에 맞서 행동하기로 약속했다.[58]

따라서 러시아의 관심을 그 서쪽 변경으로 돌리려는 영국의 바람은 프랑스에게도 달콤한 음악이었다. 영국과 프랑스 사이의 첫 번째 재조정 국면은 1904년에 일어났다. 이때 세계 곳곳에서 얻을 수 있는 서로의 이익에 관해 상세히 논의한 뒤 '화친 협약'이 조인되었다. 당연히 이 협상에서는 러시아의 역할이 핵심이었다.

1907년에는 동맹국의 범위가 확정되었다(1894년 프-러 동맹과 1904년 영-프 협약에 이어 1907년 영-러 협약으로 이른바 '삼국 협약'이 완성되었다—옮긴이). 영국이 세계의 중심을 가로질러 러시아와 공식적인 협약을 맺었다. 페르시아에서는 고정된 선으로 영향권의 경계를 정했고,

아프가니스탄에서는 러시아의 개입을 최소한으로 제한하는 조항을 두었다.[59] 인도의 "불안과 압박감"을 줄이는 방법은 러시아와 긍정적인 공감대를 형성하는 것이었다고 에드워드 그레이는 주장했다. 그것이 "러시아로 하여금 우리에게 위협이 될 수 있는 페르시아의 일부 지역을 점령하지 못하게"[60] 보장하는 것이었다. 그는 1912년에 털어놓았듯이, 러시아를 밀어내면서 동시에 품는다는 전통적인 정책에 관해 오랫동안 의혹을 품고 있었다.

"여러 해 동안 나는 이것이 잘못된 정책이라고 생각해왔다."[61]

다시 말해 동맹을 추구하는 것이 미래를 위한 훨씬 고상하고 생산적인 방법이었다.

그러나 고위 외교관들이 인정했듯이, 러시아와의 화해에는 대가가 필요했다. 바로 독일이었다. 영국 외무부의 상무常務차관 찰스 하딩은 1908년 이렇게 강조했다.

"우리가 독일과 좋은 관계를 유지하는 것보다 러시아와 아시아에서, 그리고 특히 서아시아에서 서로를 잘 이해하는 것이 훨씬 더 긴요합니다."[62]

그는 2년 뒤 인도 총독으로 부임한 이후에도 이 메시지를 애써 반복하게 된다. 러시아가 페르시아에서 힘을 늘려갔다면 "우리는 사실상 아무런 힘도 쓰지 못했을 것"이라고 그는 썼다. 따라서 유럽에서 힘의 균형을 맞추기 위해 할 수 있는 일은 모두 할 필요가 있었다.

"독일과 사이가 나쁜 것보다 프랑스 및 러시아와 사이가 나쁜 것이 훨씬 더 불리합니다."[63]

영국과 러시아의 관계는 페르시아에서 긴장이 이어지면서 "심한 압박을 받고 있었다"라고 상트페테르부르크 주재 대사 아서 니컬슨Arthur Nicolson은 동의했다. 그는 이어 이렇게 말했다.

"무슨 수를 쓰더라도 러시아와 완전한 공감을 유지하는 것이 절대로 필요하다고 생각합니다."[64]

무슨 수를 쓰더라도 러시아의 비위를 맞추는 것은 동맹이 조인된 이후 영국 정책의 추진력이 되었다. 1907년 에드워드 그레이 외무부 장관은 런던 주재 러시아 대사 알렉산드르 벤켄도르프Aleksandr Benkendorf에게, 영국은 보스포루스 해협 문제에 유연하게 접근할 것이라고 말했다. 러시아가 "항구적인 우호관계"를 맺는 데 동의한다면 말이다.[65] 이는 러시아가 일련의 외교적 흥정에 나서면서 유럽의 엉성한 계획들에 대한 재편을 촉발하기에 충분했다. 러시아의 흥정 가운데는 오스트리아의 보스니아 병합을 묵인하는 대가로 보스포루스 해협 문제에서 그들의 지지를 얻어내는 일이 포함되었는데, 이 거래는 나중에 엄청난 결과를 초래했다.[66]

1910년 그레이 장관은 필요하다면 독일과의 관계를 희생해야 한다고 다시 한 번 썼다.

"우리는 독일과 정치적 공감대를 형성할 수 없습니다. 그렇게 한다면 우리는 러시아 및 프랑스와 떨어지게 될 것입니다."[67]

러시아는 이런 접근의 속내를 예민하게 느꼈다. 그들은 영국이 열정적으로 구애하고 있음을 인식했다. 그리고 기회를 제공했다. 러시아 외무부 장관 세르게이 사조노프Sergei Sazonov는 1910년 말께 이렇게 생각했다.

"내가 보기에 영국 내각은 1907년의 영-러 협약을 아시아에서의 영국의 이익에 중요한 요소로 보고 있는 듯합니다."

그는 이어 사실이 그렇다면 영국은 "그렇게 중요한 협정을 유지하기 위해" 러시아에 중대한 양보를 할 수밖에 없을 것이므로 밀어붙여야 한다고 말했다.[68] 그것은 예리한 통찰이었다.

1910년 러시아군이 새로이 몽골과 티베트, 중국령 투르키스탄(신장)으로 진출하자 영국의 관측통들은 놀라움을 감추지 못했다.[69] 러시아의 세력권 확장은 영국의 입지가 얼마나 약한지를 분명하게 보여주었다. 1914년 봄 그레이의 비관적인 평가가 보여주듯이, 사태는 더 이상 나쁠 수가 없었다. 아프가니스탄, 티베트, 몽골, 페르시아에서는 같은 일이 반복되었다.

"모든 곳에서 우리는 원하는 게 있습니다. 그리고 우리는 줄 것이 아무것도 없습니다."

페르시아에서는 러시아에 "내줄 것이 아무것도" 남아 있지 않았고, 아프가니스탄에서도 아무런 영향력이 없다고 그는 적었다. 더 좋지 않은 일도 있었다.

"러시아는 페르시아를 점령하려 하고 있지만, 우리는 그렇지 못합니다."[70]

영국은 힘이 빠져 있었다. 적어도 아시아에서는 말이다. 분명히 종반전에 들어가야 할 시간이었다. 문제는 언제, 어디서 시작될 것이냐였다.

영국 관리들은 그들에게 닥친 어려움을 제대로 이해하게 되면서 자기네가 결국 끔찍한 사태에 맞서야 한다는 사실을 알았다. 그것은 가뜩이나 취약한 상태를 최악으로 몰아갈 수 있는 시나리오였다. 바로 러시아와 독일의 동맹이었다. 이런 공포는 한동안 영국의 정책 당국자들 사이에 만연해 있었다. 사실 1907년 영국-러시아 동맹의 목적 중 하나는 아시아에서 서로의 이익을 위해 협력하고 현상 유지를 하는 것이었다. 아서 니컬슨은 그레이에게, 균형을 유지하려면 "러시아가 독일 쪽으로 접근하는 것을 저지"[71]해야 한다고 강조했다.

독일의 전쟁 시나리오

날로 커지는 공포심은 독일의 힘이 (그리고 야망이) 계속해서 커지면서 더욱 악화되었다. 독일의 활발한 경제와 군사비 지출 증가는 우려의 근원이었다. 영국 외무부의 고위 인사들 가운데 일부는 독일의 목표가 "유럽 대륙에서 우위를 차지"하는 것이며 이는 군사적 대결로 이어질 것이라고 믿었다. 모든 제국은 결국 경쟁자들로부터 도전을 받았던 사실을 니컬슨은 그레이에게 상기시켰다. 그는 이렇게 말했다.

"개인적으로 나는 우리가 조만간 독일과 같은 싸움을 되풀이해야 할 것이라고 확신합니다."

따라서 프랑스 및 러시아와 손잡는 일이 필수적이었다.[72]

독일은 유럽의 (따라서 그 너머의) 균형 상태를 깨뜨릴 잠재력이 있었다. 최악의 상황이 배태되고 있었다는 말이다. "러시아가 '중앙 동맹국' [독일, 오스트리아헝가리, 이탈리아] 편을 들며 떠오를 것"이라는 공포가 더욱 커졌다. 영국, 러시아, 프랑스 사이의 관계를 틀어지게 해서 "삼국 협약을 (……) 박살내는" 것이 독일의 최우선 목표인 것으로 생각되었다.[73] 러시아가 꼬임에 넘어가 삼국 협약에서 이탈하는 상황을 "우리는 정말로 두려워했다"고 그레이는 이후 불안에 떨던 시기에 인정했다.[74]

이런 공포에는 근거가 있었다. 예컨대 페르시아 주재 독일 대사는 페르시아에서는 "얻을 것이 별로 없지만", 페르시아에서 러시아의 이익이 위험에 처해 있다고 생각되면 다른 곳에서 러시아의 양보를 압박할 수 있음을 인정했다.[75] 이것이 1910년 겨울 카이저 빌헬름 2세와 차르 니콜라이 2세가 포츠담에서 만난 배경이다. 이 자리에서 양국 외무부 장관은 고위급 회담도 가졌는데, 이는 그저 '유럽의 동맹 관계'(니컬슨의 표현)가 재조정될 것이라는 공포를 확인한 것으로 보인다. 그 재조정은 영국에 불리한 방향이었다.[76]

독일과 독일의 행동(사실이든 상상이든)에 대한 의구심은 1907년의 동맹 훨씬 이전에도 영국 외교관들의 마음속에 깊이 새겨져 있었다. 3년 전 프랜시스 버티Francis Bertie는 파리 주재 대사로 임명되기 직전에 외무부 직원으로부터 편지를 받았다. 프랑스에서의 임무를 "그곳에서 사정을 잘 살피고 있고 특히 독일의 계획에 대해 잘 알고 있는 누군가"가 이끌어야 한다는 내용이었다. 버티는 답신에서 독일에 대한 불신을 이야기하는 것은 지극히 정당하다고 썼다.

"독일은 우리를 위해 무언가를 한 적이 없으며, 우리의 피를 흘리게 할 뿐입니다. 독일은 기만적이고 탐욕스러우며, 상업적으로나 정치적으로나 우리의 진정한 적입니다."[77]

물론 역설적이지만 독일의 위협에 대한 인식은 독일이 스스로의 취약성을 느끼고 있다는 사실에 의해 뒷받침되었다. 그들은 프랑스-러시아 동맹의 한가운데에 포획될 가능성에 직면하고 있었으며, 그 동맹은 도발이 있을 경우 군사적 협력과 합동 공격까지 약속하고 있었다. 오래지 않아 양쪽의 적들 사이에 포위되어 있다는 피해망상에 사로잡힌 독일 최고사령부는 선택지를 고려하기 시작했다.

1904년 프랑스-러시아 동맹 이후 독일군 참모총장 알프레트 폰 슐리펜Alfred von Schlieffen은 프랑스를 갈가리 찢어놓았던 1870년의 경험을 바탕으로 한 가지 계획을 만들었다. 시나리오는 카이저의 군대가 프랑스를 제압한 뒤에 동쪽으로 방향을 돌려 러시아를 공격한다는 것이었다. 이 계획은 병력이나 병참 측면에서 어마어마한 것이었다. 100만 명의 철도 기사가 필요했고, 기관차 3만 량, 객차 6만 5000량, 화차 貨車 70만 량이 필요했다. 이것이 17일 만에 300만 명의 병사들과 8만 6000필의 말, 그리고 산더미 같은 탄약을 실어 나르는 것이었다.[78]

이 청사진은 당시 러시아군이 만든 비슷한 계획에도 반영되었다. 그들은 1910년 여름까지 독일로부터 공격받을 경우 취해야 할 상세한 조치들을 담은 '19호 계획'을 마련했다. 현재 리투아니아에 있는 카우나스에서부터 벨라루시의 브레스트까지 남북 축을 따라 늘어선 일련의 요새들에 의지해 반격을 준비한다는 것이다. 1912년에는 이 제안의 두 가지 변종이 만들어졌다. '19A 계획'과 '19G 계획'으로 알려진 것들이다. 이 가운데 '19G 계획'은 독일의 공격이 시작되면 신속하게 반격하는 내용이었고, 그 목표는 단순했다.

"전쟁을 [적의] 영토 안으로 옮기는 것."

다시 말해 독일과 오스트리아헝가리 제국 안으로 옮기는 것이었다.[79]

독일 최고사령부와 카이저는 조금씩 커지는 외부으로부터의 압력을 잘 알고 있었다. 그리고 구석으로 몰리고 있다는 느낌을 받았다. 베를린에서 바그다드까지 철로를 건설하자는 주장을 둘러싼 대중의 외침은 카이저를 당혹스럽게 했다. 수천 킬로미터 밖에 철로를 부설하는 일은 자기 나라와 영국 사이에 전쟁이 벌어지는 것을 전제로 한 이슈라고 생각했기 때문이다. 그는 이어 이런 생각을 했다. 그런 일이 일어날 경우 우리 병사들을 본국에서 그렇게 먼 곳에 주둔시키고자 하는 것이 현실적인 생각일까?[80]

그리고 1911년 프랑스가 이전에 독일과 맺었던 협정을 어기고 모로코에 부대를 배치했을 때 독일이 대응했던 일에 대한 반작용도 있었다. 그때 독일은 프랑스를 압박하여 타결을 지으려고 순양함 판터 호를 파견했으나 처참한 역효과만 낳았다. 독일은 공개적으로 당혹스러운 경험을 하고 정치적 세력권이 크게 축소되었을 뿐만 아니라, 베를린의 주식시장에서 주가가 폭락했다. 이 2차 모로코 위기가 터진 뒤인 1911년 9월에 주가는 30퍼센트 이상 떨어졌고, 독일 중앙은행 라이히스방크의 준비금은 한 달 사이에 5분의 1 이상이 사라졌다. 많은 독일인들도 믿었듯이 이 금융 재난을 프랑스가 획책한 것은 아니었지만, 그들이 이 기회를 이용하여 단기 자금을 빼낸 것은 사실이다. 그런 행위는 틀림없이 유동성 위기를 조성하는 데 한몫을 했다.[81]

새로운 채널을 열고 새로운 연줄과 동맹을 만들기 위해 상당한 노력이 투입되었다. 서아시아와 북아프리카 지역에 관심이 집중되었다. 독일 은행들은 이집트, 수단, 오스만제국에 대거 진출했고, 아랍 및 페르시아와 관련된 연구에 많은 지원금이 투입되었을 뿐만 아니라 카이저가 직접 이를 점검했다. 이슬람 세계와 독일어권 세계의 연계가 점차 늘면서 청년들은 물론 학자, 군인, 외교관, 정치가들의 상상력을 사로잡았다.

20세기 초 한 젊은이는 자신이 창밖으로 빈과 이 도시의 중심부를 둘러싼 순환도로인 링슈트라세를 내다보며 '마법 효과'를 경험하지 않을 수 없었다고 아쉬운 듯이 썼다. 아돌프 히틀러는 또한 자신이 낭만적인 과거의 뚜렷한 두 선택지인 신성로마제국이나 고전고대로 돌아와 있다고 느끼지 않았다. 그는 자신이《천일야화千一夜話》의 한 장면 속에 있다고 느꼈다.[82]

위험스러운 포위 강박증이 독일에서 확산되고 있었다. 이와 함께 독일의 강력한 적수가 있고 그들에게 좌지우지되고 있다는 의식도 강했다. 슐리펜의 후임 참모총장이자 고위 장교인 헬무트 폰 몰트케Helmuth von Moltke는 전쟁이 불가피하고 그 전쟁은 빠를수록 좋다고 확신하게 되었다. 대결을 미루는 것은 독일에게 불리할 것이라고 그는 주장했다. 몰트케는 1914년 봄에 "우리가 아직 승리할 가능성이 있는 동안에" 전쟁을 시작하고 적과 맞붙어 싸우는 것이 낫다고 말했다.[83]

독일에 대한 그런 증오는 왜 생겼는가? 로베르트 무질Robert Musil은 1914년 9월 베를린에서 이렇게 썼다. "우리 자신의 잘못이 아닌" 시샘은 어디서 왔는가?[84] 유럽에서 긴장이 높아지고 있다는 그의 지적은 옳았고, 그것은 대중문화에서 불이 지펴지고 있었다. 독일 스파이와 유럽을 차지하려는 독일의 계획에 관한 책들이 인기를 끌었다. 윌리엄 르쾨William LeQueux가 쓴 《1910년의 침공The Invasion of 1910》(1906)은 100만 부 이상 팔렸고, 27개 언어로 번역되었다. 그리고 사키Saki라는 필명으로 알려진 먼로H. H. Munro가 쓴 《빌헬름이 온 뒤When William Came》(1913)도 있다. 전쟁 직전에 출간된 이 베스트셀러에서는 주인공이 아시아에서 돌아와 보니 영국은 독일에게 점령된 상태인 것으로 나온다.[85]

따라서 이것은 거의 자성예언과 같은 것이어서, 독일인들은 위험을 최소화하거나 이를 맞받아칠 수 있는 방법을 찾아야 했다. 예컨대 보장과 협조를 러시아에서 찾은 것은 충분히 이해할 수 있는 일이었다. 물론 이 사실만으로도 영국을 더욱 놀라게 했지만 말이다.[86] 콜마르 폰 데어 골츠Colmar von Der Goltz는 오스만군 개혁에 10여 년을 보낸 인물이었는데(오스만에서 그는 '골츠 파샤'로 불렸다. '파샤'는 투르크어로 '장군'을 뜻한다), 그가 독일군에 권고한 내용은 모두 군사적 위기에서 기동성을 제공하려는 노력에 관한 것이었다. 오스만의 지원이 러시아에 맞서는 데 유용할 수 있지만, 오스만은 서아시아에서 영국에 맞서는 데 "최고로 중요"할 수 있다고 골츠는 동료들에게 말했다.[87]

속고 속이는 게임

문제는 독일이 오스만 세계에 관심을 기울이자 러시아가 신경을 곤두세웠다는 점이다. 러시아 관리들은 보스포루스 해협에 관해 매우 민감했다. 그리고 자기네 텃밭이라고 생각한 곳에 새로운 선수가 비집고 들어오리라는 전망에 날카롭게 반응했다. 20세기로 넘어가는 시기에 이야기는 여러 차례 이스탄불을 점령하는 쪽으로 넘어갔다. 1912년 말 무렵에는 러시아군이 이 도시를 점령한다는 계획이 만들어지기 시작했다. 원칙적으로는 발칸 반도에서 한바탕 전쟁이 벌어지는 동안의 임시 조치였다.[88] 그럼에도 불구하고 러시아는 무관심한 것처럼 보이는 동맹자 영국과 프랑스의 반감을 너무 많이 샀다. 오스만군이 점점 더 독일의 통제 아래 들어가는 상황이 되었다. 오스만 함대의 지휘 장교들까지 파견 근무를 하고 있었다.

영국에서 건조한 드레드노트함 두 척이 곧 오스만에 인도된다는 것은 특히 뼈아픈 일이었다. 1914년 이 최첨단 군함들을 통해 오스만은 러시아의 해군력을 압도할 것이라고 러시아의 이반 그리고로비치 Ivan Grigorovich 해군부 장관은 울부짖었다. 러시아의 흑해 함대에 대해 "여섯 배에 가까운 압도적인 우위"를 차지하는 결과를 가져올 것이라는 전망이었다.[89]

이로 인한 위협은 단지 군사적인 것만은 아니었다. 경제도 위협받았다. 1차 세계대전 이전에 러시아의 전체 수출의 3분의 1 이상이 다르다넬스 해협을 통해 이루어졌다. 크림 반도의 오데사와 세바스토폴 같은 항구에서 선적된 곡물은 거의 90퍼센트가 이곳을 지났다. 그렇기 때문에 영국에 군함의 인도를 막거나 연기하거나 취소해달라는 간청을 했지만, 전쟁 직전 강대국들 사이의 속고 속이는 게임에서 도움이 되지 않는 방아쇠를 당긴 꼴이었다.[90] 일부에서는 얼마나 많은 것이 걸려 있는지에 대해 조금도 의문을 품지 않았다. "지중해 동안 일대에서 우리의 모든 입지"가 위험에 처해 있다고 이스탄불 주재 러시아 대사 미하일 폰 기르스Mikhail von Giers는 본국에 보고했다. "우리가 수백 년 동안 수많은 희생을 치르고 피를 흘려가며 얻은 양보할 수 없는 권리"가 중대한 위험에 직면해 있었다.[91]

이런 맥락에서 1911년 이탈리아의 리비아 공격과 그 뒤를 이은 1912~1913년의 발칸 전쟁은 그야말로 연쇄 반응을 일으켰다. 오스만 제국의 변두리 주들은 취약한 순간에 현지 및 세계의 경쟁자들의 사냥감이 되었다. 오스만 정권이 붕괴를 눈앞에 두고 흔들거리면서 유럽의 야망과 경쟁심은 극적으로 높아졌다. 독일 쪽에서는 동방으로 팽창해 보호령을 만들고 '독일령 오리엔트'를 세우는 문제를 진지하게 고려하기 시작했다.[92] 이는 팽창주의처럼 들리지만, 거기에는 중요한 방어적 요소도 있었다. 독일 최고사령부에 깊숙이 퍼진 공격적 정서와 일치하는 것이기도 했다.[93] 독일은 영국과 마찬가지로 최악의 상황을 예상하게 되었다. 독일의 경우 그것은 러시아로 하여금 오스만제국(많은 사람들은 이 나라가 썩었다고 생각했다)의 대부분의 지역에 대한 통제권을 행사하지 못하게 하는 것이었다. 반대로 러시아에게 그것은 오래 품어온 꿈을 실현하는 것이었고, 그 중요성을 과장할 수는 없지만 장기적인 미래를 보장하는 것이었다.

그러나 영국이 독일에게 위협이 된다는 것(그 반대도 마찬가지다)은 일종의 속임수였다. 현대 역사가들은 줄기차게 영국이 독일을 견제하려 했다고 말하지만, 유럽 전역의 경쟁의 톱날은 복잡하고 다면적이었다. 분명히 이것은 1차 세계대전이 모습을 갖추고 일어나면서 그제야 두 나라 사이의 치열한 경쟁관계가 생겨났다는 단순한 설명보다는 훨씬 복잡한 사안이었다. 1918년 무렵이 되면 갈등의 진짜 원인은 희미해져버렸다. 선박 건조 비용이 점점 증가한 해군의 경쟁이 그릇 강조되었고, 전쟁을 요구한 막후의 공격적인 태도가 강조되었고, 카이저와 그 장군들이 유럽 대륙에서 전쟁을 일으키려 하면서 그들의 유혈 충동이 강조되었다.

그러나 실상은 달랐다. 프란츠 페르디난트 대공이 암살당한 이후에 거의 재현할 수 없는 여러 가지 오해와 논란과 최후통첩과 변경이 있었지만, 전쟁의 씨앗은 수천 킬로미터 밖에서 일어난 사태의 변화와 전개에 의해 자라났다. 날로 커지던 러시아의 야망과 이 나라가 페르시아, 중앙아시아, 동아시아에서 거둔 성과는 영국의 해외 입지에 압박을 가해 유럽의 동맹을 화석으로 만들어버리는 결과를 낳았다. 영국이 수백 년 동안에 걸쳐 만들어놓은 부러운 기반을 더욱 잠식하는데 방해가 되는 것은 시종侍從인 러시아를 계속 묶어두기 위해 계획된 몇 가지 상호 보장뿐이었다.

전쟁의 방아쇠가 당겨지다

그럼에도 불구하고 1914년 초 몇 달 동안에는 먹구름이 몰려들고 있었지만 위험이 임박한 것으로 보이지는 않았다. 아서 니컬슨은 5월에 이렇게 썼다.

"나는 외무부에 들어온 이래로 그렇게 고요한 바다를 본 적이 없습니다."[94]

정말로 그해는 성과가 많을 것으로 보이는 약속된 해였다. 미국 포드 자동차 종업원들은 1월에 임금이 두 배로 올라 들떠 있었다. 매출이 늘고 기술 혁신으로 생산이 증가한 덕분이었다. 구연산나트륨을 혈액 응고 방지제로 사용하는 일에 관한 선구적 연구 이후 브뤼셀에서 처음으로 보존 혈액에 의한 수혈이 성공하자 의사들은 그 파장을 기대하고 있었다. 초여름 상트페테르부르크 사람들의 걱정은 산불이었다. 자욱한 검은 연기가 후텁지근한 여름 공기를 평소보다 더욱 답답하게 만들었다. 독일에서는 바이에른 북부 퓌르트 주민들이 환희를 만끽하고 있었다. 이 도시 축구 팀이 강력한 VfB 라이프치히를 상대로 아슬아슬한 경기를 펼친 끝에 승리를 거둔 것이다. 이들은 전력 차이를 극복하고 연장전에서 결승 골을 넣어 처음으로 국내 챔피언이 되었다. 영국인 축구 감독 윌리엄 타운리는 영웅이 되었다. 영국 시인 앨리스 메넬Alice Meynell에 따르면 심지어 자연조차도 다정했다. 1914년 여름의 시작은 목가적이었다. 풍성한 수확이 기대되었다. "여유로운 수확으로 어려움에서 벗어나니" 달이면 달마다 "너무도 달콤"[95]했다.

영국에서는 파멸이 임박했다거나 독일과의 전쟁이 곧 벌어질 것이라는 생각은 하지 않았다. 옥스퍼드 대학의 교수들은 독일 문화와 지식인들을 찬미할 준비를 하고 있었다. 카이저 빌헬름 2세가 1907년 민법 명예박사 학위를 받고서 선물한 대학 고사동Examination Schools에는 이 독일 황제의 대형 초상화가 걸려 있었다.[96] 전쟁이 터지기 불과 한 달 전인 1914년 6월 말께 이 도시의 지도급 인사들은 독일 유명 인사들이 명예학위를 받는 모습을 지켜보기 위해 모였다. 독일 중부 작센코부르크고타 공국 군주 카를 에두아르트와 작곡가 리하르트 슈트라우스, 따분한 로마법 전문가인 루트비히 미타이스 등이 각양각색의 가운을 걸치고 셸던 강당으로 들어오면서 박수를 받았다. 명예박사 학위를 받는 사람들은 뷔르템베르크 공작과 리흐노프스키 대공인 런던 주재 독일 대사 카를 막스였다.[97]

사흘 뒤 아직 스무 살도 안 된 젊은 이상주의자 가브릴로 프린치프Gavrilo Princip가 사라예보 거리에서 지나가는 차를 향해 권총을 두 번 발사했다. 첫 발은 목표물에 맞지 않았다. 대신 차 뒷좌석에 남편과 함께 앉아 있던 대공비 조피 호테크의 배에 맞아 치명상을 입혔다. 두 번째 발은 명중했다. 오스트리아헝가리 제국의 후계자 프란츠 페르디난트를 죽인 것이다. 그리고 이 사건 때문에 세계는 달라졌다.[98]

현대 역사가들은 대체로 그 이후 몇 주 동안의 '7월 위기'와 사라진 평화의 기회에 관심을 집중한다. 또는 많은 사람들이 어떻게 오랫동안 전쟁 발발을 두려워하고 예견해왔었는지에 집중한다. 최근 연구들은 세계가 전쟁으로 빨려들어가던 시기의 분위기가 크게 과장된 것이기보다는 불안과 착각에 사로잡혀 있었음을 강조한다. 그것은 악몽 같은 시나리오였다. 한 유명 역사가는 이를 매우 적절히 표현했다.

"1914년의 주인공들은 보고 있지만 보지 못하며, 꿈에 시달리고, 이제 막 모습을 드러내려 하고 있는 공포스러운 현실을 보지 못하는 몽유병자들이었다."[99]

에드워드 그레이가 "유럽 전역에서 불이 꺼져가고" 있음을 깨달았을 때는 이미 너무 늦어 있었다.[100]

암살 이후 전쟁으로 이끈 것은 러시아에 대한 공포였다. 독일에서는 널리 퍼져 있던 동쪽의 이웃에 대한 우려가 결정적이었다. 독일의 장군들은 카이저에게, 러시아 경제가 계속 발전할수록 위협도 점점 커질 것이라고 누누이 강조했다.[101] 이는 상트페테르부르크에서도 마찬가지였다. 고위 관료들은 전쟁이 불가피하고 무력 충돌은 차라리 빨리 일어나는 편이 낫다고 생각하게 되었다.[102] 프랑스 역시 불안했다. 그들은 오래전에 자기네가 가야 할 최선의 길은 끊임없이, 그리고 일관되게 러시아 및 영국에 자제를 촉구하는 것이라는 결론을 내렸다. 그들은 무슨 일이 생기든 러시아를 밀 터였다.[103]

영국의 경우 정책을 몰아간 것은 러시아가 다른 나라와 동맹을 맺을 경우 무슨 일이 일어날 것인지에 대한 공포였다. 사실 1914년 초까지는 외무부에서 러시아를 견제하기 위해 독일과의 관계를 재정립하는 문제가 이미 논의되고 있었다.[104] 교착 상태가 위기로 변하자 외교관과 장군과 정치가들은 이제 다음에 무슨 일이 일어날 것인지 알아내려 촉각을 곤두세웠다. 7월 말이 되자 외교관 조지 클러크George Clerk는 이스탄불에서 걱정에 싸여, 영국이 러시아를 달래기 위해서라면 무슨 짓이든 할 필요가 있다고 조언하는 편지를 썼다. 그러지 못한다면 영국은 "제국으로서의 존재 자체가 위협을 받게 될 것"[105] 이라고 말했다.

일부에서는 그런 기우에 가까운 주장에 찬물을 끼얹으려 애썼지만, 얼마 전에야 비로소 러시아가 너무도 강력해서 "무슨 수를 쓰더라도 이 나라와 친선을 유지해야 한다"라고 경고했던 상트페테르부르크 주재 영국 대사 조지 뷰캐넌은 이제 분명한 전문을 보냈다.[106] 영국의 위치는 "위험한 상태"라고 그는 말했다. 결정적인 순간에 도달했기 때문이었다. 그는 이렇게 조언했다.

"우리는 러시아를 적극적으로 지원하든지, 아니면 이 나라와의 우호관계를 포기하든지 선택해야 합니다. 이제 우리가 러시아를 실망시킨다면 우리는 아시아에서 이 나라와 우호적인 협력을 유지한다는 희망을 품을 수 없습니다. 그것이 우리에게는 정말 중요한 일이지만 말입니다."[107]

러시아 외무부 장관 세르게이 사조노프가 7월 말께 밝혔듯이, 중간은 없었다. 그는 10여 일 전에 이렇게 맹세했다.

"[러시아는] 아무런 공격 목표도 없으며, 어떠한 강압적인 병합도 결코 꿈꾸지 않고 있습니다."

그러나 이제 그는 심판의 날에 동맹국들이 함께하지 못하게 될 경우의 결과에 대해 언급했다. 영국이 중립으로 남는다면 그것은 "자살 행위나 마찬가지가 될 것"[108]이라고 경고했다. 이는 페르시아에서, 어쩌면 아시아 전체에서 영국의 이익에 대한 반쯤 노골적인 협박이었다.

'7월 위기'가 악화되면서 영국 관리들은 평화 회담과 중재, 그리고 벨기에의 주권 보호에 관해 공개적으로 이야기했다. 그러나 주사위는 던져졌다. 영국의 운명은 (그리고 제국 전체의 운명은) 러시아의 결정에 달려 있었다. 두 나라는 동맹국인 체하는 경쟁자였다. 어느 쪽도 상대를 소원하게 하거나 적대하려 하지는 않았지만, 힘의 추가 영국에서 러시아로 기울어졌음은 분명했다.

이를 누구보다도 잘 알고 있는 사람이 독일 총리 테오발트 폰 베트만홀베크Theobald von Bethmann-Hollweg였다. 그는 좋은 집안에서 태어난 정치인으로, 한동안 신의 가호를 빌며 잠 못 이루는 밤을 보냈다. 이제 사라예보 암살 열흘 뒤 전쟁의 기어가 천천히 제자리를 잡아가는 시기에 그는 "별이 총총한 하늘 아래 테라스에" 앉아 비서를 돌아보며 말했다.

"미래의 주인은 러시아다."[109]

이 미래에 어떤 일이 일어나게 될지는 1914년에는 분명하지 않았다. 러시아의 힘은 쉽사리 과장되어 보일 수 있었다. 이 나라는 아직 사회적·경제적·정치적 변화의 초기 단계에 있었기 때문이다. 1905년에 소란은 개혁 요구가 뼛속까지 보수적인 기득권층에 의해 대체로 무시되면서 거의 전면적인 혁명으로 치달았다. 그리고 해외 자본에 크게 의존하는 문제도 있었다. 1890년부터 1914년까지 신규 자본 투자의 절반 가까이가 외부 조달이었다. 이 자금들은 평화와 안정적인 정치 상황이 유지된다는 가정 아래 들어온 돈이었다.[110]

전면적인 변화에는 시간이 필요했다. 그리고 대개는 고통이 따랐다. 러시아가 조용히 머물고 덜 대결적인 방식을 택해 동맹자 세르비아 편에 서 있었다면 그 유명은(이와 함께 유럽과 아시아, 심지어 북아메리카의 운명까지도) 상당히 달라졌을 것이다. 사실 1914년에는 수십 년 전 빅토리아 여왕이 예견했던 마지막 결전이 벌어졌다. 모든 것은 "세계의 패권을 러시아가 차지하느냐 영국이 차지하느냐의 문제"[111]로 귀결된다고 여왕은 말했었다. 영국은 러시아를 주저앉힐 능력이 없었다.

그래서 어떻게 두더라도 악수가 되는 악몽 같은 체스 게임처럼 세계는 전쟁에 돌입했다. 처음의 도취감과 호전적 애국주의가 상상조차 할 수 없는 규모의 비극과 공포로 대체되면서, 과거를 재구성하고 이 대결을 독일과 연합국 사이의 다툼이라는 측면에서 묘사하는 이야기들이 만들어졌다. 이런 논의는 독일의 책임이 크고 영국은 용감하다는 데 초점을 맞추고 있었다.

고귀하고 정의로운 전쟁?

대중의 의식에 각인된 이야기는 독일의 침략성에 관한 이야기이자 연합군이 수행한 정의로운 전쟁에 관한 이야기다. 설명이 필요했던 부분은 미래가 창창하던 똑똑한 젊은이들 세대가 왜 버려졌느냐 하는 것이다. 학자 패트릭 쇼-스튜어트Patrick Shaw-Stewart 같은 뛰어난 인물들의 희생을 설명해줄 대답이 필요했다. 쇼-스튜어트는 학교와 대학과 기업에서 최고의 성과를 거두어 당대 사람들을 놀라게 했고, 특히 에로틱한 라틴어와 그리스어 인용구로 가득한 편지들을 다이애나 매너스Diana Manners에게 보내 놀라게 한 사람이었다.[112] 또는 특별히 구성된 '친구 부대pals battalion'(1차 세계대전 때 임의로 소속을 배정하지 않고 친구들끼리 함께 복무할 수 있게 했던 영국 육군의 부대 — 옮긴이)에서 싸우기 위해 친구들과 함께 합류했던 노동계급 사람들이 1916년 파멸적인 솜Somme 공세 초기에 대량으로 살육됐던 이유를 설명할 필요가 있었다.[113] 아니면 왜 전국 각처에 나라를 위해 목숨을 바친 사람들의 이름이 적힌 전쟁 기념비들이 세워졌는지에 대한 설명이 필요했다. 쓰러진 사람들의 이름은 기록할 수 있었지만, 그들이 돌아오지 않아 마을과 도시에 흐르는 적막은 기록하지 못했다.

따라서 병사들을 미화하고 그들의 용감성을 찬양하며 그들이 치른 희생에 경의를 표하는 강렬한 묘사가 나타나는 것은 놀라운 일이 아니었다. 윈스턴 처칠은 전쟁이 끝난 뒤, 영국군은 이제까지 소집되었던 부대 가운데 최고의 군대였다고 썼다.

"[모든 병사는] 나라에 대한 사랑에 고무되었을 뿐만 아니라, 호전적이고 제국주의적인 폭정에 의해 인간의 자유가 위협받고 있다는 대다수 사람들의 확신에도 고무되었다."

전쟁은 고귀하고 정의로웠다. 처칠은 이렇게 단언했다.

"독일 병사 하나를 죽이기 위해 두 사람이나 열 사람의 생명이 필요하다고 지휘관이 판단한다 해도 전투 부대에서 불평의 소리 하나 나오지 않았다. (……) 살육이 아무리 처참해도 그것 때문에 다시 돌격에 나서지 못하는 일은 없었다. (……) 병사로서만이 아니라 순교자로서, 그들은 부여받은 숭고한 책무를 완수했다."[114]

그러나 당시 많은 사람들은 이렇게 생각하지 않았다. 희망에 부풀어 입대했던 젊은 중위 에드윈 캠피언 본Edwin Campion Vaughan은 희생의 규모나 그 목적을 이해할 수 없었다. 자기네 중대가 전멸당하는 것을 보고 사상자 보고서를 써야 할 때가 되자 캠피언 본은 이렇게 적었다.

"나는 바닥에 앉아 계속 위스키를 마시며 암울하고 공허한 미래를 응시했다."[115]

전쟁 중에 지어진 놀라운 시들도 당시 전쟁에 대한 상당히 다른 인식을 보여준다. 만장일치 판결이 쉽지 않았던 전쟁 기간 동안 열린 군사재판 수 역시 마찬가지다. 30만 건 이상의 위반이 군사법정에서 처리되었다. 다른 방식으로 처리된 소소한 기강 해이 같은 일은 말할 것도 없다.[116]

대결의 중심지가 플랑드르의 참호 속과 솜의 공포 가운데 머물러 있었다는 사실 역시 놀라운 일이었다. 전쟁은 유럽 제국들을 전 세계에 흩어진 영토와 연결하는 네트워크(그곳들은 19세기 말과 20세기 초에 영국 정책 담당자들과 정치인들이 관심을 가졌다)에서 멀리 떨어진 곳에서, 페르시아, 중앙아시아 및 인도, 동아시아로 가는 관문에 만들어진 압박점과 먼 곳에서 일어났다. 그렇지만 임박한 대결은 수십 년 동안 예고된 것이었다. 영국은 그레이가 예견했듯이 러시아가 세르비아를 지원하려 애쓰는 것을 알고 있었다. 그는 불과 몇 년 전 이렇게 말했다.

"러시아에서 강한 슬라브 정서가 생겨나고 있습니다."

발칸 반도에서 러시아가 이 지역의 슬라브 정체성의 수호자로서 더 큰 역할을 해달라는 요구가 늘어나고 있음을 언급한 것이다.

"오스트리아와 세르비아 사이의 유혈 사태는 틀림없이 이를 위험한 수준으로 끌어올릴 것입니다."[117]

세계에 불을 지를 부싯깃이 여기에 있었다.

따라서 이런 상황에서 러시아가 세계의 나머지 나라들을 향해 성명을 발표할 준비를 하자 영국은 그 동맹자이자 경쟁자를 단호하게 지지할 수밖에 없었다. 그것이 많은 사람들을 혼란스럽게 했지만 말이다. 전쟁이 터지자 곧 전쟁시인으로 유명해지게 되는 루퍼트 브룩Rupert Brooke은 화를 참을 수 없었다. 그는 이렇게 썼다.

"모든 것이 완전히 거꾸로다. 나는 독일이 러시아를 박살내고 그런 뒤에 프랑스가 독일을 깨뜨리기를 원한다. (……) 러시아가 득세하면 유럽과 모든 품위는 종말을 고할 것이다."[118]

그는 누가 영국의 진정한 적인지에 대해 조금도 의심하지 않았다.

독일에 전쟁 책임 묻기

반대로 전쟁의 시작은 다시 독일에 대한 적대감의 증대를 의미했다. 1914년만이 아니라 전쟁이 전개되는 도중과, 소름 끼치는 4년이 지나고 평화협정이 맺어졌을 때도 말이다. 한 전쟁시인은 이렇게 썼다.

고색창연한 대학 건물들이

철부지 소년들이 노는 모습을 내려다본다.
하지만 나팔이 전쟁을 알리자
소년들은 놀이를 멈췄다.

옥스퍼드 대학의 '가지런히 깎은 잔디밭'을 포기하고 그 대신 '피로 물든 땅'으로 갔다.

그들은 즐거운 젊은 날을 바쳤다.
나라를 위해, 하느님을 위해.[119]

영국과 독일의 유대관계를 상찬하고 독일의 유명한 자손들에게 명예학위를 주었던 일은 금세 잊는 게 상책인 씁쓸한 기억이 되었다.

그러니 전쟁의 책임이 독일로 향한 것은 놀랄 일이 아니었다. 이론상으로 보나 사실적으로 보나 마찬가지였다. 베르사유 조약에 들어간 한 구절은 단정적으로 전쟁의 책임 소재를 밝히고 있다.

"연합국 및 관련국 정부들은 독일과 그 동맹국들의 공격으로 연합국 및 관련국들에게 강요된 전쟁의 결과로 그 정부와 국민들이 입은 모든 손실과 피해의 책임이 독일과 그 동맹국들에 있음을 확인하고 독일은 이를 인정한다."[120]

그 목적은 배상과 보상을 지불하는 근거를 마련하는 것이었다. 그러나 그 대신에 이는 반작용을 보장한 것이나 다름없었다. 한 노련한 선동가가 이용할 수 있는 비옥한 토양을 제공한 것이다. 그리하여 그는 잿더미에서 일어서는 강한 독일이라는 핵심적 기치를 내세워 국민 정서를 통합할 수 있었다.

승전국들은 명목과 희망으로만 승자일 뿐이었다. 4년이 지나는 사이에 영국은 세계 최대의 채권국에서 세계 최대의 채무국으로 바뀌었다. 프랑스 경제는 전쟁에 돈을 대느라 피폐해졌다. 그것이 나라의 노동력과 금융자원 및 천연자원에 엄청난 부담을 주었다. 한편 러시아는 "제국을 보호하기 위해 전쟁에 뛰어들었으나 제국의 파멸로 끝났다"[121]라고 한 학자는 말했다.

유럽 열강이 쇠퇴하자 세계는 다른 세력들에게 개방되었다. 연합국들은 농업 생산의 부족을 벌충하고 무기와 탄약 대금을 치르기 위해 수많은 약속을 하면서 J. P. 모건 같은 기업들에게 상품과 물자의 지속적인 공급을 보장해주도록 의뢰했다.[122] 이 신용 공급은 어느 모로 보나 400년 전의 아메리카 대륙 '발견' 이후에 그랬던 것과 똑같이 극적인 부의 재분배를 가져왔다. 돈은 금은덩이와 약속어음의 홍수라는 형태로 유럽에서 나와 미국으로 흘러들어갔다. 전쟁은 '구세계'를 파산시키고 '신세계'를 부자로 만들었다.

독일로부터 손실을 보전하려는 노력(현재 가치로 수천억 달러에 상당하는, 눈물이 날 정도로 불가능하게 높은 수준으로 책정되었다)은 필연적으로 닥칠 일을 막아보려는 처절하지만 소용이 없는 시도였다. 대大전쟁(1차 세계대전)은 참전국들의 국고를 깡그리 털었다. 그들은 서로를 파괴하려 애썼지만, 그 과정에서 스스로를 파괴했다.[123]

탄환 두 발이 프린치프의 브라우닝 연발 권총에서 발사될 때 유럽은 제국들의 대륙이었다. 이탈리아, 프랑스, 오스트리아헝가리, 독일, 러시아, 오스만, 영국, 포르투갈, 네덜란드와 심지어 1831년에야 세워진 작은 나라 벨기에까지도 세계 전역에서 광대한 영토를 지배하고 있었다. 충돌 순간에 그들을 지역 강자들로 되돌리는 과정이 시작되었다.

몇 년 사이에 서로의 요트에 타고 서로에게 거창한 훈장을 달아주던 황제들은 사라졌다. 해외 식민지와 속령들도 일부 사라졌다. 그리고 나머지 나라들은 독립을 향한 멈출 수 없는 전진의 과정으로 들어갔다.

4년에 걸쳐 아마도 1000만 명이 전투 과정에서 죽고, 500만 명 정도가 질병과 기근으로 죽었다. 연합국들과 중앙 동맹국들은 서로 싸우느라 2000억 달러 이상을 썼다. 유럽 각국의 경제는 유례없는 군비 지출에다 생산성 하락이 가중된 탓에 엉망진창이 되었다. 전쟁에 뛰어든 나라들은 적자를 기록하고 부채가 무서운 속도로 늘어났다. 그들이 감당할 수 없을 정도의 부채였다.[124]

400년 동안 세계를 지배해왔던 대제국들은 하룻밤 사이에 사라지지는 않았다. 그러나 그것은 종말의 시작이었다. 땅거미가 지기 시작했다. 어둠의 장막. 수백 년 전 그것을 걷고 유럽이 등장했는데, 이제 장막이 다시 내려지기 시작했다. 전쟁 경험은 충격적이었다. 그것은 실크로드와 그 부를 장악하는 일을 그 어느 때보다도 중요한 일로 만들었다.

석유의 길

검은 금을 찾아서

런던의 명문학교인 웨스트민스터스쿨에 다닌 윌리엄 녹스 다시William Knox D'Arcy의 학창 시절 친구들 가운데 그가 세계의 모습을 바꾸는 데 중요한 역할을 하리라고 생각한 사람은 별로 없었을 것이다. 특히 1866년 9월 새 학기가 시작되었는데도 그가 돌아오지 않았을 때는 말이다. 윌리엄의 아버지는 데번에서 불미스러운 일에 말려들어 파산을 하고 가족과 함께 오스트레일리아 퀸즐랜드 주 록햄프턴으로 이주하기로 결정했다. 이 한적한 마을에서 새로운 삶을 시작하려는 것이었다.

10대였던 그의 아들은 묵묵히, 그리고 부지런히 학업에 몰두하여 변호사 자격증을 따고 시간이 지나 자기 사무실을 냈다. 그는 안락한 삶을 영위하며 정직한 지역 사회 성원이 되었다. 록햄프턴 경마 클럽 회원으로 활동하면서 틈만 나면 사냥을 즐겼다.

1882년, 윌리엄은 행운을 만났다. 모건Morgan이라는 이름의 삼형제가 아이언스톤 산에서 금광을 개발하려 하고 있었다. 록햄프턴에서 40킬로미터 정도 떨어진 곳이었다. 그들이 광산회사를 차릴 투자자를 찾기 위해 지역 은행 지점장에게 상의하자, 지점장은 윌리엄 녹스 다시를 소개했다. 투자금에서 많은 수익이 나올 가능성에 흥미를 느낀 녹스 다시는 은행 지점장 및 양쪽이 다 아는 또 다른 친구와 함께 투자단을 구성하여 모건 형제의 계획에 투자했다.

모든 광산회사들이 처음에는 그렇듯이, 냉정한 판단이 필요했다. 노다지를 찾기까지는 엄청난 돈을 잡아먹기 때문이다. 모건 형제는 돈이 들어가는 속도에 놀라 겁을 집어먹고 자기네 지분을 세 동업자에게 팔았다. 그들은 정말로 좋지 않은 순간에 판 것이었다. 모건 산으로 개명한 그곳의 금 광상鑛床은 역사상 가장 큰 축에 속하는 것으로 판명되었다. 이 사업 지분의 가격은 2000배로 치솟았고, 10년이 지나는 사이 투자 수익률이 20만 퍼센트에 달했다. 3분의 1 이상의 지분을 소유한 녹스 다시는 오스트레일리아의 작은 도시 변호사에서 세계 최고의 부자 대열에 합류했다.[1]

오래지 않아 그는 짐을 싸서 의기양양하게 영국으로 갔다. 그는 런던 그로스브너스퀘어 42번지에 근사한 저택을 구입했고, 런던을 바로 벗어난 스탠모어홀에 있는 적당히 큰 농장을 샀다. 농장 저택을 개축하여 최고급 세간을 들여놓았고, 윌리엄 모리스가 세운 모리스 사에 실내장식을 맡겼다. 그는 에드워드 번존스에게 태피스트리 한 세트를 주문했는데, 짜는 데 4년이 걸렸다. 그 정도로 고급이었고, 아주 적절하게도 성배聖盃 찾기를 기념하는 장면이었다. 헤아릴 수 없는 보물을 발견한 것에 대한 적절한 암호였다.[2]

녹스 다시는 유복한 생활을 누리는 법을 알았다. 노퍽에 좋은 사냥터를 하나 세내고, 엡섬 경마장의 결승선 옆에 지정석을 예약했다. 런던의 국립 초상화미술관에 있는 두 점의 그림은 그의 특징을 완벽하게 포착하고 있다. 하나는 만족스러운 표정으로 편안하게 앉아 있는 모습이다. 넉넉한 허리는 그가 좋은 음식과 고급 포도주를 즐겼음을 드러내준다. 다른 하나는 친구와 자신의 사업 역정에 관한 이야기를 나누는 듯 몸을 앞으로 기울이고 있다. 그의 앞에는 샴페인 잔이 놓여 있고, 손에는 담배를 들고 있다.[3]

그의 성공과 이례적인 부 덕분에 그는 모건 형제처럼 투자자를 찾는 사람에게 꼭 만나야 할 인물이 되었다. 케타브치 한Ketābčī Khan도 그중 한 명이었다. 페르시아 행정부의 관리였던 그는 1900년 말께 전직 테헤란 주재 영국 특명전권공사 헨리 드러먼드-울프Henry Drummond-Wolff를 통해서 녹스 다시를 소개받았다. 그는 조지아 출신의 가톨릭교도였지만 페르시아에서 성공하여 관세청장까지 올랐고, 약방의 감초처럼 안 끼는 데가 없었다. 그는 경제를 자극하기 위해 외국에서 투자를 유치하는 몇 가지 시도에 관여하여 외국인들이 금융 분야와 담배 생산 및 유통 부문에서 직위를 가질 수 있도록 하는 문제를 협상하거나 협상을 시도하고 있었다.[4]

이런 일이 완전히 이타적이거나 애국적인 동기에서 이루어지는 것은 아니었다. 케타브치 같은 사람들은 합의가 이루어지면 그 연줄을 다른 일에 활용하여 넉넉한 보상을 받을 수 있다는 것을 알았다. 그들의 사업 분야는 돈이 되는 일에 열려 있었다. 이것은 런던, 파리, 상트페테르부르크, 베를린에서는 매우 짜증을 유발하는 원인이 되었다. 그곳의 외교관, 정치가, 기업인들은 페르시아의 작동 방식이 불투명하고 심하게 말해서 완전히 부패했다는 것을 알고 있었다. 나라를 현대화하려는 노력은 진전이 별로 없었고, 군대를 유지하고 중요한 행정적 역할을 수행하는 데서 외국인에게 의존하는 전통은 어느 모로 보나 실패로 끝났다.[5] 페르시아는 한 발 앞으로 나아갈 때마다 다시 한 발 뒤로 물러서는 듯했다.

통치 관료들은 계속 그런 식으로 행동하는 데 익숙해져 있었다. 샤와 그 주변에 있는 사람들은 떼를 쓰는 아이 같았다. 계속 버티다 보면 강대국들이 보상을 해줄 것이라고 배운 듯했다. 그 강대국들은 돈을 내놓지 않으면 이 전략적으로 중요한 지역에서 입지를 잃을까 두려워했다.

샤 모자파르 옷딘은 1902년에 영국을 방문했을 때 최고 훈장인 가터 훈장을 받지 못하자 다른 작은 훈장들을 죄다 거부한 채 매우 언짢은 기색을 보이며 이 나라를 떠났다. 그러자 다급해진 고위 외교관들이 내켜 하지 않는 에드워드 7세를 설득해서 샤가 돌아간 뒤 훈장을 수여하게 했다. 그러나 그런 뒤에도 이 '고약한 분'은 작은 사고를 불러왔다. 샤는 수여식 때 입어야 하는 반바지를 가지고 있지 않았던 것이다. 결국 한 수단 좋은 외교관이 긴바지를 입고 훈장을 받은 수훈자가 있다는 선례를 찾아냄으로써 문제를 해결했다. 페티-피츠모리스 외무부 장관은 나중에 이렇게 투덜거렸다.

"가터 훈장 사건은 정말 악몽이었습니다."[6]

사실 페르시아에서 일이 성사되게 하려고 뇌물을 주는 관행이 야비해 보이지만, 19세기 말과 20세기 초에 권부와 유럽의 주요 금융 중심지에서 활동하던 페르시아인들은 장사를 하러 먼 거리를 여행한 고대의 소그드 상인이나 근대 초기에 비슷한 역할을 했던 아르메니아인, 유대인과 다를 바가 없었다. 차이라면 소그드인들은 팔려는 물건을 가지고 가야 했지만 후대의 그 친구들은 서비스와 연줄을 팔았다는 점이다. 이런 것들은 상당한 보상을 얻을 수 있다는 바로 그 이유 때문에 상품화되었다. 찾는 사람이 없었다면 사태는 틀림없이 다르게 전개되었을 것이다.

사실 동방과 서방 사이에 있어 페르시아만 및 인도를 아라비아반도 남단 및 아프리카의 뿔과 연결하고 수에즈 운하에 접근할 수 있는 페르시아의 위치는 비용이 비싸도 구애를 할 수밖에 없는 요인이었다. 비록 이를 갈면서 할망정 말이다.

석유에 관한 무제한의 권리

케타브치가 드러먼드-울프에게 접근하여 "최상위 계층 자본가"로 표현된 녹스 다시를 소개받았을 때 그가 바라보고 있었던 것은 페르시아의 담배나 금융 분야가 아니라 광물자원이었다. 그리고 녹스 다시는 그런 이야기를 꺼내기에 완벽한 대상이었다. 그는 전에 한 번 오스트레일리아에서 금광을 캤었다. 케타브치는 그에게 다시 한 번 돈 벌 기회를 주겠다고 제안했다. 이번에 걸려 있는 것은 '검은 금'이었다.[7]

페르시아에 상당한 석유 광상이 있다는 것은 결코 비밀이 아니었다. 고대 말기 동로마 작가들은 '메디아 화염'의 위력에 대해 자주 썼다. 북부 페르시아의 지표로 흘러나온 것이었을 가능성이 큰 석유로 만든 물질이다. 이는 동로마인들이 흑해 지역의 유출물로 만든 가연성의 '그리스 화염'과 비교할 만한 것이었다.[8]

1850년대에 이루어진 첫 번째 지질 조사는 상당한 자원이 지표 아래에 있음을 암시했고, 돈을 벌 수 있다는 전망에 이끌린 투자자들에게 여러 가지 이권이 제공되었다. 이때는 캘리포니아 골드컨트리Gold

Country(19세기 골드러시 시대에 캘리포니아 북부의 금광 지대를 일컫던 말—옮긴이)에서 남아프리카의 비트바테르스란트 분지에 이르기까지 전 세계가 운 좋은 탐사자들에게 그 보물을 토해내는 것처럼 보이던 시기였다.[9]

로이터 통신의 창업자인 폴 로이터Paul Reuter 남작은 페르시아로 간 사람이었다. 1872년에 그는 이 나라 전역의 "석탄, 철, 구리, 납, 석유 광상"에서 무엇이든 채굴할 수 있는 "독점적이고 절대적인 특권"을 얻었다. 아울러 도로 건설과 공공사업, 기타 기반시설 공사를 할 수 있는 선택권도 얻었다.[10]

이런저런 이유로 이 일은 모두 허사로 돌아갔다. 면허를 주는 데 대해 현지인들이 격렬하게 반발했기 때문이다. 자말 앗딘 알아프가니Jamal ad-Din al-Afghani 같은 대중영합적인 인물들은 "정부의 고삐를 이슬람의 적에게 넘겨주었다"라고 개탄했다. 한 목소리 큰 비판자는 이렇게 썼다.

"이슬람 왕국들은 곧 외국인들의 손에 넘어갈 것입니다. 그들은 거기서 자기들이 내키는 대로 지배하고, 하고 싶은 대로 할 것입니다."[11]

또한 국제적인 압력도 있었다. 이에 따라 로이터에게 주었던 이권은 부여된 지 겨우 1년 만에 무효로 선언되었다.[12]

그렇지만 로이터는 1889년에 두 번째 이권에 합의했다. 그는 귀금속을 제외하고 페르시아의 모든 광물자원에 대한 권리를 소유하게 되었다. 샤와 그의 핵심 관료들에게 상당한 돈을 '증여'한 대가였다. 이와 함께 미래의 수익에서 특허권료도 내기로 합의했다. 그러나 이는 지정된 기한인 10년 안에 상업성을 갖춘 물량으로 개발할 수 있는 석유를 발견하려는 노력이 실패로 끝나면서 소멸되었다.

한 지도급 영국 기업가가 표현한 대로, 이곳에서의 생활은 "나라의 후진성과 통신 및 수송의 부재"로 인해 더 쉬워질 수 없었고, "페르시아 정부 고위 관료들의 직접적인 적대와 반대와 격노"[13]로 인해 더 나빠졌다. 또한 런던에서는 아무런 동정의 목소리도 나오지 않았다. 이 지역에서 사업을 하는 것은 위험하다고 한 내부 문건은 적었다. 일이 유럽에서 그랬던 것처럼 돌아가리라고 생각한 사람이 있다면 그는 매우 어리석은 사람이었다. 기대했다가 실망만 했다면 "그것은 오롯이 그의 잘못"이라고 이 문건은 냉담하게 말했다.[14]

그럼에도 불구하고 녹스 다시는 케타브치의 제안에 구미가 당겼다. 그는 거의 10년 동안 이 나라를 조사해온 프랑스 지질학자들의 조사 결과를 공부하고 보버턴 레드우드Boverton Redwood 박사에게 자문했다. 박사는 영국의 일급 석유 전문가이며, 석유 생산과 안전한 저장, 수송과 유통, 석유 및 그 부산물의 이용에 관한 편람들을 썼다.[15] 그러는 동안 케타브치는 그런 연구는 할 필요가 없다고 드러먼드-울프에게 확언하며 이렇게 주장했다.

"우리 눈앞에는 헤아릴 수 없는 부의 원천이 있습니다."[16]

녹스 다시는 자신이 읽고 들은 것에 상당한 흥미를 느끼고, 샤로부터 이권을 따내는 일을 도와줄 사람들과의 거래에 나섰다. 로이터의 대리인으로 일했고 따라서 페르시아 궁정 사람들에게 낯익은 얼굴이었던 에두아르 코트Edouard Cotte와 바로 케타브치였다. 드러먼드-울프 역시 일이 성공하면 더 많은 보상을 해주기로 약속했다. 그런 뒤에 녹스 다시는 이 프로젝트에 대한 승인을 얻기 위해 외무부와 접촉했고, 정식으로 자신의 대리인 앨프리드 매리엇Alfred Marriott에게 공식 소개 편지를 들려 테헤란으로 보내 협상을 개시하도록 했다.

편지는 그 자체로서는 별로 가치가 없었다. 그저 소지자가 필요로 하는 도움을 제공해달라고 요청하는 내용이었다. 다만 신호가 잘못 해석될 수 있는 세계에서 외무부 장관의 서명은 강력한 도구였다. 녹스 다시의 계획을 영국 정부가 지원하고 있음을 시사하는 것이기 때문이다.[17] 매리엇은 페르시아 궁정을 놀란 눈으로 바라보았다. 그는 자신의 일기에 이렇게 썼다.

"[옥좌는] 다이아몬드, 사파이어, 에메랄드로 뒤덮여 있었고, 보석으로 치장한 새(공작은 아니었다)가 옆에 서 있었다."

적어도 그는 샤가 "엄청나게 멋져 보였다"[18]라고 쓸 수 있었다.

사실 일을 수행한 사람은 케타브치였다. 한 보고에 따르면 그는 "아주 철저하게 샤의 주요 대신들과 측근들의 지지"를 확보하는 데 성공했으며, "심지어 폐하의 담뱃대와 아침 커피를 대령하는 시종까지도" 잊지 않고 챙겼다. 그들에게 돈을 먹였다는 말이다. 녹스 다시는 일이 잘 돌아가고 있다는 보고를 받았다. 석유 이권을 "페르시아 정부가 허락해줄" 것으로 보였다.[19]

서면 협정서를 얻는 과정은 우여곡절이 많았다. 예기치 못한 장애가 불쑥 튀어나오는 바람에 런던으로 전보를 쳐서 녹스 다시의 조언을 청해야 했다. 그리고 추가로 드는 돈에 대한 재가도 받아야 했다.

"이것을 승인하시는 게 좋겠습니다. 거절하시면 일을 그르치게 될 것 같습니다."

매리엇이 이렇게 역설하자 다음과 같은 답장이 왔다.

"일이 잘 돌아갈 수 있다면 무엇이든 거리끼지 말게."[20]

녹스 다시는 기꺼이 돈을 쓸 용의가 있으며, 원하는 것을 얻기 위해서 필요한 일은 무엇이든 하겠다는 뜻을 밝혔다. 언제 새로운 요구가 나올지, 그리고 누가 진짜 수혜자가 되는지에 대한 약속이 언제 이루어질지에 대해서는 알 도리가 없었다. 비밀리에 진행되는 협상에 대해 러시아인들이 낌새를 챘다는 소문이 들렸고, 그들을 따돌리기 위해 거짓 흔적을 남겼다.[21]

그러던 중 예고도 없이 샤가 협정에 서명했다는 소식이 들어왔다(매리엇이 테헤란에서 한 만찬에 참석하고 있을 때였다). 현금 2만 파운드와 회사가 설립될 때 역시 2만 파운드어치의 주식, 그리고 연간 순익의 16퍼센트를 특허권료로 받는 대신에, 형식적인 문구로 "런던 그로스브너스퀘어 42번지에 사는 먹고살 재산이 있는" 남자 녹스 다시에게 포괄적인 권리가 주어졌다.

"페르시아 제국 전역에서 60년 동안 천연가스, 석유, 아스팔트, 지랍地蠟을 탐사하고 채굴하고 개발하고 정제하고 교역에 적합하게 가공하고 운송하고 판매하는 특수하고 배타적인 권리."

이와 함께 그는 파이프라인을 부설하고 저장 시설과 정제 공장, 사업소, 펌프 설비 등을 건설할 수 있는 배타적인 권리를 얻었다.[22]

이어 발표된 칙령은 녹스 다시와 "그의 모든 상속자, 그가 지정한 사람, 친구들"에게는 "60년 동안 페르시아 영토의 땅속을 원하는 대로 탐사하고 파고 뚫을 수 있는 전적인 권리와 무제한의 자유"가 주어졌다고 선언했다. 그리고 "이 신성한 왕국의 모든 관리들"에게 "우리 훌륭한 궁정의 지원"을 받는 이 사람을 도와줄 것을 부탁했다.[23] 그는 왕국의 열쇠를 넘겨받았다. 이제 문제는 그가 자물통을 찾을 수 있느냐였다.

테헤란의 경험 많은 관측통들은 확신하지 못했다. 페르시아 주재 영국 공사 아서 하딩은 "그의 대리인들이 믿는 대로 석유가 발견"된다하더라도 커다란 난관들이 앞에 놓여 있다고 적었다. 그는 이어 이런 점은 기억할 만하다고 말했다.

"페르시아 땅은 거기에 석유가 묻혀 있든 그렇지 않든, 근년에 희망에 찼던 너무 많은 계획이 망가졌다가 상업적·정치적으로 다시 살아났기 때문에 이 최근 사업의 미래를 예견하는 것은 무모한 일일 것입니다."[24]

아마도 샤 역시 도박을 하고 있었는지도 모른다. 이 일에서 무슨 결과가 나올 가능성은 별로 없고 자신은 그저 전에 해왔던 대로 선불금이나 받아먹으면 된다고. 이 시기에 페르시아의 경제 상황이 심각했던 것은 틀림없는 사실이었다. 정부는 예산 부족에 직면해 있었고, 위태롭고 걱정스러운 적자가 발생했다. 그래서 원칙을 접어둔 채 녹스 다시의 커다란 주머니에서 돈을 꺼내올 필요가 있었다.

이때는 또한 영국 외무부가 극심한 불안에 시달리던 시기여서 이 새로운 이권에 관심을 기울이지 못했다. 그들은 페르시아가 1차 세계대전이 일어나기 전 몇 년 동안 영국에, 그리고 우려스럽게도 러시아에 교섭을 제의하고 있는 쪽에 더 주력했다.

러시아는 녹스 다시가 채굴권을 따냈다는 소식에 부정적인 반응을 보였다. 실제로 그들은 이 일을 거의 무산시킬 뻔했다. 차르는 샤에게 개인적인 전문을 보내 일을 더 이상 진척시키지 말라고 촉구했다.[25] 녹스 다시는 러시아의 기분을 상하게 할까 봐 매우 우려하며, 북부 지방에서의 권리를 특별히 제외하도록 지시했다. 페르시아의 강력한 북쪽 이웃의 심기를 건드리지 않으려는 것이었다.

영국의 관점에서는 러시아가 샤와 그의 관리들에게 그 어느 때보다도 더 고분고분해져 손실에 대해 지나친 보상을 받는 것이 걱정이었다.[26] 테헤란의 하딩 공사가 페티-피츠모리스 장관에게 경고했듯이, 의미 있는 양의 석유가 나온다면 부여받은 이권은 "정치적이고 경제적인 결과들로 뒤얽힐" 터였다.[27] 진실을 가릴 수는 없었고, 페르시아만 지역에서 영향력과 자원을 얻기 위한 경쟁은 점차 격화되었다.

석유 발견 이후 요동치는 정세

단기적으로 사태는 잠잠해지고 있었다. 대체로 녹스 다시의 프로젝트가 실패로 끝날 것처럼 보였기 때문이다. 작업은 속도가 나지 않았다. 기후 조건이 나쁘고, 종교 축제가 잦았으며, 굴착기와 천공기 등 기계 고장이 잦아 사기를 떨어뜨렸다. 노골적인 적의도 드러났다. 임금에 대한 불만, 작업 방식에 대한 불만, 고용된 소수 현지인들에 대한 불만 등등. 그리고 돈으로 해결해야 하는 현지 부족민들과 관련된 문제도 끝이 없었다.[28] 녹스 다시는 진전은 없고 돈만 계속 들어가자 더욱 초조해졌다. 그는 채굴권을 따낸 지 1년이 안 된 시기에 천공 팀에게 전보를 쳤다.

"너무 지체되고 있소. 제발 서둘러주시오."[29]

일주일 뒤에 그는 또 전문을 보냈다.

"유정油井을 찾아냈소?"

그는 실망감 속에서 수석 기술자에게 물었다. 업무 일지에는 영국에서 많은 양의 파이프, 튜브, 삽, 강철, 모루와 소총, 권총, 탄약까지 수송된 사실이 적혀 있었다. 1901~1902년의 봉급 명세서 또한 자금이 갈수록 많이 지출되고 있음을 보여주었다. 녹스 다시는 돈을 모래 속에 파묻고 있는 심정이었을 것이다.[30]

그도 초조했지만 거래 은행인 로이즈 은행 역시 쓸 수 있는 자금이 무한하다고 생각했던 사람의 당좌대월 규모가 갈수록 늘어나자 당황했다.[31] 열심히 일하고 많은 비용을 들였음에도 가시적인 성과가 거의 없는 것은 심각한 문제였다. 녹스 다시는 다른 투자자들을 설득해서 이 사업 주식을 사게 함으로써 현금 흐름에 대한 압박을 덜고 일을 계속 추진할 자금을 마련할 필요가 있었지만 그럴 수 없었다. 그의 작업 팀은 석유를 발견할 수 있다는 긍정적인 징표를 만들어내고 있었다. 그러나 그에게 필요한 것은 큰 유전의 발견이었다.

녹스 다시는 갈수록 절박해져서 투자 가능성이 있는 사람들이나 심지어 자신의 채굴권을 살 사람들의 의사를 타진했다. 그는 알퐁스 드 로쉴드 Alphonse de Rothschild 남작을 만나기 위해 프랑스 칸으로 갔다 (남작의 가족은 이미 바쿠의 석유 사업에 상당한 관심을 보이고 있었다).

이것이 런던에서 경종을 울렸다. 특히 이는 영국 해군의 관심을 끌었다. 존 피셔 John Fisher 해군 참모총장은 해군 전투력과 바다 지배의 미래는 연료를 석탄에서 석유로 바꾸는 데 달려 있다는 믿음의 전도사가 되었다. 그는 1901년 한 친구에게 이렇게 썼다.

"석유 연료는 해군 전략에 엄청난 혁명을 일으킬 것이오. 그것은 '깨어나라, 영국!'의 한 사례요."[32]

결정적인 발견을 끌어내는 데는 실패했지만, 모든 증거들은 페르시아가 중요한 석유 산지가 될 가능성이 있음을 시사했다. 만약 영국 해군이 독점적으로 사용할 수 있도록 확보한다면 더욱더 좋은 일이었다. 그리고 그러한 자원의 통제권을 외국인의 손에 넘기지 않는 것이 긴요했다.

해군본부는 녹스 다시가 버마에서 상당한 성공을 거둔 바 있는 한 스코틀랜드 석유회사와 협정을 맺도록 중개에 나섰다. 1905년, 해군에 매년 5만 톤의 석유를 공급하는 계약을 제안받은 뒤 버마 석유회사 경영진은 컨세션스 신디케이트로 이름을 바꾼 녹스 다시 회사의 다수 지분을 인수하기로 결정했다. 그런 결정을 내린 것은 국가를 위한 의무감에서가 아니라 합리적인 다각화 전략의 일환이었고, 또한 그들의 실적이 더 많은 자본을 동원할 수 있을 만큼 좋았기 때문이다.

녹스 다시는 이를 통해 자신이 얻은 조건이 "다른 어떤 회사에서 얻을 수 있었던 것보다 좋았다"고 쓸 정도로 안도의 한숨을 내쉬었지만, 성공하리라는 보장은 없었다. 여전히 회의적인 테헤란의 영국 공사가 본국에 보내는 보고서에서 냉담하게 썼듯이 말이다. 석유를 발견하는 것과 별개로 집요한 갈취 시도를 처리해야 했다.[33]

새로운 동업자가 합류했지만 이후 3년 동안에도 성과는 별로 없었다. 시추공은 뚫었지만 성과를 내는 데는 실패했고, 비용은 주주들의 돈을 갉아먹고 있었다. 1908년 봄이 되자 버마 석유회사 경영진은 페르시아에서 완전히 철수하는 문제를 공개적으로 언급했다.

1908년 5월 14일, 그들은 현장 작업 책임자인 조지 레이놀즈George Reynolds(그의 동료 한 사람은 그를 성실하고 단호하며 "단단한 영국 오크나무"로 만들어진 것 같다고 평가했다)에게 작업 중단을 준비하라는 전갈을 보냈다. 그는 마스제드솔레이만에 만들어진 두 개의 시추공에서 500미터 깊이의 구멍을 뚫으라는 지시를 받았다. 석유가 발견되지 않으면 "작업을 포기하고 마무리를 해서 설비를 가능한 한 많이 회수해서" 버마로 실어 보내야 했다. 그곳에서 더 요긴하게 쓰일 터였다.[34]

이 편지가 유럽과 레반트와 페르시아의 우편망을 지나는 동안 레이놀즈는 작업이 중단될 날이 코앞에 다가온 줄도 모른 채 자신이 맡은 일을 하고 있었다. 그의 팀은 천공 작업에 매달려 드릴 날이 튕겨져 나갈 만큼 단단한 바위를 억지로 뚫어내고 있었다. 드릴 날은 며칠 동안 구멍 속에 빠져 있던 것을 찾아내 다시 장착했다. 5월 28일 새벽 4시, 석유 주맥主脈을 때렸고, '검은 금'이 하늘 높이 치솟았다. 그것은 엄청난 발견이었다.[35]

그곳의 경비 책임을 맡고 있던 영국 육군의 아널드 윌슨 중위는 본국에 암호 전문을 보내 이 소식을 전했다. 내용은 간단했다.

"〈시편〉 104편 15절 두 번째 문장을 볼 것."[36]

이 구절은 선한 하느님이 땅에서 기름을 내어 얼굴을 기쁨으로 빛나게 했다고 찬미하는 내용이다. 이 발견은 영국에 엄청난 보상을 약속했다고 그는 자신의 아버지에게 썼다. 아울러 "점잖은 모자를 쓴 경영진들의 곱지 않은 시선에도 불구하고 (……) 이 견디기 힘든 기후에서 그렇게 오래 버텨낸" 기술자들에게도.[37]

1909년 채굴권을 관리하는 회사인 앵글로-페르시아 석유(APOC)로 몰려가서 주식을 받은 투자자들은 마스제드솔레이만의 첫 번째 유정은 빙산의 일각일 뿐이며 장래에 높은 수익을 낼 것이라고 기대했다. 당연히 석유 수출을 위한 기반시설을 건설하려면 시간과 돈이 들터였고, 새로운 시추공을 뚫어 새 유전을 발견하기 위해서도 마찬가지였다.

현지에서 일을 매끄럽게 진행하는 일도 쉽지 않았다. 아널드 윌슨은 "자기 생각을 표현할 수 없는" 영국인들과 "언제나 자기 생각과는 다르게 표현하는 페르시아인들" 사이의 문화적 차이를 메우는 데 시간을 보내야 했다고 투덜거렸다. 영국인들은 계약이 법적 효력을 갖는 합의라고 보지만 페르시아인들은 그저 의향을 표현한 것일 뿐이라고 생각한다고 그는 단언했다.[38]

그럼에도 불구하고 첫 번째 유전과 샤트알아랍 강의 아바단 섬을 잇는 파이프라인이 곧 건설되었다. 아바단은 정제 및 수출 중심지가 들어설 곳으로 선택되었다. 그 파이프라인이 페르시아에서 나는 석유를 페르시아만으로 실어 나르고, 그곳에서 배에 실어 유럽으로 수송한 뒤 팔게 되는 것이다. 이 시기에 유럽의 에너지 수요는 급증하고 있었다. 이 파이프라인은 매우 상징적이었다. 아시아를 이리저리 연결하는 파이프라인 망의 첫 번째 줄기였기 때문이다. 그것은 옛 실크로드에 새로운 형태와 새로운 생명을 부여했다.

문제가 생겨나고 있었다. 석유 발견으로 1901년에 샤가 서명한 문서는 20세기의 가장 중요한 문건 가운데 하나가 되었다. 그것이 수십억 달러짜리 사업으로 성장하는 바탕이 되었을 뿐 아니라(앵글로-페르시아 석유회사는 나중에 브리티시 석유회사BP가 되었다), 정치적 혼란의 길도 열어놓았기 때문이다. 이 협정 조항들로 페르시아 국가의 보물에 대한 통제권이 외국인 투자자들에게 넘어갔다는 사실은 외부 세계에 대한 뿌리 깊고도 지긋지긋한 증오로 이어졌고, 이는 다시 민족주의를 촉발했으며, 마침내 서방에 대한 심각한 의구심과 거부감을 낳았다. 가장 전형적인 것이 오늘날의 이슬람 근본주의다. 석유 통제권을 차지하려는 욕구는 장래에 많은 문제들의 원인이 된다.

인간적인 수준에서 녹스 다시가 채굴권을 따낸 것은 놀라운 사업 감각이자 불가능에 도전하여 이뤄낸 성공이었다. 이 사건이 세계에서 차지하는 중요성은 1492년 콜럼버스가 대서양을 건너 아메리카를 '발견'한 일과 맞먹는다. 당시에도 막대한 보물과 재산들이 콩키스타도르들에 의해 수탈되어 유럽으로 보내졌다. 같은 일이 다시 일어났다.

그 한 원인은 피셔 제독과 영국 해군이 기울인 세심한 관심이었다. 그들은 페르시아의 상황을 면밀하게 관찰했다. 1912년 앵글로-페르시아 석유의 현금 흐름에 문제가 생기자 피셔가 재빨리 나서서 로열더치셸 같은 생산자들이 지분을 인수하도록 영향을 미쳤다. 이들은 네덜란드령 동인도의 기존 네트워크를 바탕으로 상당한 생산 및 유통망을 구축하고 있었다.

피셔는 스타 정치인으로 떠오르고 있던 해군부 장관 처칠을 만나러 갔다. 해군 전함의 엔진에 사용되는 연료를 석탄에서 석유로 바꾸는 일의 중요성을 강조하기 위해서였다. 석유는 미래라고 그는 단언했다. 많은 양을 저장할 수 있고 값도 쌌다. 가장 중요한 점은 그것이 배를 더 빨리 움직이게 한다는 것이었다. 해상 전투는 "오로지 상식이 좌우한다"라고 그는 말했다.

"우리가 원하는 때에, 우리가 원하는 장소에서, 우리가 원하는 방식으로 싸울 수 있기 위해 가장 먼저 필요한 것은 속도다."

그것이 영국 군함들로 하여금 적선에 대해 전술적 우위를 차지할 수 있도록 하고, 전투에서 결정적인 우세를 가져다줄 것이라고 했다.[39] 처칠은 피셔의 말을 이해했다.

석유로 바꾸면 영국 해군의 힘과 효율성이 "절대적으로 높은 수준"으로 향상되어 "군함의 성능이 좋아지고, 승무원들의 능력이 나아지며, 경제성이 더 높고, 전투 능력이 더 강해진다"는 것이다. 처칠이 말했듯이 앞으로 바다의 지배는 석유에 달려 있다는 말이었다.[40]

국제 문제에서 압박이 생겨나고 유럽에서든 다른 곳에서든 어떤 형태로든지 대결이 벌어질 가능성이 점점 높아지던 시기에, 어떻게 하면 이런 이점을 확보하고 활용할 수 있을지에 대한 모색이 이루어졌다. 1913년 여름, 처칠은 '제국 해군에 대한 석유 연료 공급'이라는 제목의 문서를 내각에 제출했다. 해법은 여러 생산자로부터 미리 연료를 사는 것이고, 심지어 "믿을 만한 공급처의 지배 지분"을 확보하는 것도 고려해야 한다고 그는 주장했다. 이어진 토론에서 명확한 결론은 내려지지 않았고, 다만 다음과 같은 합의만 이루어졌다.

"해군은 가장 광범위한 가능 지역에서 가장 다양한 공급자로부터 (……) 석유 공급을 확보해야 한다."[41]

한 달도 지나지 않아서 사태가 변했다. 애스퀴스Herbert Henry Asquith 총리와 각료들은 이제 장래에 석유가 "절대적으로 필요"하다는 것을 믿게 되었다. 이에 따라 그는 정례 현안 보고에서 국왕 조지 5세에게, 정부는 "믿을 만한 공급원"을 확보하기 위해 앵글로-페르시아 석유회사의 지배 지분을 인수할 것이라고 말했다.[42]

처칠은 자신의 주장을 옹호하기 위해 목소리를 높였다. 석유 공급을 확보하는 것은 해군에만 관계된 일이 아니라 영국의 미래를 보호하는 일이라고 했다. 제국의 성공을 떠받친 것은 석탄이라고 보았지만, 더욱 기대야 할 곳은 석유였다. 그는 1913년 7월 의회에서 이렇게 말했다.

"우리가 석유를 얻지 못하면 우리는 옥수수를 얻을 수 없고, 면화를 얻을 수 없습니다. 그리고 대영제국의 경제적 에너지를 보존하는 데 필요한 수많은 상품을 얻을 수 없습니다."

전쟁이 터질 경우를 대비하여 비축을 늘려야 했다. 그러나 공개시장 역시 믿을 수 없었다. 그것이 투기꾼들의 활동 때문에 '공개적인 놀림감'이 되어가고 있었기 때문이다.[43]

따라서 앵글로-페르시아 석유회사는 많은 문제들에 대한 해법을 제공해줄 듯했다. 그 채굴권은 "아주 탄탄했고" 충분한 자금도 뒷받침되어 "거대한 규모로 발전"될 수 있었다(전직 해군 정보국장이자 이 회사에 대한 조사를 맡은 특별위원회 대표 에드먼드 슬레이드 Edmond Slade 제독의 말이었다). 이 회사의 통제권을 장악하고 이에 따라 석유 공급을 확보하는 것은 해군에게는 하늘이 준 선물이 될 터였다. 중요한 것은 "아주 합리적인 가격"[44]에 다수 지분을 확보하는 것이라고 슬레이드는 결론지었다.

앵글로-페르시아 석유회사와의 협상은 빠르게 진행되었다. 영국 정부는 1914년 여름, 지분의 51퍼센트를 사들였다. 그리고 이와 함께 사업 운영을 통제할 수 있게 되었다. 처칠은 하원에서 열변을 토해 압도적인 찬성을 이끌어냈다. 이렇게 해서 영국의 정책 담당자와 전략가와 군부는 미래의 어떤 무력 충돌에서도 필수적이 될 석유 자원을 확보했다는 사실에 안도했다. 그로부터 11일 뒤 프란츠 페르디난트 대공이 사라예보에서 암살당했다.

전쟁으로 확대되는 일을 둘러싸고 벌어지는 소란스러운 움직임 속에서, 영국이 에너지 수요를 대비하기 위해 취한 조치의 중요성은 간과되기 쉽다. 한 가지 이유는 막후에서 어떤 거래가 있었는지 아는 사람이 별로 없었다는 점이다. 영국 정부는 앵글로-페르시아 석유회사의 다수 지분을 매입한 것과 동시에 자국 해군에 20년 동안 석유를 공급한다는 비밀 조항에도 합의했기 때문이다.

이에 따라 1914년 여름에 영국 군함들은 독일 해군과 대치가 길어질 경우에도 급유 문제를 걱정하지 않아도 되었다. 연료를 석유로 바꿈으로써 영국 배들은 적선들보다 더 빠르고 더 강해질 수 있었다. 가장 큰 이점은 배들이 바다에 오래 머물 수 있다는 점이었다. 1차 세계대전 휴전에 합의한 지 2주도 채 안 된 1918년 11월, 전시 내각의 일원이었던 조지 커즌이 한 만찬 석상에서 참석자들에게 한 말은 충분한 근거가 있었다.

"연합국의 대의는 석유의 파도를 타고 승리를 거두었습니다."

프랑스의 한 중진 상원의원도 기쁨에 넘쳐 동의했다. 독일은 철과 석탄에 관심을 집중했고 석유에는 신경 쓰지 않았다고 말했다. 석유는 땅의 피이고 그것은 승리의 피라고 그는 말했다.[45]

여기에는 어떤 진실이 있다. 군사사가들은 플랑드르의 학살 현장에 관심을 집중하지만, 아시아의 중심부에서 일어난 일은 1차 세계대전의 결과에 상당한 의미를 지니고 있었다. 그리고 그 이후의 시기에 대해서는 더욱 중요한 의미를 지니고 있었다.

오스만-독일 동맹

벨기에와 북부 프랑스에서 첫 총성이 울리자 오스만은 유럽에서 격화되고 있는 대결에서 어떤 역할을 해야 할지 고심했다. 술탄은 제국이 전쟁에 끼어들지 말아야 한다는 확고한 입장이었으나, 다른 목소리 큰 사람들은 전통적으로 가까웠던 독일과 동맹을 맺는 것이 최선의 방침이라고 주장했다. 유럽의 강국들이 서로 최후통첩을 하고 선전포고를 하느라 바쁜 동안에 변덕스러운 오스만의 군사부 장관 이스마일 엔베르 İsmail Enver 파샤는 바그다드에 있는 육군사령부의 사령관에게 연락해서 만일의 사태에 대비하라고 지시했다. 그는 이렇게 썼다.

"영국과의 전쟁이 이제 가시권에 들어와 있소."

그는 이어 충돌이 일어나면 아랍 지도자들은 떨쳐 일어나 성전에서 오스만군을 지원해야 한다고 말했다. 페르시아의 무슬림 주민들은 "러시아와 영국의 지배"[46]에 저항해 혁명을 일으켜야 한다고 했다.

이런 맥락에서 전쟁이 시작되고 몇 주 이내에 봄베이에 있던 영국군 1개 사단이 아바단과 송유관, 그리고 유전을 지키기 위해 이곳에 파견된 것은 놀랄 일이 아니었다. 이렇게 해서 전략적으로 민감한 바스라 마을은 1914년 11월 영국에 의해 점령되었다. 부대를 이끌고 온 퍼시 콕스Percy Cox는 국기 게양식에서 마을 주민들에게 이렇게 말했다.

"이곳에는 오스만 행정의 자취가 전혀 남아 있지 않습니다. 그 대신에 영국 국기가 세워졌습니다. 이 깃발 아래서 여러분은 자유와 정의의 혜택을 누릴 것입니다. 종교적인 문제나 세속적인 문제 모두 마찬가지입니다."[47]

현지인들의 관습이나 신앙은 거의 문제가 되지 않았다. 중요한 것은 이 지역의 천연자원에 대한 접근을 보장하는 것이었다.

영국인들은 페르시아만 지역에 대한 장악력이 미약함을 인식하고 아랍 세계의 지도급 인사들에게 접근했다. 메카의 샤리프(귀족)인 후세인 이븐 알리Ḥusayn ibn ʿAli도 그 가운데 하나였는데, 그에게는 솔깃한 거래를 제안했다. 후세인과 "전체 아랍인들"이 오스만에 맞서 영국을 지원하면 영국은 "모든 외국 세력의 공격, 특히 오스만의 공격에 맞서 샤리프 정권의 독립과 권리와 특권을 보장할 것"이라고 했다. 이게 전부가 아니었다. 더욱 군침이 도는 보상물이 제공되었다. 아마도 "진짜 혈통의 한 아랍인이 메카나 메디나에서 칼리프 자리에 오를 것"이라고 한 그때가 온 듯했다. 성스러운 도시 메카의 수호자이자 쿠라이시 부족의 일원이며 선지자 무함마드의 증조부 하심 이븐 압드 마나프의 자손인 후세인을 황제 자리에 올려주겠다고 했다. 영국을 지원해주는 대가로 말이다.[48]

영국인들은 정말로 그러겠다는 것은 아니었고, 그렇게 해줄 능력도 없었다. 그러나 1915년 초부터 상황이 악화되자 후세인을 감언이설로 꿸 준비를 했다. 이는 유럽에서 빠른 승리를 얻어내지 못했기 때문이기도 했다. 그것은 또한 오스만이 페르시아만에 있는 영국의 거점을 반격하기 시작했기 때문이었다. 그리고 우려스럽게도 이집트에서도, 동방에서 오는 배들이 아프리카를 돌아서 가는 것보다 몇 주 빨리 유럽에 도달할 수 있는 간선로에 위치한 수에즈 운하를 위협하고 있었다. 오스만의 자원과 관심을 다른 곳으로 돌리기 위해 영국은 병력을 동부 지중해 지역에 상륙시켜 새로운 전선을 열기로 결정했다. 이런 상황에서 연합군이 받는 압박을 덜어줄 세력이 있다면 그들과 협상하는 것은 당연한 일로 보였다. 그리고 먼 미래에 지불하게 될 보상이라면 지나친 약속을 하기 십상이었다.

영국과 러시아의 거래

런던은 러시아의 부상에 대해서도 비슷한 계산을 했다. 전쟁의 공포는 금세 분명해졌지만, 영국의 몇몇 영향력 있는 사람들은 전쟁이 너무 빨리 끝날까 봐 우려했다. 총리를 지낸 아서 밸푸어는 독일이 빠르게 제압되면 러시아의 야망을 부채질하여 그들이 더욱 위험한 존재가 되지 않을까 우려했다. 인도가 위태로워질 정도로 말이다. 또 다른 걱정도 있었다. 밸푸어는 러시아의 한 연줄 좋은 로비스트가 독일과 협상하기 위해 움직이고 있다는 소문을 들었다. 그가 생각하기에 이는 전쟁에 지는 것만큼이나 참담한 결과를 가져올 터였다.[49]

러시아에 대해 우려한다는 것은 그들을 확실하게 붙잡아두는 것이 무엇보다 중요하다는 이야기였다. 이스탄불과 다르다넬스 해협을 장악할 수 있다는 전망은 연합군을 결속시키는 끈을 유지하고 러시아 정부의 관심을 극도로 민감한 문제로 끌어들이기 위한 완벽한 미끼였다. 러시아가 강하기는 하지만, 흑해 연안 이외에는 부동항不凍港이 없다는 것은 치명적인 약점이었다. 그런데 이 흑해는 우선 보스포루스 해협과 이어 다르다넬스 해협을 통해 지중해와 연결되고 있었다. 두 해협은 마르마라해의 양쪽 끝에 위치해 아시아와 유럽을 경계 짓는 좁은 수로다. 이 수로들은 남부 러시아의 곡창지대를 해외 수출 시장과 연결해주는 생명선 노릇을 하고 있었다. 1912~1913년의 발칸 전쟁 때 오스만이 다르다넬스를 봉쇄하는 바람에 밀이 창고에서 썩으면서 경제에 엄청난 타격을 입힌 일이 있었기 때문에 이곳을 통제하고 있는 오스만에 대해 전쟁을 선포해야 한다는 주장까지 나왔었다.[50]

그렇기 때문에 1914년 말 영국이 이스탄불과 다르다넬스 해협의 장래 문제를 제기하자 러시아는 환호했다. 이는 "전체 전쟁 가운데서 최고의 전리품"이라고, 영국 대사 조지 뷰캐넌은 러시아 관리들에게 말했다. 전쟁이 끝나면 이곳에 대한 통제권은 러시아로 넘어가게 된다. 물론 이스탄불은 여전히 "러시아 이외의 땅에서 오고 가는 운송 상품을 위한" 자유로운 항구가 되고, "해협을 통과하는 상선들에게 상업적 자유를 보장한다"는 양해도 있어야 했다.[51]

서부전선에서 돌파구가 열릴 조짐도 별로 없고 양측이 유례없이 많은 손실을 입은 채 몇 년 더 피를 흘려야 할 것으로 전망되는 상황에서도 연합국들은 이미 적국의 땅과 이권을 분할하기 위해 마주앉아 있었다. 이렇게 휴전 뒤 독일과 그 동맹국들에게 제국주의적인 요구를 하겠다는 발상에는 적잖은 아이러니가 있다. 전쟁이 시작되고 불과 몇 달 뒤부터 이미 연합국들은 패배한 적의 시체로 잔치를 벌일 궁리를 하고 있었던 것이다.

이런 의미에서 러시아인들의 눈앞에 이스탄불과 다르다넬스 해협이라는 미끼를 달랑거리는 것 말고도, 걸려 있는 것은 더 있었다. 1915년 초 모리스 드 번슨Maurice de Bunsen을 위원장으로 하는 위원회가 꾸려져, 승리를 얻어낸 이후 오스만제국의 장래에 관한 제안을 보고서로 작성하게 한 것이다. 한 가지 방안은 현재의 동맹국들(그러나 과거에는 경쟁자였고 미래에도 경쟁자가 될 가능성이 높은 나라들이었다)에 적합한 방식으로 전리품을 분배하는 것이었다. 에드워드 그레이 장관은 영국이 시리아에 관해 속셈이 있다는 의구심을 불러일으킬 일은 아무것도 하지 말아야 한다고 썼다. 그는 또 이렇게 썼다.

"우리가 시리아와 레바논에서 무슨 요구든 한다면 그것은 프랑스와 갈라서자는 이야기가 될 것입니다."

이 지역은 18세기와 19세기에 프랑스 기업인들이 상당히 많은 투자를 한 곳이었다.[52]

이에 따라 러시아에 연대 의지를 보이고 프랑스와 그 영향권인 시리아를 놓고 대결하는 일을 피하기 위해 영국과 오스트레일리아, 뉴질랜드 출신 병사들로 이루어진 대규모 부대를 계획했던 이스켄데룬(현재 터키 남부에 있다)이 아니라 이스탄불 진입 길목을 지키고 있는 다르다넬스 해협 입구의 갈리폴리 반도에 상륙시키기로 결정했다.[53] 상륙 장소는 대규모 공세를 펼치기에는 부적당한 곳으로 드러났고, 상륙을 위해 위쪽의 잘 구축된 오스만 진지를 향해 나아가려는 많은 병사들에게 죽음의 덫이 되었다. 이어진 처참한 작전은 본래 유럽을 서아시아 및 그 너머의 아시아 전체와 연결하는 교통망과 교역망에 대한 통제권을 확립하려는 노력이었다.[54]

서아시아라는 전리품 나누기

이스탄불과 다르다넬스 해협의 장래는 정리되었다. 이제 서아시아의 장래를 해결할 필요가 있었다. 1915년 후반기와 1916년 초에 잇달아 열린 회담에서 호레이쇼 키치너 영국 군사부 장관의 신임을 받고 있으며 자부심이 강한 하원의원 마크 사이크스Mark Sykes와 거만한 프랑스 외교관 프랑수아 조르주-피코François Georges-Picot가 이 지역을 분할했다. 두 사람은 아크레(이스라엘 최북단에 있다)에서 북동쪽 방향으로 페르시아 국경까지 뻗치는 선을 긋는 데 동의했다. 프랑스는 시리아와 레바논에서 자기네 뜻대로 할 수 있게 되었고, 영국은 메소포타미아, 팔레스타인, 수에즈를 차지했다.

점령지를 이런 식으로 나누는 것은 위험한 일이었다. 특히 이 지역의 장래에 대한 상충되는 메시지들이 다른 곳에 전달되었기 때문이다. 후세인에게는 아직도 아랍의 독립과 그를 수반으로 하는 칼리프 정권의 복원 제안이 유효한 상태였다. "아랍, 아르메니아, 메소포타미아, 시리아, 팔레스타인"의 민족들도 있었다. 애스퀴스 영국 총리는 이들이 "자신들의 독자적인 민족적 상황을 인정받을 자격이 있다"라고 공개적으로 말하고 다녔다. 자주와 독립을 약속하는 듯한 말이었다.[55]

그리고 미국이 있었다. 미국은 영국과 프랑스로부터 그들이 "이기적인 이득을 위해서가 아니라 무엇보다도 각 민족의 독립과 정도 및 인간애를 지키기 위해" 싸우고 있다고 거듭 확약을 받았다. 런던에서 발행된 《타임스》에 따르면 영국과 프랑스는 마음속에 고귀한 목적을 품고 있으며 "오스만의 피비린내 나는 폭정 아래 신음하고 있는 주민들"을 해방시키려 애쓰고 있다고 열렬하게 주장했다.[56] 우드로 윌슨 미국 대통령의 대외정책 보좌관 에드워드 하우스는 그레이 영국 외무부 장관으로부터 비밀 협정에 관해 듣고 이렇게 썼다.

"이는 모두 나쁜 일이다. (……) 그들(프랑스와 영국)은 이곳(서아시아)을 미래 전쟁의 번식장으로 만들고 있다."[57]

이 말은 문제를 정확히 꿰뚫어본 것이었다.

문제의 바탕에 있는 것은, 걸려 있는 것이 무엇인지 영국은 알고 있었다는 사실이다. 페르시아에서 발견된 천연자원 덕분이었다. 그리고 석유는 메소포타미아에도 있을 것으로 보였다. 사실 메소포타미아 석유의 채굴권은 1914년 프란츠 페르디난트 대공이 암살되던 날에 승인되었다(물론 공식적으로 인가된 것은 아니었다). 그것은 터키 석유회사를 중심으로 하는 컨소시엄에 주어졌는데, 이 회사는 앵글로-페르시아 석유회사가 다수 지분을 소유했고 로열더치셸과 도이체방크가 소수 지분을, 이 협상을 성사시킨 탁월한 거간꾼 캘루스트 굴벤키안Calouste Gulbenkian이 자투리를 소유했다.[58] 서아시아의 민족과 국가들에 무엇을 약속하고 언질을 주었든, 진실은 막후에서 한 가지 생각을 품고 있던 관리들과 정치가들과 기업인들에 의해 이 지역의 미래가 결정되었다는 것이다. 그들이 품고 있던 생각은 바로 석유를 항구까지 보내고 유조선에 실을 수 있도록 하는 송유관의 통제권을 확보하는 것이었다.

독일은 무슨 일이 벌어지고 있는지를 알아차렸다. 영국이 입수한 독일의 한 요약 보고서는 영국이 두 가지 전략 목표를 가지고 있다고 주장했다. 첫째는 수에즈 운하의 통제권을 유지하는 것이었다. 그것이 독특한 전략적·상업적 가치를 지니고 있었기 때문이다. 둘째는 페르시아를 비롯한 서아시아의 유전을 보유하는 것이었다.[59] 이는 날카로운 평가였다. 대륙을 넘나들어 뻗어 있는 영국인들의 제국은 지구

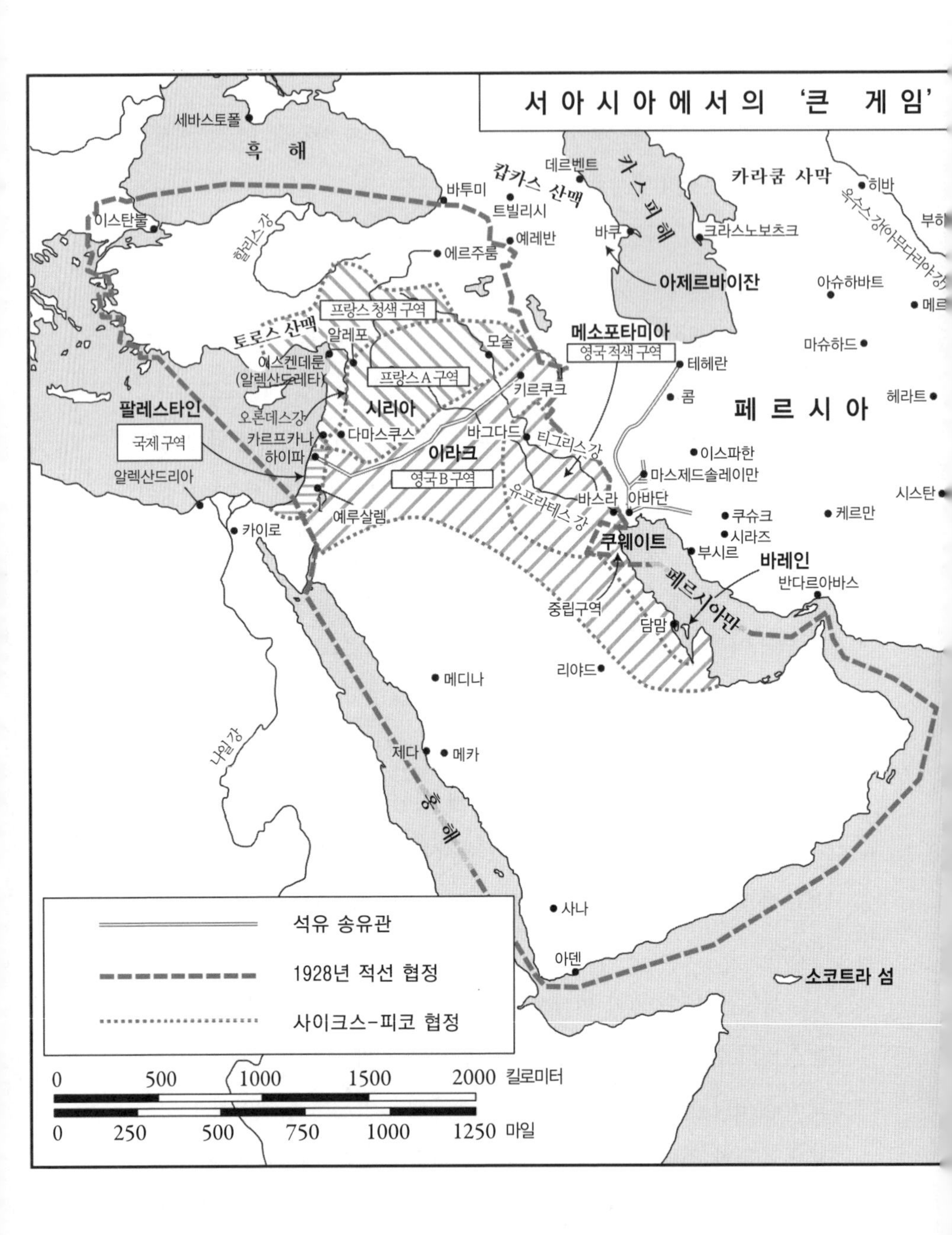

서 아 시 아 에 서 의 '큰 게 임'
세바스토폴
흑 해
바투미
이스탄불
할리스 강
캅카스 산맥
데르벤트
트빌리시
예레반
에르주룸
카스피 해
바쿠
크라스노보츠크
카라쿰 사막
히바
아제르바이잔
아슈하바트
마슈하드
프랑스 청색 구역
토로스 산맥
알레포
모술
메소포타미아
영국 적색 구역
테헤란
에스켄데룬
(알렉산드레타)
프랑스 A 구역
키르쿠크
콤
팔레스타인
시리아
오론테스 강
헤라트
페 르 시 아
국제 구역
카르프카나
다마스쿠스
바그다드
티그리스 강
하이파
이라크
이스파한
마스제드솔레이만
영국 B 구역
알렉산드리아
유프라테스 강
바스라
아바단
시스탄
예루살렘
쿠슈크
케르만
카이로
쿠웨이트
시라즈
부시르
바레인
페르시아 만
반다르아바스
중립구역
담맘
리야드
메디나
나일 강
제다
메카
홍해
사나
아덴
소코트라 섬
석유 송유관
1928년 적선 협정
사이크스-피코 협정
0 500 1000 1500 2000 킬로미터
0 250 500 750 1000 1250 마일

의 4분의 1 가까이를 차지한 덕분에 다양한 기후와 생태계와 자원을 망라하고 있었지만 한 가지 부족한 것이 있었다. 바로 석유였다.

그 영토 어느 곳에도 의미 있는 석유 광상이 없었는데, 전쟁이 영국에게 그 권리를 차지할 기회를 제공했다. 학구적이었던 전시 내각 비서장 모리스 행키Maurice Hankey는 이렇게 썼다.

"대규모 공급처가 될 수 있는 곳은 오로지 페르시아와 메소포타미아뿐입니다."

그 결과 "석유 공급의 통제권"을 장악하는 것이 "전쟁의 최우선 목표가 되었다."[60] 행키는 같은 날 데이비드 로이드 조지 총리에게 편지를 쓰면서, 이 지역은 군사적 관점에서는 얻을 것이 아무것도 없다고 강조했다. 그러나 영국은 메소포타미아에서 "귀중한 유정을 확보하는" 일이라면 단호하게 행동해야 한다고 그는 말했다.[61]

입증은 그다지 필요하지 않았다. 전쟁이 끝나기 전에 밸푸어 영국 외무부 장관은 단호한 어조로 미래 전망에 대해 이야기하고 있었다. 적측 제국들을 분할하는 일에 관해 당연히 사전에 문제 제기가 있었다. 그는 상급자들에게 이렇게 말했다.

"나는 어떤 방식으로 석유를 손에 넣을 것인지는 상관하지 않겠습니다. 영구 임대로 하든 다른 어떤 방식으로 하든 말입니다. 그러나 이 석유를 확보하는 것이 너무도 중요한 것만은 분명한 사실입니다."[62]

그런 결기에는 (그리고 그 밑바탕에 있는 초조함에는) 충분한 이유가 있었다. 1915년 초에 해군은 매달 8만 톤의 석유를 소비했다. 2년 뒤 더 많은 배가 취역하고 석유를 쓰는 엔진이 급증하면서 석유 소비량은 두 배가 넘는 19만 톤으로 늘어났다. 육군의 수요는 훨씬 더 극적으로 급증했다. 석유를 쓰는 차량이 1914년 100대에서 수만 대로 늘어났기 때문이다. 1916년이 되면 영국의 석유 비축분은 거의 바닥이 났다. 1월 1일 3600만 갤런에 이르렀던 휘발유 재고는 6개월 뒤 1900만 갤런으로 곤두박질쳤고, 그로부터 불과 4주 뒤에는 1250만 갤런으로 떨어졌다.[63] 정부 위원회가 이후 12개월의 예상 수요량을 조사해보니 얻을 수 있는 양은 예상 수요의 겨우 절반밖에 되지 않을 것으로 예측되었다.[64]

즉각적인 효과가 있는 휘발유 배급제 도입으로 재고 수준을 조금 안정시키기는 했지만, 공급에 대한 우려가 계속되었다. 존 젤리코John Jellicoe 해군 참모총장은 1917년 봄, 제국 해군 군함에 가능한 한 많은 시간을 항구에 머물라는 명령을 내렸다. 바다에 나갔을 때 항행 속도도 20노트로 제한했다. 상황의 심각성은 1917년 6월에 마련된 전망에서 분명해졌다. 그해 연말이 되면 해군은 단 6주분의 물량만 비축한 상태가 될 것으로 나타났다.[65]

이런 상황은 독일의 잠수함 공격 전개로 더욱 악화되었다. 영국은 미국에서 대량으로 (그리고 점점 더 비싼 가격으로) 석유를 수입하고 있었는데, 많은 유조선들이 독일의 봉쇄망을 뚫지 못했다. 런던 주재 미국 대사 월터 페이지는 1917년에 이렇게 썼다.

"그들(독일)이 최근 연료용 석유를 실은 배를 너무 많이 격침시켜서 이 나라(영국)는 아주 가까운 시일 내에 위험한 상황에 처할지도 모릅니다."[66]

기술 혁신으로 더 빠르고 더 효율적으로 달릴 수 있는 엔진이 개발됨에 따라 1914년 이후 전투도 급속히 기계화되었다. 모두 유럽에서 벌어진 격렬한 지상전에 의해 촉발된 것이다. 그러나 이에 따라 석유 소비가 늘어, 전쟁이 터지기 전에도 이미 심각하게 우려했던 석유 확보 문제가 영국 대외정책의 결정적인 요인이 되었다.

영국의 일부 정책 담당자들은 앞으로 일어날 일들에 대해 큰 기대를 가졌다. 동부 페르시아에서 근무해서 이 나라를 잘 알고 있던 노련한 행정가 퍼시 콕스는 1917년에 영국이 러시아, 프랑스, 일본, 독일과 오스만까지 영구히 배제하고 페르시아만 지역을 확실하게 장악할 수 있는 기회를 얻었다고 주장했다.[67] 그 결과 1917년 러시아가 붕괴하여 혁명이 일어나고 볼셰비키들이 정권을 잡은 직후 독일과 평화에 합의한 것이 유럽에서의 전쟁이라는 관점에서는 우려스러운 일이었지만, 다른 곳에서는 밝은 전망을 가져다주었다. 밸푸어 장관은 1918년 여름에 로이드 조지 총리에게 이렇게 썼다.

"[전제 체제하의 러시아는] 그 이웃에게 위험 요소였고, 그 이웃들 가운데서도 바로 우리에게 가장 큰 위협이었습니다."[68]

그런 나라가 내부에서 붕괴한 것은 동방에서의 영국의 입지를 생각하면 좋은 소식이었다. 수에즈 운하에서 인도까지 뻗어 있는 지역의 장악력을 공고히 할 수 있고, 이에 따라 그 모두를 확보할 수 있는 진정한 기회가 찾아온 것이다.

화해로 가는 길

석유 통제권에 관한 이해관계

영국은 페르시아에 자기네 이익을 지켜줄 독재자를 심어놓을 생각이었다. 궁정의 고위 인사 한 사람이 곧 그들의 눈길을 사로잡았다. '최고 사령관' 압둘-후세인 미르자 대공이었다. 그는 런던 증권시장에 많은 투자를 하고 있었고, 따라서 그의 재산 상당 부분은 대영제국의 지속적인 번영과 긴밀하게 연관되어 있었다.

그가 총리로 임명되도록 하기 위해 집중적인 로비가 펼쳐졌다. 1915년 크리스마스 전날에 테헤란 주재 영국 공사 찰스 말링Charles Marling은 샤를 알현하고 미르자의 총리 임명이 영국에 얼마나 긍정적으로 비칠 것인지를 설명했다. 말링은 샤에게 이렇게 말했다.

"가까운 시일 내에 총리를 교체해야 합니다."

특히 페르시아 정부 안의 모든 '적대 세력' 때문이었다. 샤는 금세 설득되었다.

"그는 전적으로 동의하고 당장 임명해야 한다고 강조했습니다. 그는 최고사령관에게 즉각 임명을 받아들이도록 촉구하겠다고 약속했습니다."[1]

며칠 뒤 미르자는 정식으로 총리에 임명되었다.

메소포타미아에서는 협력할 수 있는 현지 얼굴마담이 없어 일이 더 어려웠다. 영국은 직접 일을 떠맡아 1917년 봄 바스라에서 군대를 보내 바그다드를 점령했다. 찰스 하딩이 런던에서 총명하고 활달한 학자이자 여행가이며 이 지역을 잘 알았던 거트루드 벨Gertrude Bell에게 편지를 쓸 때는 이후에 어떤 일이 일어날지 알 수 없었다. 그는 이렇게 주장했다.

"우리가 아랍 지배의 상징으로 내세울 사람으로 바그다드에서 세 뚱보를 고르건 세 수염쟁이를 고르건 아무런 문제가 되지 않습니다."

영국은 그저 아무 지도자라도 점령군에게 협력할 사람이 필요했다. 당연히 이 문제는 그들에게 넉넉히 뇌물을 주는 일이 필요했다.[2]

그러나 다른 심각한 문제들이 생겼다. 이 지역의 미래 정치지형을 알아내려고 애쓰는 일보다 더 중요한 것이었다. 영국에서는 사이크스-피코 협정의 잉크도 채 마르기 전인데 벌써 수정하자는 목소리가 높았다. 이는 비밀 거래로 공공연한 제국주의 행태를 보인 데 대한 무슨 양심의 가책을 느껴서가 아니라, 전 해군 정보국장 슬레이드 제독이 작성한 보고서 때문이었다. 그는 1913년 페르시아 유전에 대한 평가 책임자였고, 그 직후 앵글로-페르시아 석유회사의 이사로 임명되었다. 슬레이드는 "어떤 상황에서도 우리가 [페르시아 유전의] 혜택을 누리는 것을 방해받지 않을 것"이며, 그것은 이 지역의 다른 곳에서도 마찬가지라고 강조했다. 그는 이어 "메소포타미아, 쿠웨이트, 바레인과 아라비아 반도"에 상당한 양의 석유가 매장된 징표가 있다고 말했다. 그는 이 땅들을 가능한 한 많이 영국의 통제 구역에 포함시킬 수 있도록 다시 선을 그어야 한다고 강력하게 권고했다.

"이 지역의 석유에 대한 모든 권리의 통제권을 확보하여 다른 어느 강국도 이를 자기네 이익을 위해 이용하지 못하게 해야 합니다."[3]

외무부는 불안스레 주시하며 유럽 신문 기사들을 수집했다. "페르시아만 지역에서의 해상 자유에 대한 피할 수 없는 [독일의] 요구"를, 영국이 빨리 위치를 굳히면 굳힐수록 좋다는 징표로 보아야 한다는 내용들이었다.[4]

전쟁이 끝난 지 몇 주밖에 지나지 않은 1918년 연말에 영국은 원하던 것을 얻어내는 데 성공했다. 데이비드 로이드 조지 총리는 협정을 개정하여 모술과 그 주변 지역에 대한 통제권을 내달라고 조르주 클레망소 프랑스 대통령을 설득했다. 이는 한편으로 시리아를 보호령으로 만들려는 프랑스를 영국이 방해할지도 모른다는 두려움을 이용한 것이기도 하지만, 곧 시작될지 어떨지 분명치 않은 화해 협상에서 영국이 알자스-로렌 문제에 대한 지지 의사를 내비침으로써 얻은 것이기도 했다.

"뭘 원하시오?"

런던을 찾아온 클레망소가 단도직입적으로 묻자 영국 총리가 대답했다.

"모술을 주시오."

"가져가시오. 또 다른 건 없소?"

"아, 예루살렘도 주시오."

대답은 똑같았다.

"가져가시오."

클레망소는 "아주 정확했고, 결코 자기 말을 뒤집지 않았다"라고 로이드 조지의 신임을 받던 한 고위 공무원은 회상했다.[5]

영국은 또한 팔레스타인을 탐냈다. 수에즈 운하에 대한 어떤 공격에 대해서도 완충 지대가 될 수 있는 위치 때문이었는데, 이 운하는 제국의 중요한 동맥 가운데 하나였고 1888년에 그곳에 대한 통제권을 장악한 바 있었다. 이에 따라 영국군은 바그다드로 이동하면서 남쪽으로부터 팔레스타인으로도 진군했다. 그리고 1917년 여름 '아라비아의 로렌스'로 알려진 T. E. 로렌스가 아카바를 점령하기 위해 사막에서 나오면서 거짓말처럼 동쪽으로부터도 팔레스타인으로 들어갔다.

몇 달 뒤 오스만 제7군 및 제8군의 강력한 저항을 뚫고 예루살렘까지 함락했다. 오스만군의 지휘관은 에리히 폰 팔켄하인 Erich von Falkenhayn 장군이었는데, 그는 전쟁 초기 독일군 참모총장을 지낸 바 있었다. 영국 장군 에드먼드 앨런비 Edmund Allenby는 존중을 표하기 위해 걸어서 도시로 들어가서 그곳을 점령했다. 로이드 조지 영국 총리가 말한 대로 "영국인을 위한 크리스마스 선물"[6]이었다.

팔레스타인은 또 다른 이유로도 중요했다. 영국에서는 늘어나는 유대인 이민자들에 대한 우려가 커지고 있었다. 1880년에서 1920년 사이에 러시아에서 오는 이민자 수만도 다섯 배로 늘었다. 20세기에 접어들면서 동아프리카에 땅을 제공하여 유대인 망명자들이 그곳에 정착하도록 유도하자는 논의가 있었으나, 전쟁 무렵에 관심은 팔레스타인으로 옮겨갔다. 1917년 밸푸어 외무부 장관이 월터 로스차일드 Walter Rothschild 남작에게 보낸 편지가 《타임스》에 새어나갔다. 거기에 이런 내용이 있었다.

"폐하의 정부는 팔레스타인에 유대인들의 조국을 건설하는 일을 긍정적으로 보고 있습니다."[7]

유대인들이 정착할 땅을 지정한다는 이 생각은 '밸푸어 선언'으로 알려졌는데, 밸푸어는 나중에 상원에서 이것이 "거대하고 지속적인 유대인 문제에 대한 부분적인 해법"[8]이라고 말했다.

유럽 유대인들의 자치구역을 만들기 위한 노력은 당연히 관심을 끌었지만, 영국이 팔레스타인을 주시한 것은 그곳이 지중해로 연결되는 석유 송유관의 종점이기 때문이었다. 입안자들은 나중에 이것이 수천 킬로미터의 운송 경로를 줄이고 영국에 "세계 최대 규모의 유전으로 드러나게 될 곳의 석유 생산에 관한 실질적인 통제권"[9]을 부여하게 되는 것이었다고 말했다. 따라서 영국은 팔레스타인 지역에서 강한 존재감을 드러낼 필요가 있었다. 또한 수심이 깊고 좋은 항구가 있어 석유를 영국 유조선에 싣기에 이상적인 곳인 하이파를 장악하고, 송유관이 프랑스가 통제하는 북쪽의 시리아가 아니라 이 항구로 연결되도록 해야 했다.

하이파가 메소포타미아에서 석유를 수송해오는 송유관의 종점으로 완벽한 곳이라는 판단은 옳았다. 1940년까지 400만 톤 이상의 석유가 전쟁 뒤에 건설된 송유관을 통해 메소포타미아에서 수송되었다. 지중해 함대 전체에 공급하기에 충분한 양이었다. 《타임》지가 표현했듯이 그것은 "대영제국의 경동맥"[10]이었다. 세계 최대의 제국은 세계의 심장에서 직접 펌프질해 보내는 석유라는 검은 피를 대량으로 수혈받고 있었다.

아프가니스탄에 걸린 이권

1918년 초에는 전후 세계의 모습과 승리의 전리품을 나누는 방법으로 관심이 집중된 지 오래였다. 문제는 사교적인 정치가들과 성마른 외교관들, 지도와 연필로 무장한 입안자들이 유럽 각국의 수도에서 만들어낸 협의안들과 실제 현장 사이에 괴리가 있었다는 점이다. 그것은 영토 분할을 위한 그럴듯한 계획이었다. 영국과 프랑스는 이를 통해 확장하고 보호받도록 되어 있었다. 그러나 실현 가능성이 개입되자 문제는 더욱 복잡해졌다.

예를 들어 1918년 여름 영국의 라이어넬 던스터빌 Lionel Dunsterville 장군은 북서 페르시아에서 카스피해 지역으로 진격하라는 명령을 받았다. 다른 고위 장교들도 캅카스 지역을 점검하기 위해 파견되었다. 오스만이 아제르바이잔 유전을 장악하지 못하도록 하고, 카스피해 남쪽 지역을 점령하거나 아프가니스탄과의 경계로 이어지는 중앙아시아 철도를 장악하는 것이 목표였다.

이것은 무모하게 일을 벌인 전형적인 사례로, 거의 불가능한 임무였다. 그리고 틀림없이 참사로 끝나고 말았다. 진격해온 오스만군은 바쿠를 포위하고 던스터빌의 부대를 6주 동안 그 안에 가둬놓았다가 포위를 풀어주어 철수하도록 했다. 그리고 도시가 항복한 뒤 현지인들이 보복에 나서면서 끔찍한 유혈 사태가 벌어졌다.[11]

런던의 인도사무부 관리들은 공포에 휩싸였다. 그들은 요원들을 중앙아시아에 보내는 문제를 승인받기 위해 미친 듯이 뛰어다녔다. 오스만이 재기하고 러시아가 혼란에 빠진 이후 그곳의 움직임을 추적하기 위해서였다. 그곳의 사마르칸트 지역과 페르가나 분지, 그리고 타슈켄트에서 일어난 폭동과 시위가 제국 전역에서 일어나는 혁명에 일정한 역할을 하고 있었다.[12] 에드윈 몬터규 Edwin Montagu 인도사무부 장관은 1918년 초 인도 총독 프레더릭 세시저 Frederic Thesiger에게 이렇게 썼다.

"러시아 중앙정부가 붕괴하고 러시아군의 규율이 완전히 결딴나면서 투르키스탄 현지 주민들은 통제에서 벗어났습니다."[13]

이 지역 무슬림 주민들 사이에서 반영反英 정서가 고조되고 있다는 경고에 반응하여, 상황을 파악하고 친영적인 선전을 확산시키는 일을 감독하기 위해 대표가 파견되었다. 관리들은 카슈가르와 마슈하드에 파견되어 분위기 파악에 나섰다. 한편으로 무장 병력을 아프가니스탄과 타슈켄트에 보낼지 여부나, 아프가니스탄의 토후를 부추겨 서쪽으로 확장하고 멀리 메르브까지 뻗은 무르가브 강 유역을 점령하게 하자는 더 거창한 계획을 승인하는 문제를 놓고 복잡한 토론이 벌어졌다.[14] 러시아 혁명 이후 우크라이나와 캅카스 지역, 중앙아시아 곳곳에서 주체적 표현과 심지어 주체적 결정에 대한 요구가 점점 커지면서 새로운 사상과 새로운 정체성과 새로운 열망이 생겨났다.

러시아에서 권력을 장악한 사람들이 세계 혁명이라는 꿈이 유럽에서 좌절되었음을 깨닫고 관심을 아시아로 돌리면서 문제가 복잡해졌다. 늘 그렇듯이 열의에 차서 들뜬 트로츠키는 동방에서 혁명적 프로젝트를 촉진하는 문제를 활기차게 추진했다. 그는 1919년에 동료들에게 회람된 문건에서 이렇게 썼다.

"현재 조건에서 인도로 가는 길은 헝가리에 있는 한 소비에트로 이어지는 것보다 여행하기 훨씬 쉽고, 게다가 더 빠를 것입니다. (……) 파리와 런던으로 가는 길은 아프가니스탄과 펀자브와 벵골의 도시들을 지나가야 합니다."[15]

"페르시아, 아르메니아, 오스만의 노예 상태에 빠진 일반 대중"의 대표들과 메소포타미아, 시리아, 아라비아 및 그 너머 지역의 대표들이 1920년 바쿠에서 열린 회의에 초청되었는데, 이 자리에서 볼셰비키의 대표적인 선동가인 그리고리 지노비예프는 말을 에두르지 않았다. 그는 청중에게 이렇게 말했다.

"우리는 지금 진정한 성전을 시작하는 일에 직면해 있습니다."

서방과 대결하는 성전이었다. "부자들을 증오하고 그들에 맞서 싸우도록 동방의 대중을 교육"할 시기가 왔다고 그는 말했다. 그것은 부유한 "러시아인, 유대인, 독일인, 프랑스인"에 맞서 싸우는 것을 의미하며, "진정한 인민의 성전을, 제일 먼저 영국 제국주의를 상대로 성전을 벌이는 것"[16]을 의미했다. 즉 동방과 서방의 마지막 결전의 시간이 임박한 것이다.

메시지는 잘 먹혔다. 대표들이 환호했을 뿐만 아니라 행동에 나서는 사람들도 있었다. "볼셰비즘과 이슬람 국가들"의 융합에 관한 글을 쓴 압둘 하피즈 모하마드Abdul Hafiz Mohammad 같은 지식인들은 무슬림 아시아 전역에서의 사회주의 전파를 촉구했다. 중앙아시아 곳곳에서 신문과 대학과 군사학교가 만들어져 현지 주민들의 요구에 부응하고 이들을 더욱 급진적으로 만들었다.[17]

소련은 놀랄 정도의 유연성을 보이며 자기네의 대의를 돕겠다는 모든 사람들과 타협할 태세가 되어 있었다. 예컨대 볼셰비키 지도부는 아프가니스탄의 지배자인 아마눌라 칸Amānullāh Khān이 영국의 영향력에서 벗어나는 정책을 추구하며 카이바르 서쪽에서 영국령 인도 공격에 나선 이후 아무런 거리낌 없이 그에게 접근했다. 무력 대결은 실패로 끝났지만, 볼셰비키 정권은 동방에서 발견한 동맹자에게 원조를 제의했다. 이와 함께 동방을 제국주의로부터 해방시키는 것이 혁명 프로그램의 필수 요소라고 장담했다. 통치 군주에게는 아주 위안이 되는 장담은 아니었을 테지만 말이다.

러시아의 뻔뻔함과 기회주의는 영국에서 날카로운 경고음을 불러일으켰다. 《타임스》는 이런 제목의 기사를 실었다.

"볼셰비키, 인도를 위협: 아프가니스탄이 디딤돌."

영국군은 북쪽으로 이동해서 아프가니스탄으로 들어갔다. 그 가운데는 찰스 캐버너Charles Kavanagh라는 젊은 상병이 있었고, 최근에 발견된 그의 일기는 그가 목격한 일을 생생하게 묘사하고 있다. 그리고 그 이후 같은 지역에서 복무한 서유럽 병사들의 비슷한 기록이 많다. 반란자들의 매복과 공격은 일상적인 위험이었다고 그는 썼다. 아프가니스탄 남자들은 여자처럼 가운을 걸쳤기 때문에 얼굴을 가릴 수 있을 뿐만 아니라 총도 숨길 수 있었다. 따라서 모르는 현지인과는 악수하기 위해 손을 내밀지 말아야 한다고 썼다.

"그들은 왼손으로 상대의 손을 잡고 오른손에 든 칼로 상대를 찌를 수 있다."[18]

엇갈리는 미래 전망

1차 세계대전 이후 미래에 대한 엇갈리는 전망들이 제시되었다. 한편으로는 주체적 결정에 대한 충동이 있었다. 적어도 처음에는 볼셰비키들이 옹호한 것이었다. 레닌은 이렇게 선언했다.

"여러분의 삶을 여러분의 생각대로 꾸리십시오. 아무런 방해도 받지 말고 말입니다. 여러분은 그렇게 할 권리가 있습니다. 여러분의 권리는 러시아의 다른 모든 사람들의 권리와 마찬가지로 혁명과 그 기구의 온전한 권력에 의해 보호되고 있음을 알아야 합니다."[19]

이는 성 평등에 관한 진보적인 견해를 확산시켰다. 키르기스, 투르크메니스탄, 우크라이나, 아제르바이잔 소비에트 공화국에서 여성에게 투표권이 주어졌다. 영국 여성들이 투표권을 얻기 전이었다. 1920년 타슈켄트에는 우즈베크어로 쓰인 포스터들이 나붙었다. 희미하게 베일로 가린 네 사람 앞에 선 사람이 무슬림 여성의 해방을 촉구하는 모습이다.

"여성들이여! 소비에트를 구성하는 선거에 참여하자!"[20]

혁명 이후의 이 초기 진보주의는 서방 열강의 제국주의적 태도와, 국가 이익에 긴요한 자산과 자원에 대한 통제권을 유지하려는 그들의 의지와 뚜렷한 대조를 이루었다. 가장 적극적인 나라가 영국이었다. 그들은 무엇보다도 석유 공급에 대한 통제권을 유지하는 일에 단호했다. 영국은 현장에 군대가 있는 한 유리하게 출발하여 상황을 자기네의 필요에 적합한 방식으로 이끌어갈 수 있었다.

메소포타미아의 경우에는 이라크라는 새로운 나라를 세움으로써 그렇게 했다. 이 나라는 이전 오스만제국의 세 주로 이루어진 잡탕이었다. 역사와 종교와 지리가 각각 달랐다. 바스라는 남쪽으로 페르시아만과 인도 쪽을 바라보고 있었다. 바그다드는 페르시아와 긴밀히 연결되어 있었다. 모술은 당연히 터키 및 시리아와 연결되어 있었다.[21] 이 혼합체는 아무에게도 만족스럽지 않았다. 만족하는 것은 영국뿐이었다.

이 나라는 잘 봐줘야 곧 무너질 듯한 구조물이었다. 영국은 이전의 동맹자이자 메카 샤리프의 아들인 파이살 1세가 권좌에 오르는 데 도움을 주었다. 전쟁 기간 동안 그가 협력한 데 대한 보상이기도 했고, 그가 본래 권좌를 약속받았던 시리아에서 쫓겨난 데 대한 동정이기도 했다. 다른 마땅한 후보가 없었던 것도 한 이유였다. 지역 주민 다수가 시아파 무슬림인 지역에서 그가 수니파 무슬림이라는 사실은 국가의 새로운 과시적 요소 도입으로 덮을 수 있다고 생각되었다. 경호원 교대 의식이나 새로운 국기(거트루드 벨이 디자인했다), 이라크 '국가 주권'을 승인하는 조약 같은 것들이다.

그러나 이런 약점 때문에 파이살 1세와 그의 정부는 대외관계와 국방 등 "모든 중요한 문제에서" 영국에 휘둘릴 수밖에 없었다. 이어 만들어진 부속 문서로 영국은 법관들을 임명하고 금융 자문관을 강요하며 이 나라의 경제를 관리할 수 있는 권한을 얻었다.[22] 이 위임된 제국주의 지배는 재정적인 관점에서 보면 완전한 식민지 점령에 비해 비용이 덜 들었다. 특히 영국은 전쟁 기간 동안 쌓인 막대한 국가 부채를 떠안고 있었다. 그것은 정치적으로도 값싼 것이었다. 1920년 메소포타미아에서는 2000명이 넘는 영국 병사가 폭동과 내정 불안의 와중에 살해되었다.[23]

페르시아를 비슷하게 장악하기 위한 합동작전이 펼쳐졌다. 1919년에 영국 자문관들을 배치하여 국고와 군대를 운영하고 기반시설 프로젝트를 감독하도록 하는 협정이 조인되었다. 이는 페르시아와 다른 곳에서도 나쁜 결과를 낳았다. 영국이 앵글로-페르시아 석유회사의 지배 지분을 소유하자 러시아와 프랑스는 이미 영국의 페르시아 장악력이 너무 강하다고 우려하고 있었다.

협정의 서명을 받기 위해 지불된 뇌물(또는 '수수료')은 페르시아에서 저항의 목소리를 만들어냈다. 특히 다름 아닌 샤를 향한 저항이었다. 당시 한 유명한 시인은 페르시아의 유구하고도 영광스러운 과거를 인용하며 다음과 같은 시를 썼다.

하느님께서 영원한 수치를 심판하시니

사산의 땅을 저버리셨네.

열정적이신 '긴 팔' 아르타크세르크세스께 말해주오,

적이 당신의 왕국을 영국에 합병했다고.[24]

비판자들은 결국 감옥에 갇혔다.[25]

신생 소련의 외무부 장관 게오르기 치체린Georgii Chicherin 역시 분노에 찬 반응을 보였다.

"[영국은] 페르시아 인민들을 올가미로 잡아 완전한 노예로 삼으려 하고 있습니다."

이 나라의 지배자들이 "여러분들을 영국 강도들에게 팔아넘긴"[26] 것은 부끄러운 일이라고 그는 한 성명에서 선언했다.

프랑스의 반응도 별반 다르지 않았다. 준비도 없이 석유전쟁에 휘말리고 모술을 외견상 거저 넘겨준 프랑스는 자기네 국가 이익을 늘리기 위해 테헤란의 정부에 자기네 자문관들의 자리를 마련하려고 압박을 가하고 있었다. 조지 커즌은 이를 일축했다. 그는 프랑스가 자기네 자문관들의 임명을 허락해줄 수 있느냐고 물어오자 분노를 숨기지 않았다. 그는 런던 주재 프랑스 대사 폴 캉봉Paul Cambon에게 이렇게 썼다.

"[페르시아는] 오직 대영제국의 도움으로 완전한 파산을 면했습니다."

프랑스는 제 할 일이나 하라는 소리였다.[27]

프랑스의 반응은 분노에 차고 격렬했다. 페르시아 언론에 반영 선전을 하기 위해 자금을 댔고, 본국에서는 영국-페르시아 협정을 (그리고 샤를) 겨냥한 비난 기사들이 쏟아졌다. 《피가로》는 반 센티미터centimetre 난쟁이가 "자기 나라를 1상팀centime에 팔았다"[28]라고 빈정거렸고, 이 기사는 테헤란에서 널리 회자되었다. 프랑스는 전쟁에서 승자 쪽에 속했지만, 결국 동맹자의 손에 놀아나고 말았다.

사실 영국은 샤가 돈을 요구해 곤란한 입장이었다. 그런 요구는 전쟁 전에 그랬던 것처럼 일상적이었다. 미르자 대공도 역시 문제였다. 그가 총리를 맡은 것은 희망했던 것만큼 성공적이지 못한 것으로 드러났다. 런던으로 들어오는 보고들은 그가 "정직하게 일하지 않고" "탐욕스럽다"고 말하고 있었다. 결국 "그는 금세 총리 자리를 유지할 수 없게"[29] 되었다. 더 믿을 만한 인물이 필요했다.

필요한 때가 되면 필요한 사람이 등장하는 법이다. 레자 칸Rezā Khan은 "체격이 우람하고 매우 건강하며 뼈대가 굵은 사람으로, 키가 보통 사람들보다 훨씬 컸다"라고 테헤란 주재 영국 공사 퍼시 로레인Percy Loraine은 1922년에 긍정적으로 보고했다. 보고서는 이어, 레자 칸이 곧바로 본론으로 들어가 "페르시아인들이 매우 중요하게 여기는, 섬세하게 표현되지만 쓸데없는 찬사를 나누는 데 시간을 허비하지 않는다"라고 말했다. 그는 분명히 "무지하고 배우지 못했지만", 로레인은 그에게 감명을 받았다.

"나는 그와 이야기하면서, 머리가 비었다기보다는 그것을 쓰지 않고 있다는 인상을 받았습니다."

이것은 외무부 사람들의 귀에 달콤한 음악이었다. 본국 런던에 있던 한 관리는 보고서에 이런 메모를 달았다.

"레자 칸에 대한 로레인 경의 평가는 분명 고무적입니다. 그는 자기 동포들이 지니고 있는 악덕에서 자유롭[지는 않]지만, 심성이 올바르게 박혀 있는 사람인 것 같습니다."

그의 출신 종족 역시 긍정적으로 받아들여졌다. 또 다른 메모는 이렇게 적고 있다.

"그가 [어머니 쪽으로] 캅카스 계통이라는 것은 그의 장점입니다."

요컨대 그는 영국이 찾던 바로 그런 부류의 사람이었다.[30]

카스피해 주변 지역에 대한 러시아의 구상으로 인해 우려가 커지는 가운데 페르시아 북부 지역을 지키기 위해 파견되었던 영국군 사령관 에드먼드 아이언사이드Edmund Ironside에 따르면 그는 "나라의 이익을 생각하는 강하고 두려움 없는 사람"인 듯했다.

영국이 레자 칸을 얼마나 지원했고 그가 막후 실력자가 되는 (그리고 마침내 1925년 샤의 자리에 오르는) 과정에서 어떤 역할을 했는지에 대해서는 뜨거운 논쟁이 벌어진 바 있다. 그러나 당시 이어진 많은 사건들을 보면 영국이 킹메이커 노릇을 했음은 의문의 여지가 없다.[31] 테헤란 주재 미국 공사 존 콜드웰John Caldwell은 레자 칸이 영국과 너무 가까워 "사실상 스파이"[32]였다고 적었다.

새로운 경쟁자, 미국

미국 역시 지구촌의 이 지역에 긴밀한 관심을 가지고 있었다는 것은 놀라운 일이 아니었다. 1918년 미국 해군 유럽 주둔군 기획팀이 회람시킨 보고서는 미국이 영국과 상업적 경쟁을 준비할 필요가 있다고 지적한다. 보고서는 이런 의견을 내놓았다.

"세계의 네 강대국이 일어나 대영제국과 상업적 패권을 놓고 경쟁했습니다."

에스파냐, 네덜란드, 프랑스, 독일은 모두 영국에 패배했다. 미국은 "다섯 번째 상업 강국이자 현재까지 최대"인 나라였다. "역사의 선

배들은 우리에게" 영국이 무엇을 하려고 하는지를 "잘 살피라고 경고" 하고 있었다.[33] 유전의 중요성은 지구촌의 이 지역에 세밀한 관심을 기울여야 한다는 의미였다.

이는 특히 미국에서 석유 공급에 관한 우려가 점점 커지고 있었다는 점에서 중요했다. 영국이 전쟁 전에 자원 부족을 걱정했던 것과 꼭 마찬가지로, 미국에서는 전쟁 직후에 부족 가능성에 대한 걱정이 늘고 있었다. 소비의 증가세는 그런 불안을 부채질했고, 입증된 석유 매장량 평가 역시 마찬가지였다. 매장분은 9년 3개월이면 바닥이 날 것이라고 미국 지질조사국의 조지 스미스 국장은 밝혔다. "본국과 해외에서 필요한 물자"가 부족한 것은 큰 문제라고 윌슨 대통령은 인정했다.[34]

이런 이유로 미국 국무부는 미국의 대형 석유회사인 스탠더드 오일을 부추겨 자기네 말로 "페르시아 북부의 석유 자원 개발을 위해 이 나라 정부와 협정을 맺을 가능성"을 조사해보도록 했다. 앵글로-페르시아 석유회사의 채굴권에서 제외된 지역을 말이다.[35]

미국의 관심은 테헤란에서 열띤 반응을 불러일으켰다. 영국과 러시아는 너무도 오랫동안 페르시아에 간섭을 해서 이 나라의 자주권을 끊임없이 저해해왔다고 현지 신문들은 떠들었다. 떠오르는 새 제국 미국은 완벽한 백기사였다. 한 페르시아 신문 기사는 희망에 들떠 이렇게 선언했다.

"매우 부유한 미국이 우리와 경제적 유대를 맺는다면 우리 자원이 무의미하게 방치되지 않을 것이며, 우리는 더 이상 그렇게 빈곤에 시달리지 않을 것이 확실하다."[36]

이런 기대가 온 나라에서 널리 공유되었다. 미국의 투자 전망을 환영하는 전보들이 수도로 밀려들었다. 깜짝 놀란 테헤란 주재 미국 공사관은 이것이 "최고위 물라mullah(이슬람 율법학자)들과 명사들, 일부 정부 관리들과 기업인들"[37]이 서명한 것이라고 밝혔다.

영국은 격앙된 반응을 보였다. 미국 국무부를 향해 에두르지 않고, 페르시아 석유에 대한 미국의 관심은 달갑지 않을 뿐만 아니라 불법적이라고 비난했다. 문제의 지역이 앵글로-페르시아 석유회사가 소유한 채굴권에 포함된 것은 아니었다. 그러나 영국은 그것이 이전에 페르시아와 러시아가 합의한 별도 협정의 대상이고, 그것은 아직 만료되지 않았다고 선언했다. 따라서 탐사권은 미국뿐만 아니라 다른 누구에게도 팔 수 없다는 주장이었다. 이것은 교활한 이야기였고, 결국 아무 소득도 거두지 못했다. 페르시아는 이에 아랑곳하지 않고 밀고 나가 스탠더드 오일에 50년간의 채굴권을 주었다.[38]

처음은 아니었지만 미국의 경험이라는 것은 결국 헛된 기대만 품게 했던 것이었음이 드러났다. 페르시아는 미국의 개입과 투자가 이 지역에서 영국이 발휘하고 있던 영향력에 대한 진정한 대안이 될 것으로 기대했다. 그러나 현실적인 문제가 힘을 발휘했다. 모든 생산자는 송유관 시설을 이용하려면 앵글로-페르시아 석유회사와 협정을 맺어야 했다.

게다가 논의가 진행되면서 페르시아인들의 희망은 점점 더 실망으로 바뀌었다. 미국인들은 "영국인들보다 더 영국적"이라고 워싱턴의 페르시아 대표부는 말했다. 당연히 이는 칭찬이 아니었다. 테헤란의 한 신문 사설은 미국과 영국이 난형난제임이 드러났다고 씩씩거렸다. 두 나라 모두 "황금을 숭배하고 약자의 목을 조르는 나라"였다. 자국의 이익에만 관심이 있고 국가의 석유 자원이라는 "귀중한 보석을 쪼

개려 하며" 그것을 "어린애 같은 페르시아 정치인들의 손"[39]에서 빼앗아가려고 혈안이 되어 있다는 것이다.

이런 이야기는 낯이 익다. 400년 전 아메리카 대륙 '발견'의 경우와 너무나 비슷하다. 에스파냐인들이 마주친 현지 주민들을 대량학살한 것과 같은 방식의 학살은 아니었지만, 과정은 사실상 마찬가지였다. 서유럽 국가들이 보물을 빼앗아 부가 한 대륙에서 다른 대륙으로 흘러들어갔다. 그 땅에 사는 주민들에게는 최소한의 혜택만이 돌아갔다. 콜럼버스의 대서양 횡단 항해 이후에 일어난 일과 비슷한 일은 또 있었다. 에스파냐와 포르투갈이 1494년 토르데시야스 조약과 30년 뒤 사라고사 조약으로 세계를 나누었던 것과 똑같이, 서방 열강들은 이제 지중해와 중앙아시아 사이에 있는 세계의 자원을 나누었다.

색연필로 지도 위에 동그라미를 친 땅들이 '적선赤線 협정'으로 알려진 영국과 프랑스 합의의 바탕이 되었다. 이 협정은 이 지역의 석유 자산을 한쪽의 앵글로-페르시아 석유회사와 다른 한쪽의 터키 석유회사 사이에서 나누었다(터키 석유회사는 앵글로-페르시아 석유회사가, 따라서 영국 정부가 최대 주주인 회사다). 이와 함께 서로의 영토에서 경쟁하지 않는다는 공식 협정도 맺었다.

이는 프랑스에게 중요했다. 그들은 레반트에서 강력한 위치를 확보하고자 했다. 오랫동안 교역관계를 맺고 있었고, 수십 년부터 이미 상당한 상업 투자가 이루어지고 있었다. 이베리아 반도의 강국들이 그랬던 것과 똑같이, 프랑스와 영국은 귀중한 자산의 통제권을 전리품처럼 나누었다. 그리고 그것을 당연한 권리로 주장했다. 새로운 제국의 시대가 온 듯했다.

위험한 게임

문제는 이 새로운 제국의 시대가 거의 곧바로, 세계는 변하고 있다는 (그리고 빠르게 변하고 있다는) 충격적인 인식으로 고통을 당하게 되었다는 것이다. 정교한 계획을 세우고 영국이 석유 및 송유관 네트워크 통제권을 주장하려 한 것은 모두 좋았다. 그러나 그러려면 대가를 치러야 했다. 영국의 국가 부채가 치솟자 제국을 효율적으로 운영하는 데 필요한 규모의 군대를 유지하는 비용에 관한 고통스럽고 힘든 논의가 이루어졌다. 엄청난 비용은 "더 이상 유지할 수 없는 상황이 되었다"라고 커즌은 썼다. 이는 이때 식민지부 장관이던 처칠이 당연히 받아들여야 할 결론이었다. 그는 이렇게 인정했다.

"서아시아에서 일어나고 있는 모든 일들은 비용 절감에 비하면 부차적인 문제다."[40]

야망과 능력 사이의 이 부조화는 참화로 가는 길이었고, 그 곤경은 고위 외교관들의 고집으로 더욱 악화되었다. 예를 들어 테헤란 주재 영국 공사는 페르시아인들 위에 군림했다. 그는 이들을 "냄새가 나고" "의뭉스러운 짐승들"이라고 경멸적으로 묘사했다. 한편 바그다드에서는 영국 고등판무관이 "영국 공관 정원을 확장하려고" 민가를 부수었다. 한 목격자는 눈살을 찌푸리며 이렇게 언급했다.

"고등판무관은 분명히 공관을 개선시켰다. 이미 아름다운 주거지였던 곳이지만 말이다. 그러나 그는 이라크인들에게서 좋은 평판을 얻을 수가 없었다."[41]

이 모든 일에는 오만한 자부심이 자리 잡고 있었다. 이 나라의 현재와 미래는 이론의 여지 없이 영국의 손아귀에 들어 있다는 생각이었다. 이곳의 통치권은 런던에 있는 정책 담당자들이 내려주는 것이었다. 그들은 현지 주민들의 이익에는 관심이 없었고, 대신에 영국의 전략적·경제적 과제에 초점을 맞추었다. 1920년대에 영국은 이라크, 페르시아, 아프가니스탄의 지배자들을 세우고 끌어내리는 데 직접 책임이 있거나 배후에 있었다. 또한 1922년 이집트의 독립 이후 그 왕이 사용한 칭호 문제에도 개입했다.[42]

이는 불가피하게 지긋지긋한 문제를 만들어냈고, 그것은 시간이 지나면서 고약해졌다. 거트루드 벨은 이미 1919년에 서아시아가 "끔찍한 혼란 상태"에 빠질 것이라고 예견했다.

"그것은 악몽 같을 것입니다. 꿈속에서 일어날 모든 무서운 일들을 예견할 수 있고, 이를 막기 위해 손을 뻗칠 수도 없는 악몽 말입니다."[43]

영국은 누구를 지원할 것인지, 언제 (그리고 어디서) 개입할 것인지를 선택하는 위험한 게임을 벌이고 있었다.

깨진 약속들과 실망한 사람들이 레반트 동쪽 지역 곳곳에 널려 있었다. 현지 주민들의 이익을 지지하고 지원하고 보호한다는 약속은 영국의 전략적·상업적 이익 추구와 보호에 밀려났다. 그것이 인위적인 새 경계로 영토를 쪼개거나, 기독교를 믿는 이라크의 아시리아인들(이들은 1차 세계대전이 끝나면서 서아시아가 분할되자 매우 취약한 처지에 빠졌다) 같은 공동체를 버리는 일이라도 개의하지 않았다.[44]

이라크에서의 전체적인 결과는 재앙이었다. 현지 유력자들이 영국의 통치를 지지하는 대가로 넓은 면적의 과거 오스만 국유지를 넘겨받으면서 새로운 봉건제도가 뿌리를 내렸다. 이로 인해 농촌 사회가 땅에 대한 권리와 생계수단을 잃으면서 신분 이동이 어려워지고 불평등이 심화되었으며 불만이 고조되었다. 동부 이라크의 쿠트 주에서는

두 집안이 30년에 걸쳐 20만 헥타르 이상의 땅을 취득했다.[45]

줄거리는 페르시아에서도 거의 비슷했다. 석유에서 얻는 수익으로 일군 부는 샤와 그 측근들의 손에 집중되었다. 이런 의미에서 점차 단호해지는 반영 정서와 점차 커지는 민족주의의 파도를 촉발한 것은 바로 영국 정부가 앵글로-페르시아 석유회사(이 회사는 1920년대에 국가 수입의 절반 가까이를 차지했다)의 다수 지분을 소유하고 있다는 대중의 자각이었다.

이는 또한 시대의 징표였다. 제국 곳곳에서 식민주의에 대한 반동이 거의 저지할 수 없는 동력을 얻어가고 있었다. 인도에서는 1929년 인도 국민회의가 라호르 회의에서 '푸르나 스와라지Purna Swaraj'라는 독립선언을 발표했다. 그 한 구절은 이렇다.

"인도의 영국 정권은 인도 인민에게서 그 자유를 빼앗았을 뿐만 아니라 그 존립의 바탕을 대중에 대한 착취에 두고 있으며, 인도를 (……) 폐허로 만들었다. (……) 인도는 당장 영국과의 관계를 끊고 푸르나 스와라지('완전한 독립')를 얻어야 한다."

시민 불복종의 시대가 도래한 것이다.[46]

이 각성과 증오심과 박탈감의 혼합물이 다른 곳으로 확산된 것은 불가피한 일이었다. 그러나 서아시아 지역의 좌절감이 커지고 있었던 것은 석유 발견으로 약속되었던 이득이 거의 없다는 자각 때문이기도 했다.

채굴권을 관리하는 서방 석유회사들은 특허권료를 지불하는 일에서는 기민하고 창의적이었다. 현대 세계에서 그렇듯이 서로 연결된 자회사들이 만들어졌다. 그 목적은 회사 간 대출을 이용하여 손실을 발생시킴으로써, 석유회사의 이익을 줄이거나 아예 없애는 것이었다.

그렇게 하면 채굴권 협정에 따라 내야 하는 특허권료를 줄일 수 있다.

그것은 좋은 먹잇감이었다. 분노에 찬 기사들이 신문에 실렸다. "페르시아에서 석유 자원을 빼내가고 불법적이고 불필요한 관세 면제를 허락받아 고의적으로 이 나라의 수입을 줄이는 외국인들"에 관한 기사들이었다. 페르시아에서는 적어도 사태가 이웃 나라 이라크만큼 나쁜 것은 아니었다. 이라크는 명목상으로만 독립 국가일 뿐 사실상 식민지였다.[47]

현지의 분노의 파도를 잠재우기 위해 앵글로-페르시아 석유회사 경영진들은 환심 공세에 나섰다. 그들은 교육 기회를 확대하고 철도 개선을 지원하고 특허권료를 더 많이 내는 등의 새로운 편익을 약속했다. 이 사업에서 페르시아 정부가 전혀 지분이 없다는 것은 도무지 글러먹은 일이라고 페르시아 고위 인사들은 투덜댔다. 한 관찰자는 이렇게 썼다.

"페르시아인들은 자기네 땅에서 개발된 사업에 아무런 실질적 지분이 없음을 깨달았다."

그들은 이것이 단지 돈의 문제가 아니라고 주장했다. "어떤 재정적 보상을 해준다 해도 이 감정은 떨쳐버릴 수 없는" 것이었다. 그 감정은 바로 소외감이었다.[48]

정중한 앵글로-페르시아 석유회사 회장 존 캐드먼John Cadman은 협상 테이블에서 상대방에게 조용히 충고하면서, 언론에서 이 사업이 공정하고 정당하지 않다는 "그릇되고 불쾌한 인상"을 만들어내는 것은 누구에게도 도움이 되지 않는다고 주장했다.[49] 상대방은 그것이 참 좋은 이야기지만 모든 사람에게 혜택이 돌아가려면 동반자 정신이 있어야 한다고 말했다. 지금대로라면 노골적인 착취나 다름없다는 것이다.[50]

녹스 다시 채굴권에 대해 재협상을 할 것인지, 한다면 어떻게 할 것인지에 관한 지루한 논의는 수포로 돌아갔다. 결국 페르시아가 결단을 내렸다. 1929년 이전에도 멕시코와 베네수엘라에서 석유가 발견되면서(베네수엘라에서의 작업은 마스제드솔레이만 유정을 발견한 조지 레이놀즈가 이끌었다) 석유 가격이 크게 하락한 적이 있었다. 월스트리트의 주가가 폭락하여 석유 수요가 급격하게 줄어들자 페르시아는 직접 일을 떠맡기로 했다. 마침내 1932년 11월, 특허권료 지불이 급감하고 재정상의 속임수(페르시아에 고의적으로 상세한 수치를 제공하지 않았다)가 계속되자 샤는 녹스 다시 채굴권의 취소를 선언했다. 즉각 효력이 발생하는 것이었다.

영국 외교관들은 이것이 부끄러운 일이라며 불만을 표했다. 한 고위 관리는 이렇게 조언했다.

"우리가 애초에 힘을 보여주지 못한다면 나중에 페르시아인들과의 사이에서 훨씬 심각한 문제를 겪게 될 것입니다."[51]

다른 사람은 샤의 선언이 "명백한" 공격이라고 말했다.[52] 영국인들의 관점에서 볼 때 30년 전에 합의한 계약은 무슨 일이 있더라도 지켜야 했다. 석유 사업 초기에 상당한 재정적 위험을 감수한 것도 사실이었고, 자원을 개발할 수 있도록 기반시설을 만드는 데 많은 투자가 필요했던 것도 마찬가지다. 그럼에도 불구하고 그 결과로 얻은 부는 엄청났다. 이를 더 공정하게 나누자는 아우성은 간단히 무시되었다. 21세기 초의 대형 은행 스캔들에서 그랬던 것처럼, 앵글로-페르시아 석유회사와 그 뒤에 도사리고 있던 이익은 파산시키기에는 너무 컸다.

그러나 이 경우에 상황의 균형을 맞추고 사태를 바로잡는 과정은 신속했다. 대체로 페르시아가 강력한 협상 도구를 가지고 있었기 때문이다. 재협상을 강요하기 위해 생산에 애를 먹이고 미리 막고 훼방할 수 있었던 것이다.

새로운 석유 협상

1933년 봄, 새로운 협상이 진행되었다. 페르시아 대표단은 제네바의 보리바주 호텔에서 석유회사 경영진을 만나 자신들이 최근 이라크에서 맺은 석유에 관한 협정을 잘 알고 있다고 밝히고, 적어도 그 정도는 되어야 한다고 요구했다. 처음 제안은 앵글로-페르시아 석유회사가 25퍼센트의 지분을 내놓고 연간 수입을 보장하며 이익을 공유하고 이사진에 참여시켜달라는 것이었는데, 존 캐드먼은 터무니없고 불가능한 요구라며 일축했다.[53] 이어진 논의는 매우 화기애애했지만, 대규모 재협상을 피하려는 노력이 실패하리라는 것이 금세 분명해졌다.

1933년 4월에 새로운 협상이 이루어졌다. 양측은 석유 사업의 '페르시아화'에 더 큰 관심을 기울이기로 했다. 더 많은 현지인을 고용하고 훈련시켜 경영진에서 낮은 직위에 이르기까지 사업에 참여시킨다는 것이었다. 채굴권이 미치는 지역은 대폭 줄어 본래 규모의 4분의 1이 되었다. 다만 노른자위이긴 했다. 특허권료는 정액으로 합의하여 통화 가치나 유가 변동의 영향을 배제했다. 생산 수준이나 시장 가격에 관계없이 연간 최소 지불액도 보장되었다. 페르시아 정부는 또한 더 넓은 범위에서 발생하는 앵글로-페르시아 석유회사의 수익도 공유하여, 이 회사가 다른 나라에서 벌이는 사업에서 얻은 수익의 일부를 나누어 받게 되었다.

페르시아 협상단이 캐드먼에게 새 협정을 "그와 그 동료들의 개인적인 승리"로 봐야 한다고 말하자 그는 대꾸하지 않았다. 그의 반응은 그가 남긴 메모에 있었다.

"나는 우리가 상당히 많이 뜯겼다고 생각했다."[54]

페르시아인들과 이를 지켜보고 있던 여타의 사람들은 이 이야기에서 다른 교훈을 얻었다. 아무리 허세를 부려도 서방 측의 협상 입지는 약하다는 교훈이었다. 자원을 가진 쪽은 결국 채굴권을 가진 쪽의 손을 움직이게 할 수 있고, 그들을 협상 테이블로 끌어낼 수 있었다. 서방은 악을 쓰며 불평할 수는 있겠지만, 정말로 쥐고 있는 자가 임자라는 것이 드러났다.

이것은 20세기 후반의 중요한 주제가 되었다. 새로운 연결망이 등장하여 아시아의 등뼈를 타고 앉았다. 도시와 오아시스를 잇는 거미줄이 아니라 유정을 페르시아만과 (그리고 1930년대가 되면 지중해와) 연결하는 거미줄이 만들어졌다. 자원과 부가 이 선을 따라 하이파나 아바단 같은 항구들로 펌프질되었다. 아바단은 50년 이상 세계 최대의 정유공장 집합지라는 명성을 유지했다.

영국이 1차 세계대전 발발 전에 이미 알아차렸듯이, 이 네트워크를 통제하는 것은 모든 것을 통제하는 것이었다. 낙관론자들에게는 사태가 여전히 장밋빛으로 보였다. 결국 1933년에 채굴권에 대한 재협상을 하기는 했지만 지구촌의 이 부분과 긴밀한 관계를 구축했다. 그리고 그렇게 엄청나게 중요한 자원을 소유한 사람들과 협력함으로써 얻을 수 있는 것이 여전히 많았다. 게다가 영국은 틀림없이 다른 어느 나라보다도 유리한 위치를 차지하고 있었다.

그러나 실제로는 조류가 이미 바뀌어 있었다. 서방의 권력과 영향력은 하향세로 돌아섰고, 더욱 약해질 것이 분명해 보였다. 지역 문제에 끊임없이 개입한 대가를 치러야 했다. 공관 정원을 개조한 대가를 치러야 했다. 그리고 결코 올바르게 행동하지 않은 대가를 치러야 했다. 그 대가는 의구심과 의혹과 불신이었다.

두 가지 상반된 관점이 1920년 바그다드에서 열린 만찬장에서 완벽하게 포착되었다. 새로운 서아시아의 모습이 분명해지고 있는 바로 그때였다. 참석자 중에 활동적이고 지독하게 똑똑한 거트루드 벨이 있었다. 1차 세계대전 초기 단계에 영국 정보기관에 근무하기 위해 들어온 사람이었고, 기민한 아랍 정치 관찰자였다. 그녀는 곧 새 나라 이라크의 총리가 될 자파르 알아스카리Ja'far al-Askari에게 안심하라는 듯이 말했다.

"우리(영국)가 궁극적으로 드리고 싶은 것은 완전한 독립입니다."

"숙녀님, 완전한 독립은 주어지는 법이 없습니다. 언제나 쟁취하는 것입니다."[55]

이라크나 페르시아 같은 나라들의 과제는 외부의 간섭으로부터 자유로워지는 것이고, 자기네 미래를 스스로 결정하는 것이었다. 영국의 과제는 어떻게 하면 그것을 막느냐 하는 것이었다. 이는 예고된 충돌이었다. 그러나 그전에 또 다른 재앙이 닥치고 있었다. 역시 자원의 통제 때문에 촉발된 문제였다. 이번에는 임박한 참사의 한가운데에 있던 것이 석유가 아닌 밀이었다.

주

10. 죽음과 파괴의 길

1 S. Karpov, 'The Grain Trade in the Southern Black Sea Region: The Thirteenth to the Fifteenth Century', *Mediterranean Historical Review* 8.1 (1993), 55–73.

2 A. Ehrenkreutz, 'Strategic Implications of the Slave Trade between Genoa and Mamluk Egypt in the Second Half of the Thirteenth Century', in A. Udovitch (ed.), *The Islamic Middle East, 700–1900* (Princeton, 1981), pp. 335–43.

3 G. Lorenzi, *Monumenti per servire alla storia del Palazzo Ducale di Venezia. Parte I: dal 1253 al 1600* (Venice, 1868), p. 7.

4 'Anonimo genovese', in G. Contini (ed.), *Poeti del Duecento*, 2 vols (Milan, 1960), 1, pp. 751–9.

5 V. Cilocitan, *The Mongols and the Black Sea Trade in the Thirteenth and Fourteenth Centuries* (Leiden, 2012), pp. 16, 21; S. Labib, 'Egyptian Commercial Policy in the Middle Ages', in M. Cook (ed.), *Studies in the Economic History of the Middle East* (London, 1970), p. 74.

6 D. Morgan, 'Mongol or Persian: The Government of Īl-khānid Iran', *Harvard Middle Eastern and Islamic Review* 3 (1996), 62–76과 무엇보다도 Lane, *Early Mongol Rule in Thirteenth-Century Iran*을 보라.

7 G. Alef, 'The Origin and Development of the Muscovite Postal System', *Jahrbücher für Geschichte Osteuropas* 15 (1967), 1–15.

8 Morgan, *The Mongols*, pp. 88–90; Golden, 'Činggisid Conquests', 38–40; T. Allsen, *Mongol Imperialism: The Policies of the Grand Qan Möngke in China, Russia and the Islamic Lands, 1251–1259* (Berkeley, 1987), pp. 189–216.

9 Juvaynī, *History of the World Conqueror*, 3, 1, p. 26.

10 이 과정은 선교사와 사절단들의 기록이 보여주듯이 13세기 중반에는 이미 시작됐다. G. Guzman, 'European Clerical Envoys to the Mongols: Reports of Western Merchants in Eastern Europe and Central Asia, 1231–1255', *Journal of Medieval History* 22.1 (1996), 57–67.

11 William of Rubruck, *Mission of Friar William*, 35, pp. 241–2.

12 J. Ryan, 'Preaching Christianity along the Silk Route: Missionary Outposts in the Tartar "Middle Kingdom" in the Fourteenth Century', *Journal of Early Modern History* 2.4 (1998), 350–73. 페르시아에 관해서는 R. Lopez, 'Nuove luci sugli italiani in Estremo Oriente prima di Colombo', *Studi Colombiani* 3 (1952), 337–98.

13 Dawson, *Mission to Asia*, pp. 224–6; de Rachewiltz, Papal Envoys, pp. 160–78. 또한 J. Richard, *La Papauté et les missions d'Orient au moyen age (XIIIe–XVe siècles)* (Rome, 1977), pp. 144ff. 조반니는 더 많은 사람들이 개종하지 않았다는 이유로 네스토리우스파를 비난하며, 그들이 자신을 첩자이자 마법사라고 고발했다고 말한다. 기독교도들 사이의 경쟁이 페르시아 및 기타 지역에서 나타났던 것처럼 중국에서도 나타난 것이다.

14 P. Jackson, 'Hülegü Khan and the Christians: The Making of a Myth', in J. Phillips and

P. Edbury (eds), *The Experience of Crusading*, 2 vols (Cambridge, 2003), 2, pp. 196–213; S. Grupper, 'The Buddhist Sanctuary-Vihara of Labnasagut and the Il-qan Hülegü: An Overview of Il-Qanid Buddhism and Related Matters', *Archivum Eurasiae Medii Aevi* 13 (2004), 5–77; Foltz, *Religions of the Silk Road*, p. 122.

15 S. Hackel, 'Under Pressure from the Pagans?—The Mongols and the Russian Church', in J. Breck and J. Meyendorff (eds), *The Legacy of St Vladimir: Byzantium, Russia, America* (Crestwood, NY, 1990), pp. 47–56; C. Halperin, 'Know Thy Enemy: Medieval Russian Familiarity with the Mongols of the Golden Horde', *Jahrbücher für Geschichte Osteuropas* 30 (1982), 161–75.

16 D. Ostrowski, *Muscovy and the Mongols: Cross-Cultural Influences on the Steppe Frontier, 1304–1589* (Cambridge, 1998); M. Bilz-Leonardt, 'Deconstructing the Myth of the Tartar Yoke', *Central Asian Survey* 27.1 (2008), 35–6.

17 R. Hartwell, 'Demographic, Political and Social Transformations of China, 750–1550', *Harvard Journal of Asiatic Studies* 42.2 (1982), 366–9; R. von Glahn, 'Revisiting the Song Monetary Revolution: A Review Essay', *International Journal of Asian Studies* 1.1 (2004), 159.

18 예를 들어 G. Wade, 'An Early Age of Commerce in Southeast Asia, 900–1300 ce', *Journal of Southeast Asia Studies* 40.2 (2009), 221–65를 보라.

19 S. Kumar, 'The Ignored Elites: Turks, Mongols and a Persian Secretarial Class in the Early Delhi Sultanate', *Modern Asian Studies* 43.1 (2009), 72–6.

20 P. Buell, E. Anderson and C. Perry, *A Soup for the Qan: Chinese Dietary Medicine of the Mongol Era as Seen in Hu Szu-hui's Yin-shan Cheng-yao* (London, 2000).

21 P. Buell, 'Steppe Foodways and History', *Asian Medicine, Tradition and Modernity* 2.2 (2006), 179–80, 190.

22 P. Buell, 'Mongolian Empire and Turkization: The Evidence of Food and Foodways', in R. Amitai-Preiss (ed.), *The Mongol Empire and its Legacy* (Leiden, 1999), pp. 200–23.

23 Allsen, *Commodity and Exchange*, pp. 1–2, 18; J. Paviot, 'England and the Mongols (c. 1260–1330)', *Journal of the Royal Asiatic Society* 10.3 (2000), 317–18.

24 P. Freedman, 'Spices and Late-Medieval European Ideas of Scarcity and Value', *Speculum* 80.4 (2005), 1209–27.

25 S. Halikowski-Smith, 'The Mystification of Spices in the Western Tradition', *European Review of History: Revue Européenne d'Histoire* 8.2 (2001), 119–25.

26 A. Appadurai, 'Introduction: Commodities and the Politics of Value', in A. Appadurai (ed.), *The Social Life of Things: Commodities in Cultural Perspective* (Cambridge, 1986), pp. 3–63.

27 Francesco Pegolotti, *Libro di divisamenti di paesi (e di misure di mercatantie)*, tr. H. Yule, *Cathay and the Way Thither*, 4 vols (London, 1913–16), 3, pp. 151–5. 또한 J. Aurell, 'Reading Renaissance Merchants' Handbooks: Confronting Professional Ethics and Social Identity', in J. Ehmer and C. Lis (eds), *The Idea of Work in Europe from Antiquity to Modern Times* (Farnham, 2009), pp. 75–7을 보라.

28 R. Prazniak, 'Siena on the Silk Roads: Ambrozio Lorenzetti and the Mongol Global Century, 1250–1350', *Journal of World History* 21.2 (2010), 179–81; M. Kupfer, 'The Lost Wheel Map of Ambrogio Lorenzetti', *Art Bulletin* 78.2 (1996), 286–310.

29 Ibn Baṭṭūṭa, *al-Riḥla*, tr. H. Gibb, *The Travels of Ibn Battuta*, 4 vols (Cambridge, 1994), 4, 22, pp. 893–4.

30 E. Endicott-West, 'The Yuan Government and Society', *Cambridge History of China*, 6, pp. 599–60.

31 Allsen, *Commodity and Exchange*, pp. 31–9.

32 C. Salmon, 'Les Persans à l'extrémité orientale de la route maritime (IIe a.e.– XVIIe siècle)', *Archipel* 68 (2004), 23–58. 또한 L. Yingsheng, 'A Lingua Franca along the Silk Road: Persian Language in China between the 14th and the 16th Centuries', in R. Kauz (ed.), *Aspects of the Maritime Silk Road from the Persian Gulf to the East China Sea* (Wiesbaden, 2010), pp. 87–95.

33 F. Hirth and W. Rockhill, *Chau Ju-Kua: His Work on the Chinese and Arab Trade in the Twelfth and Thirteenth Centuries, Entitled Chu-fan-chi* (St Petersburg, 1911), pp. 124–5, 151, 142–3.

34 R. Kauz, 'The Maritime Trade of Kish during the Mongol Period', in L. Komaroff (ed.), *Beyond the Legacy of Genghis Khan* (Leiden, 2006), pp. 51–67.

35 Marco Polo, *Le Devisament dou monde*, tr. A. Moule ṭaṭnṭd P. Pelliot, *The Description of the World*, 2 vols (London, 1938); Ibn Ba p. 894. ū a, 22, *Travels*, 4,

36 마르코 폴로에 관해서는 J. Critchley, *Marco Polo's Book* (Aldershot, 1992); H. Vogel, *Marco Polo was in China: New Evidence from Currencies, Salts and Revenues* (Leiden, 2013).

37 C. Wake, 'The Great Ocean-Going Ships of Southern China in the Age of Chinese Maritime Voyaging to India, Twelfth to Fifteenth Centuries', *International Journal of Maritime History* 9.2 (1997), 51–81.

38 E. Schafer, 'Tang', in K. Chang (ed.), *Food in Chinese Culture: Anthropological and Historical Perspective* (New Haven, 1977), pp. 85–140.

39 V. Tomalin, V. Sevakumar, M. Nair and P. Gopi, 'The Thaikkal-Kadakkarapally Boat: An Archaeological Example of Medieval Ship Building in the Western Indian Ocean', *International Journal of Nautical Archaeology* 33.2 (2004), 253–63.

40 R. von Glahn, *Fountain of Fortune: Money and Monetary Policy in China 1000–1700* (Berkeley, 1996), p. 48.

41 A. Watson, 'Back to Gold—and Silver', *Economic History Review* 20.1 (1967), 26–7; I. Blanchard, *Mining, Metallurgy and Minting in the Middle Age: Continuing Afro-European Supremacy, 1250–1450* (Stuttgart, 2001), 3, pp. 945–8.

42 T. Sargent and F. Velde, *The Big Problem of Small Change* (Princeton, 2002), p. 166; J. Deyell, 'The China Connection: Problems of Silver Supply in Medieval Bengal', in J. Richards (ed.), *Precious Metals in the Later Medieval and Early Modern World* (Durham, NC, 1983); M. Allen, 'The Volume of the English Currency, 1158–1470', *Economic History Review* 54.4 (2001), 606–7.

43 이것은 14세기 일본의 사례에서 분명하게 드러난다. A. Kuroda, 'The Eurasian Silver Century, 1276–1359: Commensurability and Multiplicity', *Journal of Global History* 4 (2009), 245–69.

44 V. Fedorov, 'Plague in Camels and its Prevention in the USSR', *Bulletin of the World Health Organisation* 23 (1960), 275–81. 이전의 실험에 대해서는 A. Tseiss, 'Infektsionnye

zabolevaniia u verbliudov, neizvestnogo do sik por poriskhozdeniia', *Vestnik mikrobiologii, epidemiologii i parazitologii* 7.1 (1928), 98–105.

45 Boccaccio, *Decamerone*, tr. G. McWilliam, *Decameron* (London, 2003), p. 51.

46 T. Ben-Ari, S. Neerinckx, K. Gage, K. Kreppel, A. Laudisoit et al., 'Plague and Climate: Scales Matter', *PLoS Pathog* 7.9 (2011), 1–6. 또한 B. Krasnov, I. Khokhlova, L. Fielden and N. Burdelova, 'Effect of Air Temperature and Humidity on the Survival of Pre-Imaginal Stages of Two Flea Species (Siphonaptera: Pulicidae)', *Journal of Medical Entomology* 38 (2001), 629–37; K. Gage, T. Burkot, R. Eisen and E. Hayes, 'Climate and Vector-Borne Diseases', *Americal Journal of Preventive Medicine* 35 (2008), 436–50.

47 N. Stenseth, N. Samia, H. Viljugrein, K. Kausrud, M. Begon et al., 'Plague Dynamics are Driven by Climate Variation', *Proceedings of the National Academy of Sciences of the United States of America* 103 (2006), 13110–15.

48 일부 학자들은 가장 이른 시기로 확인되는 것이 1330년대 동부 키르기스스탄의 한 묘비에 나온다고 주장한다. S. Berry and N. Gulade, 'La Peste noire dans l'Occident chrétien et musulman, 1347–1353', *Canadian Bulletin of Medical History* 25.2 (2008), 466. 그러나 이는 오해에서 비롯된 것이다. J. Norris, 'East or West? The Geographic Origin of the Black Death', *Bulletin of the History of Medicine* 51 (1977), 1–24를 보라.

49 Gabriele de' Mussis, *Historia de Morbo*, in *The Black Death*, tr. R. Horrox (Manchester, 2001), pp. 14–17; M. Wheelis, 'Biological Warfare at the 1346 Siege of Caffa', *Emerging Infectious Diseases* 8.9 (2002), 971–5.

50 M. de Piazza, *Chronica*, in Horrox, *Black Death*, pp. 35–41.

51 *Anonimalle Chronicle*, in Horrox, *Black Death*, p. 62.

52 John of Reading, *Chronica*, in Horrox, *Black Death*, p. 74.

53 Ibn al-Wardī, *Risālat al-naba' 'an al-waba'*, B. Dols, *The Black Death in the Middle East* (Princeton, 1977), pp. 57–63에서 재인용.

54 M. Dods, 'Ibn al-Wardi's "Risalah al-naba" an al-waba', in D. Kouymjian (ed.), *Near Eastern Numismatics, Iconography, Epigraphy and History* (Beirut, 1974), p. 454.

55 B. Dols, *Black Death in the Middle East*, pp. 160–1.

56 Boccaccio, *Decameron*, p. 50.

57 de' Mussis, *Historia de Morbo*, p. 20; 'Continuation Novimontensis', in *Monumenta Germaniae Historica, Scriptores*, 9, p. 675.

58 John Clynn, *Annalium Hibernae Chronicon*, in Horrox, *Black Death*, p. 82.

59 Louis Heylgen, *Breve Chronicon Clerici Anonymi*, in Horrox, *Black Death*, pp. 41–2.

60 Horrox, *Black Death*, pp. 44, 117–18; Dols, *Black Death in the Middle East*, p. 126.

61 Bengt Knutsson, *A Little Book for the Pestilence*, in Horrox, *Black Death*, p. 176; John of Reading, *Chronica*, pp. 133–4.

62 S. Simonsohn (ed.), *The Apostolic See and the Jews: Documents, 492–1404* (Toronto, 1988), 1, no. 373.

63 전체적으로 O. Benedictow, *The Black Death, 1346–1353: The Complete History* (Woodbridge, 2004), pp. 380ff를 보라.

64 O. Benedictow, 'Morbidity in Historical Plague Epidemics', *Population Studies* 41 (1987),

401–31; idem, *What Disease was Plague? On the Controversy over the Microbiological Identity of Plague Epidemics of the Past* (Leiden, 2010), esp. 289ff.

65 Petrarch, *Epistolae*, in Horrox, *Black Death*, p. 248.

66 *Historia Roffensis*, in Horrox, *Black Death*, p. 70.

67 S. Pamuk, 'Urban Real Wages around the Eastern Mediterranean in Comparative Perspective, 1100–2000', *Research in Economic History* 12 (2005), 213–32.

68 S. Pamuk, 'The Black Death and the Origins of the "Great Divergence" across Europe, 1300–1600', *European Review of Economic History* 11 (2007), 308–9; S. Epstein, *Freedom and Growth: The Rise of States and Markets in Europe, 1300–1750* (London, 2000), pp. 19–26. 또한 M. Bailey, 'Demographic Decline in Late Medieval England: Some Thoughts on Recent Research', *Economic History Review* 49 (1996), 1–19.

69 H. Miskimin, *The Economy of Early Renaissance Europe, 1300–1460* (Cambridge, 1975); D. Herlihy, *The Black Death and the Transformation of the West* (Cambridge, 1997).

70 D. Herlihy, 'The Generation in Medieval History', *Viator* 5 (1974), 347–64.

71 이집트와 레반트의 위축에 관해서는 A. Sabra, *Poverty and Charity in Medieval Islam: Mamluk Egypt 1250–1517* (Cambridge, 2000).

72 S. DeWitte, 'Mortality Risk and Survival in the Aftermath of the Medieval Black Death', *Plos One* 9.5 (2014), 1–8. 개선된 식생활에 관해서는 T. Stone, 'The Consumption of Field Crops in Late Medieval England', in C. Woolgar, D. Serjeantson and T. Waldron (eds), *Food in Medieval England: Diet and Nutrition* (Oxford, 2006), pp. 11–26.

73 Epstein, *Freedom and Growth*, pp. 49–68; van Bavel, 'People and Land: Rural Population Developments and Property Structures in the Low Countries, *c*. 1300–c. 1600', *Continuity and Change* 17 (2002), 9–37.

74 Pamuk, 'Urban Real Wages', 310–11.

75 Anna Bijns, 'Unyoked is Best! Happy the Woman without a Man', in K. Wilson, *Women Writers of the Renaissance and Reformation* (Athens, 1987), p. 382. 또한 T. de Moor and J. Luiten van Zanden, 'Girl Power: The European Marriage Pattern and Labour Markets in the North Sea Region in the Late Medieval and Early Modern Period', *Economic History Review* (2009), 1–33을 보라.

76 J. de Vries, 'The Industrial Revolution and the Industrious Revolution', *Journal of Economic History* 54.2 (1994), 249–70; J. Luiten van Zanden, 'The "Revolt of the Early Modernists" and the "First Modern Economy": An Assessment', *Economic History Review* 55 (2002), 619–41.

77 E. Ashtor, 'The Volume of Mediaeval Spice Trade', *Journal of European Economic History* 9 (1980), 753–7; idem, 'Profits from Trade with the Levant in the Fifteenth Century', *Bulletin of the School of Oriental and African Studies* 38 (1975), 256–87; Freedman, 'Spices and Late Medieval European Ideas', 1212–15.

78 베네치아의 물감 수입에 관해서는 L. Matthew, '"Vendecolori a Venezia": The Reconstruction of a Profession', *Burlington Magazine* 114.1196 (2002), 680–6.

79 Marin Sanudo, 'Laus Urbis Venetae', in A. Aricò (ed.), *La città di Venetia (De origine, situ et magistratibus Urbis Venetae) 1493–1530* (Milan, 1980), pp. 21–3. 이 시기의 실내 공간 변화

에 관해서는 R. Good, 'Double Staircases and the Vertical Distribution of Housing in Venice 1450–1600', *Architectural Research Quarterly* 39.1 (2009), 73–86을 보라.

80 B. Krekic, 'L'Abolition de l'esclavage à Dubrovnik (Raguse) au XVe siècle: mythe ou réalité?', *Byzantinische Forschungen* 12 (1987), 309–17.

81 S. Mosher Stuard, 'Dowry Increase and Increment in Wealth in Medieval Ragusa (Dubrovnik)', *Journal of Economic History* 41.4 (1981), 795–811.

82 M. Abraham, *Two Medieval Merchant Guilds of South India* (New Delhi, 1988).

83 Ma Huan(馬歡), *Ying-yai sheng-lan*(瀛涯勝覽), tr. J. Mills, *The Overall Survey of the Ocean's Shores* (Cambridge, 1970), p. 140.

84 T. Sen, 'The Formation of Chinese Maritime Networks to Southern Asia, 1200–1450', *Journal of the Economic and Social History of the Orient*, 49.4 (2006), 427, 439–40; H. Ray, *Trade and Trade Routes between India and China, c. 140 BC–AD 1500* (Kolkata, 2003), pp. 177–205.

85 H. Tsai, *The Eunuchs in the Ming Dynasty* (New York, 1996), p. 148; T. Ju-kang, 'Cheng Ho's Voyages and the Distribution of Pepper in China', *Journal of the Royal Asiatic Society* 2 (1981), 186–97.

86 W. Atwell, 'Time, Money and the Weather: Ming China and the "Great Depression" of the Mid-Fifteenth Century', *Journal of Asia Studies* 61.1 (2002), 86.

87 T. Brook, *The Troubled Empire: China in the Yuan and Ming Dynasties* (Cambridge, MA, 2010), pp. 107–9.

88 Ruy González de Clavijo, *Embajada a Tamorlán*, tr. G. Le Strange, *Embassy to Tamerlane 1403–1406* (London, 1928), 11, pp. 208–9.

89 Ibid., 14, p. 270.

90 Ibid., pp. 291–2. 미술과 건축에서의 테무르의 비전 전파에 관해서는 T. Lentz and G. Lowry, *Timur and the Princely Vision: Persian Art and Culture in the Fifteenth Century* (Los Angeles, 1989), pp. 159–232를 보라.

91 Khvānd Mīr, *Habibu's-siyar*, Tome Three, ed. and tr. W. Thackston, *The Reign of the Mongol and the Turk*, 2 vols (Cambridge, MA, 1994), 1, p. 294; D. Roxburgh, 'The "Journal" of Ghiyath al-Din Naqqash, Timurid Envoy to Khan Balïgh, and Chinese Art and Architecture', in L. Saurma-Jeltsch and A. Eisenbeiss (eds), *The Power of Things and the Flow of Cultural Transformations: Art and Culture between Europe and Asia* (Berlin, 2010), p. 90.

92 R. Lopez, H. Miskimin and A. Udovitch, 'England to Egypt, 1350–1500: Long-Term Trends and Long-Distance Trade', in M. Cook (ed.), *Studies in the Economic History of the Middle East from the Rise of Islam to the Present Day* (London, 1970), pp. 93–128. J. Day, 'The Great Bullion Famine', *Past & Present* 79 (1978), 3–54, J. Munro, 'Bullion Flows and Monetary Contraction in Late-Medieval England and the Low Countries', in J. Richards (ed.), *Precious Metals in the Later Medieval and Early Modern Worlds* (Durham, NC, 1983), pp. 97–158.

93 R. Huang, *Taxation and Governmental Finance in Sixteenth-Century Ming China* (Cambridge, 1974), pp. 48–51.

94 T. Brook, *The Confusions of Pleasure: Commerce and Culture in Ming China* (Berkeley, 1998).

95 N. Sussman, 'Debasements, Royal Revenues and Inflation in France during the Hundred

Years War, 1415–1422', *Journal of Economic History* 53.1 (1993), 44–70; idem, 'The Late Medieval Bullion Famine Reconsidered', *Journal of Economic History* 58.1 (1998), 126–54.

96 R. Wicks, 'Monetary Developments in Java between the Ninth and Sixteenth Centuries: A Numismatic Perspective', *Indonesia* 42 (1986), 59–65; J. Whitmore, 'Vietnam and the Monetary Flow of Eastern Asia, Thirteenth to Eighteenth Centuries', in Richards, *Precious Metal*, pp. 363–93; J. Deyell, 'The China Connection: Problems of Silver Supply in Medieval Bengal', in Richards, *Precious Metal*, pp. 207–27.

97 Atwell, 'Time, Money and the Weather', 92–6.

98 A. Vasil'ev, 'Medieval Ideas of the End of the World: West and East', *Byzantion* 16 (1942–3), 497–9; D. Strémooukhoff, 'Moscow the Third Rome: Sources of the Doctrine', *Speculum* (1953), 89; 'Drevnie russkie paskhalii na os'muiu tysiachu let ot sotvereniia mira', *Pravoslavnyi Sobesednik* 3 (1860), 333–4.

99 A. Bernáldez, *Memorías de los reyes católicos*, ed. M. Gómez-Moreno and J. Carriazo (Madrid, 1962), p. 254.

100 I. Aboab, *Nomologia, o Discursos legales compuestos* (Amsterdam, 1629), p. 195; D. Altabé, *Spanish and Portuguese Jewry before and after 1492* (Brooklyn, 1983), p. 45.

101 Freedman, 'Spices and Late Medieval European Ideas', 1220–7.

102 V. Flint, *The Imaginative Landscape of Christopher Columbus* (Princeton, 1992), pp. 47–64.

103 C. Delaney, 'Columbus's Ultimate Goal: Jerusalem', *Comparative Studies in Society and History* 48 (2006), 260–2.

104 Ibid., 264–5; M. Menocal, *The Arabic Role in Medieval Literary History: A Forgotten Heritage* (Philadelphia, 1987), p. 12. 소개 편지의 내용에 관해서는 S. Morison, *Journals and Other Documents on the Life and Voyages of Christopher Columbus* (New York, 1963), p. 30.

11. 황금의 길

1 O. Dunn and J. Kelley (ed. and tr.), *The Diario of Christopher Columbus' First Voyage to America, 1492–1493* (Norman, OK, 1989), p. 19.

2 Ibn al-Faqīh, in N. Levtzion and J. Hopkins (eds), *Corpus of Early Arabic Sources for West African History* (Cambridge, 1981), p. 28.

3 R. Messier, *The Almoravids and the Meanings of Jihad* (Santa Barbara, 2010), pp. 21–34. 또한 같은 저자의 'The Almoravids: West African Gold and the Gold Currency of the Mediterranean Basin', *Journal of the Economic and Social History of the Orient* 17 (1974), 31–47을 보라.

4 V. Monteil, 'Routier de l'Afrique blanche et noire du Nord-Ouest: al-Bakri (cordue 1068)', *Bulletin de l'Institut Fondamental d'Afrique Noire* 30.1 (1968), 74; I. Wilks, 'Wangara, Akan and Portuguese in the Fifteenth and Sixteenth Centuries. 1. The Matter of Bitu', *Journal of African History* 23.3 (1982), 333–4.

5 N. Levtzion, 'Islam in West Africa', in W. Kasinec and M. Polushin (eds), *Expanding Empires: Cultural Interaction and Exchange in World Societies from Ancient to Early Modern Times*

(Wilmington, 2002), pp. 103–14; T. Lewicki, 'The Role of the Sahara and Saharians in the Relationship between North and South', in M. El Fasi (ed.), *Africa from the Seventh to Eleventh Centuries* (London, 1988), pp. 276–313.

6 S. Mody Cissoko, 'L'Intelligentsia de Tombouctou aux 15e et 16e siècles', *Présence Africaine* 72 (1969), 48–72. 이 필사본들은 16세기에 무함마드 알왕가리(Muḥammad al-Wangarī)에 의해 정리되어 방대한 소장품의 일부가 되었고, 그 후손들이 보존해 오늘날까지 이어지고 있다. 이 문서들이 2012년 투아레그족에 의해 파괴되었다는 당초의 보도는 잘못된 것으로 밝혀졌다.

7 Ibn Faḍl Allāh al-'Umarī, *Masālik al-abṣār fī mamālik al-amṣār*, tr. Levtzion and Hopkins, *Corpus of Early Arabic Sources*, pp. 270–1. 금값 하락은 현대의 많은 분석가들이 언급하고 있다. 더 회의적인 견해에 대해서는 W. Schultz, 'Mansa Musa's Gold in Mamluk Cairo: A Reappraisal of a World Civilizations Anecdote', in J. Pfeiffer and S. Quinn (eds), *History and Historiography of Post-Mongol Central Asia and the Middle East: Studies in Honorṭotfṭ John E. Woods* (Wiesbaden, 2006), pp. 451–7을 보라.

8 Ibn Baṭṭūṭa, *Travels*, 25, 4, p. 957.

9 B. Kreutz, 'Ghost Ships and Phantom Cargoes: Reconstructing Early Amalfitan Trade', *Journal of Medieval History* 20 (1994), 347–57; A. Fromherz, 'North Africa and the Twelfth-Century Renaissance: Christian Europe and the Almohad Islamic Empire', *Islam and Christian Muslim Relations* 20.1 (2009), 43–59; D. Abulafia, 'The Role of Trade in Muslim-Christian Contact during the Middle Ages', in D. Agius and R. Hitchcock (eds), *The Arab Influence in Medieval Europe* (Reading, 1994), pp. 1–24.

10 선구적인 연구 M. Horton, *Shanga: The Archaeology of a Muslim Trading Community on the Coast of East Africa* (London, 1996)를 보라. 또한 S. Guérin, 'Forgotten Routes? Italy, Ifriqiya and the Trans-Saharan Ivory Trade', *Al-Masāq* 25.1 (2013), 70–91.

11 D. Dwyer, *Fact and Legend in the Catalan Atlas of 1375* (Chicago, 1997); J. Messing, 'Observations and Beliefs: The World of the Catalan Atlas', in J. Levenson (ed.), *Circa 1492: Art in the Age of Exploration* (New Haven, 1991), p. 27.

12 S. Halikowski Smith, 'The Mid-Atlantic Islands: A Theatre of Early Modern Ecocide', *International Review of Social History* 65 (2010), 51–77; J. Lúcio de Azevedo, *Epocas de Portugal Económico* (Lisbon, 1973), pp. 222–3.

13 F. Barata, 'Portugal and the Mediterranean Trade: A Prelude to the Discovery of the "New World"', *Al-Masāq* 17.2 (2005), 205–19.

14 포르투갈 왕 디니스가 1293년에 쓴 편지. J. Marques, *Descobrimentos Portugueses—Documentos para a sua História*, 3 vols (Lisbon, 1944–71), 1, no. 29. 지중해 교역로에 관해서는 C.-E. Dufourcq, 'Les Communications entre les royaumes chrétiens et les pays de l'Occident musulman dans les derniers siècles du Moyen Age', *Les Communications dans la Péninsule Ibérique au Moyen Age. Actes du Colloque* (Paris, 1981), pp. 30–1을 보라.

15 Gomes Eanes de Zurara, *Crónica da Tomada de Ceuta* (Lisbon, 1992), pp. 271–6; A. da Sousa, 'Portugal', in P. Fouracre et al. (eds), *The New Cambridge Medieval History*, 7 vols (Cambridge, 1995–2005), 7, pp. 636–7.

16 A. Dinis (ed.), Monumenta Henricina, 15 vols (Lisbon, 1960–74), 12, pp. 73–4, tr. P.

Russell, *Prince Henry the Navigator: A Life* (New Haven, 2000), p. 121.

17 P. Hair, *The Founding of the Castelo de São Jorge da Mina: An Analysis of the Sources* (Madison, 1994).

18 J. Dias, 'As primeiras penetrações portuguesas em África', in L. de Albequerque (ed.), *Portugal no Mundo*, 6 vols (Lisbon, 1989), 1, pp. 281–9.

19 M.-T. Seabra, *Perspectives da colonização portuguesa na costa occidental Africana: análise organizacional de S. Jorge da Mina* (Lisbon, 2000), pp. 80–93; Z. Cohen, 'Administração das ilhas de Cabo Verde e seu Distrito no Segundo Século de Colonização (1560–1640)', in M. Santos (ed.), *Historia Geral de Cabo Verde*, 2 vols (1991), 2, pp. 189–224.

20 L. McAlister, *Spain and Portugal in the New World, 1492–1700* (Minneapolis, MN, 1984), pp. 60–3; J. O'Callaghan, 'Castile, Portugal, and the Canary Islands: Claims and Counterclaims', *Viator* 24 (1993), 287–310.

21 Gomes Eanes de Zuara, *Crónica de Guiné, tr. C. Beazley, The chronicle of the discovery and conquest of Guinea*, 2 vols (London, 1896–9), 18, 1, p. 61. 이 시기의 포르투갈에 관해서는 M.-J. Tavares, *Estudos de História Monetária Portuguesa (1383–1438)* (Lisbon, 1974); F. Barata, *Navegação, comércio e relações politicas: os portgueses no Mediterrâneo occidental* (1385–1466) (Lisbon, 1998).

22 Gomes Eanes de Zurara, *Chronicle*, 25, 1, pp. 81–2. 이 복잡한 자료에 대한 약간의 논평으로는 L. Barreto, 'Gomes Eanes de Zurara e o problema da Crónica da Guiné', *Studia* 47 (1989), 311–69.

23 A. Saunders, *A Social History of Black Slaves and Freemen in Portugal, 1441–1555* (Cambridge, 1982); T. Coates, *Convicts and Orphans: Forces and State-Sponsored Colonizers in the Portuguese Empire, 1550–1755* (Stanford, 2001).

24 Gomes Eanes de Zurara, *Chronicle*, 87, 2, p. 259.

25 Ibid., 18, 1, p. 62.

26 H. Hart, *Sea Road to the Indies: An Account of the Voyages and Exploits of the Portuguese Navigators, Together with the Life and Times of Dom Vasco da Gama, Capitão Mór, Viceroy of India and Count of Vidigueira* (New York, 1950), pp. 44–5.

27 Gomes Eanes de Zurara, *Chronicle*, 87, 2, p. 259.

28 J. Cortés López, 'El tiempo africano de Cristóbal Colón', *Studia Historica* 8 (1990), 313–26.

29 A. Brásio, *Monumenta Missionaria Africana*, 15 vols (Lisbon, 1952), 1, pp. 84–5.

30 Ferdinand Columbus, *The Life of the Admiral Christopher Columbus by his Son Ferdinand*, tr. B. Keen (New Brunswick, NJ, 1992), p. 35; C. Delaney, *Columbus and the Quest for Jerusalem* (London, 2012), pp. 48–9.

31 C. Jane (ed. and tr.), *Select Documents Illustrating the Four Voyages of Columbus*, 2 vols (London, 1930–1), 1, pp. 2–19.

32 O. Dunn and J. Kelley (eds and trs), *The Diario of Christopher Columbus's First Voyage to America, 1492–3* (Norman, OK, 1989), p. 67.

33 Ibid., pp. 143–5.

34 W. Phillips and C. Rahn Phillips, *Worlds of Christopher Columbus* (Cambridge, 1992), p. 185. 유럽 전역에서의 편지의 출판에 관해서는 R. Hirsch, 'Printed Reports on the Early

Discoveries and their Reception', in M. Allen and R. Benson (eds), *First Images of America: The Impact of the New World on the Old* (New York, 1974), pp. 90–1.

35 M. Zamora, 'Christopher Columbus' "Letter to the Sovereigns": Announcing the Discovery', in S. Greenblatt (ed.), *New World Encounters* (Berkeley, 1993), p. 7.

36 Delaney, *Columbus and the Quest for Jerusalem*, p. 144.

37 Bartolomé de las Casas, *Historia de las Indias*, 1.92, tr. P. Sullivan, *Indian Freedom: The Cause of Bartolomé de las Casas, 1484–1566* (Kansas City, 1995), pp. 33–4.

38 E. Vilches, 'Columbus' Gift: Representations of Grace and Wealth and the Enterprise of the Indies', *Modern Language Notes* 119.2 (2004), 213–14.

39 C. Sauer, *The Early Spanish Main* (Berkeley, 1966), p. 109.

40 L. Formisano (ed.), *Letters from a New World: Amerigo Vespucci's Discovery of America* (New York, 1992), p. 84; M. Perri, '"Ruined and Lost": Spanish Destruction of the Pearl Coast in the Early Sixteenth Century', *Environment and History* 15 (2009), 132–4.

41 Dunn and Kelley, *The Diario of Christopher Columbus's First Voyage*, p. 235.

42 Ibid., pp. 285–7.

43 Ibid., pp. 235–7.

44 Bartolomé de las Casas, *Historia*, 3.29, p. 146.

45 Francisco López de Gómara, *Cortés: The Life of the Conqueror by his Secretary*, tr. L. Byrd Simpson (Berkeley, 1964), 27, p. 58.

46 Bernardino de Sahagún, *Florentine Codex: General History of the Things of New Spain*. Book 12, tr. A. Anderson and C. Dibble (Santa Fe, NM, 1975), p. 45; R. Wright (tr.), *Stolen Continents: Five Hundred Years of Conquest and Resistance in the Americas* (New York, 1992), p. 29.

47 S. Gillespie, *The Aztec Kings: The Construction of Rulership in Mexican History* (Tucson, AZ, 1989), pp. 173–207; C. Townsend, 'Burying the White Gods: New Perspectives on the Conquest of Mexico', *American Historical Review* 108.3 (2003), 659–87.

48 지금 미국 텍사스 주 오스틴의 헌팅턴 미술관에 소장된 한 그림은 코르테스가 틀라스칼라의 지도자 시코텡카틀과 인사하는 모습을 보여주고 있다. 시코텡카틀은 중앙아메리카에서 자신의 입지를 강화하기 위해 새로 도착한 사람들을 이용할 수 있다고 보았다.

49 J. Ginés de Sepúlveda, *Demócrates Segundo o de la Justas causas de la Guerra contra los indios*, ed. A. Losada (Madrid, 1951), pp. 35, 33. 원숭이와 비교한 것은 로사다가 이용한 사본에서 지워졌다. A. Pagden, *Natural Fall of Man: The American Indian and the Origins of Comparative Ethnology* (Cambridge, 1982), p. 231, n. 45.

50 Sahagún, *Florentine Codex*, 12, p. 49; Wright (tr.), *Stolen Continents*, pp. 37–8.

51 Sahagún, *Florentine Codex*, 12, pp. 55–6.

52 I. Rouse, *The Tainos: Rise and Decline of the People who Greeted Columbus* (New Haven, 1992); N. D. Cook, *Born to Die: Disease and New World Conquest, 1492–1650* (Cambridge, 1998).

53 R. McCaa, 'Spanish and Nahuatl Views on Smallpox and Demographic Catastrophe in Mexico', *Journal of Interdisciplinary History* 25 (1995), 397–431. 일반적으로 A. Crosby, *The Columbian Exchange: Biological and Cultural Consequences of 1492* (Westport, CT, 2003)를 보라.

54 Bernardino de Sahagún, *Historia general de las cosas de Nueva España* (Mexico City, 1992), p.

491; López de Gómara, *Life of the Conqueror*, 141–2, pp. 285–7.

55 Cook, *Born to Die*, pp. 15–59. Also Crosby, *Columbian Exchange*, pp. 56, 58; C. Merbs, 'A New World of Infectious Disease', *Yearbook of Physical Anthropology* 35.3 (1993), 4.

56 Fernández de Enciso, *Suma de geografía*, E. Vilches, *New World Gold: Cultural Anxiety and Monetary Disorder in Early Modern Spain* (Chicago, 2010), p. 24에서 재인용.

57 V. von Hagen, *The Aztec: Man and Tribe* (New York, 1961), p. 155.

58 P. Cieza de León, *Crónica del Perú*, tr. A. Cook and N. Cook, *The Discovery and Conquest of Peru* (Durham, NC, 1998), p. 361.

59 디에고 데 오르다스에 관해서는 C. García, *Vida del Comendador Diego de Ordaz, Descubridor del Orinoco* (Mexico City, 1952)를 보라.

60 A. Barrera, 'Empire and Knowledge: Reporting from the New World', *Colonial Latin American Review* 15.1 (2006), 40–1.

61 H. Rabe, *Deutsche Geschichte 1500–1600. Das Jahrhundert der Glaubensspaltung* (Munich, 1991), pp. 149–53.

62 Letter of Pietro Pasqualigo, in J. Brewer (ed.), *Letters and Papers, Foreign and Domestic, of the Reign of Henry VIII*, 23 vols (London, 1867), 1.1, pp. 116–17.

63 앤 불린에 관해서는 *Calendar of State Papers and Manuscripts, Relating to English Affairs, Existing in the Archives and Collections of Venice, and in Other Libraries of Northern Italy*, ed. R. Brown et al., 38 vols (London, 1970), 4, p. 824.

64 Francisco López de Gómara, *Historia general de las Indias*, ed. J. Gurría Lacroix (Caracas, 1979), 1, p. 7.

65 Pedro Mexía, *Historia del emperador Carlos* V, ed. J. de Mata Carrizo (Madrid, 1945), p. 543. 또한 Vilches, *New World Gold*, p. 26.

66 F. Ribeiro da Silva, *Dutch and Portuguese in Western Africa: Empires, Merchants and the Atlantic System, 1580–1674* (Leiden, 2011), pp. 116–17; Coates, *Convicts and Orphans*, pp. 42–62.

67 E. Donnan (ed.), *Documents Illustrative of the History of the Slave Trade to America*, 4 vols (Washington, DC, 1930), 1, pp. 41–2.

68 B. Davidson, *The Africa Past: Chronicles from Antiquity to Modern Times* (Boston, 1964), pp. 194–7.

69 Brásio, *Missionaria Africana*, 1, pp. 521–7.

70 A. Pagden, *Spanish Imperialism and the Political Imagination: Studies in European and Spanish-American Social and Political Theory, 1513–1830* (New Haven, 1990).

71 마누엘 다 노브레가(Manuel da Nóbrega, 1517~1570)의 편지. T. Botelho, 'Labour Ideologies and Labour Relations in Colonial Portuguese America, 1500–1700', *International Review of Social History* 56 (2011), 288에서 인용.

72 M. Cortés, *Breve compendio de la sphere y el arte de navegar. Vilches, New World Gold*, pp. 24–5에서 재인용.

73 R. Pieper, *Die Vermittlung einer neuen Welt: Amerika im Nachrichtennetz des Habsburgischen Imperiums, 1493–1598* (Mainz, 2000), pp. 162–210.

74 Diego de Haëdo, *Topografía e historia general de Arge*, tr. H. de Grammont, *Histoire des rois*

d'Alger (Paris, 1998), 1, p. 18.

75 E. Lyon, *The Enterprise of Florida: Pedro Menéndez de Avilés and the Spanish Conquest of 1565–1568* (Gainesville, FL, 1986), pp. 9–10.

76 Jose de Acosta, *Historia natural y moral de las Indias*, in Vilches, *New World Gold*, p. 27.

12. 은의 길

1 H. Miskimin, *The Economy of Later Renaissance Europe, 1460–1600* (Cambridge, 1977), p. 32; J. Munro, 'Precious Metals and the Origins of the Price Revolution Reconsidered: The Conjecture of Monetary and Real Forces in the European Inflation of the Early to Mid-16th Century', in C. Núñez (ed.), *Monetary History in Global Perspective, 1500–1808* (Seville, 1998), pp. 35–50; H. İnalcık, 'The Ottoman State: Economy and Society, 1300–1600', in H. İnalcık and D. Quataert (eds), *An Economic and Social History of the Ottoman Empire, 1300–1914* (Cambridge, 1994), pp. 58–60.

2 P. Spufford, *Money and its Use in Medieval Europe* (Cambridge, 1988), p. 377.

3 Ch'oe P'u, *Ch'oe P'u's Diary: A Record of Drifting Across the Sea*, tr. J. Meskill (Tucson, AZ, 1965), pp. 93–4.

4 Vélez de Guevara, *El diablo conjuelo*, cited by R. Pike, 'Seville in the Sixteenth Century', *Hispanic American Historical Review* 41.1 (1961), 6.

5 Francisco de Ariño, *Sucesos de Sevilla de 1592 a 1604*, in ibid., 12–13; Vilches, *New World Gold*, pp. 25–6.

6 G. de Correa, *Lendas de India*, 4 vols (Lisbon, 1858–64), 1, p. 7; A. Baião and K. Cintra, *Ásia de João de Barros: dos feitos que os portugueses fizeram no descombrimento e conquista dos mares e terras do Oriente*, 4 vols (Lisbon, 1988–), 1, pp. 1–2.

7 A. Velho, *Roteiro da Primeira Viagem de Vasco da Gama*, ed. N. Águas (Lisbon, 1987), p. 22.

8 S. Subrahmanyam, *The Career and Legend of Vasco da Gama* (Cambridge, 1997), pp. 79–163.

9 Velho, *Roteiro de Vasco da Gama*, pp. 54–5.

10 Ibid., p. 58.

11 S. Subrahmanyam, 'The Birth-Pangs of Portuguese Asia: Revisiting the Fateful "Long Decade" 1498–1509', *Journal of Global History* 2 (2007), 262.

12 Velho, *Roteiro de Vasco da Gama*, p. 60.

13 Subramanyam, *Vasco da Gama*, pp. 162–3, pp. 194–5.

14 마누엘 왕의 편지. Subrahmanyam, *Vasco da Gama*, p. 165에서 재인용.

15 B. Diffie and G. Winius, *Foundations of the Portuguese Empire, 1415–1580* (Oxford, 1977), pp. 172–4; M. Newitt, *Portugal in European and World History* (2009), pp. 62–5; Delaney, *Columbus and the Quest for Jerusalem*, pp. 124–5; J. Brotton, *Trading Territories: Mapping the Early Modern World* (London, 1997), pp. 71–2.

16 M. Guedes, 'Estreito de Magelhães', in L. Albuquerque and F. Domingues (eds), *Dictionário de história dos descobrimentos portugueses*, 2 vols (Lisbon, 1994), 2, pp. 640–4.

17 M. Newitt, *A History of Portuguese Overseas Expansion, 1400–1668* (London, 2005), pp. 54–

7; A. Teixeira da Mota (ed.), *A viagem de Fernão de Magalhães e a questão das Molucas* (Lisbon, 1975).

18 R. Finlay, 'Crisis and Crusade in the Mediterranean: Venice, Portugal, and the Cape Route to India (1498–1509)', *Studi Veneziani* 28 (1994), 45–90.

19 Girolamo Priuli, *I Diarii di Girolamo Priuli*, tr. D. Weinstein, *Ambassador from Venice* (Minneapolis, 1960), pp. 29–30.

20 'La lettre de Guido Detti', in P. Teyssier and P. Valentin, *Voyages de Vasco da Gama: Relations des expeditions de 1497–1499 et 1502–3* (Paris, 1995), pp. 183–8.

21 'Relazione delle Indie Orientali di Vicenzo Quirini nel 1506', in E. Albèri, *Le relazioni degli Ambasciatori Veneti al Senato durante il secolo decimosesto*, 15 vols (Florence, 1839–63), 15, pp. 3–19; Subrahmanyam, 'Birth-Pangs of Portuguese Asia', 265.

22 P. Johnson Brummett, *Ottoman Seapower and Levantine Diplomacy in the Age of Discovery* (Albany, NY, 1994), pp. 33–6; Subrahmanyam, 'Birth-Pangs of Portuguese Asia', 274.

23 G. Ramusio, 'Navigazione verso le Indie Orientali di Tomé Lopez', in M. Milanesi (ed.), *Navigazioni e viaggi* (Turin, 1978), pp. 683–73; Subrahmanyam, *Vasco da Gama*, p. 205.

24 D. Agius, 'Qalhat: A Port of Embarkation for India', in S. Leder, H. Kilpatrick, B. Martel-Thoumian and H. Schönig (eds), *Studies in Arabic and Islam* (Leuven, 2002), p. 278.

25 C. Silva, *O Fundador do 'Estado Português da Índia', D. Francisco de Almeida, 1457(?)–1510* (Lisbon, 1996), p. 284.

26 J. Aubin, 'Un Nouveau Classique: l'anonyme du British Museum', in J. Aubin (ed.), *Le Latin et l'astrolabe: recherches sur le Portugal de la Renaissance, son expansion en Asie et les relations internationales* (Lisbon, 1996), 2, p. 553; S. Subrahmanyam, 'Letters from a Sinking Sultan', in L. Thomasz (ed.), *Aquém e Além da Taprobana: Estudos Luso-Orientais à Memória de Jean Aubin e Denys Lombard* (Lisbon, 2002), pp. 239–69.

27 Silva, *Fundador do 'Estado Português da Índia'*, pp. 387–8. 대서양, 페르시아만, 인도양, 그리고 그 너머에서의 포르투갈의 목표와 정책에 관해서는 F. Bethencourt and D. Curto, *Portuguese Oceanic Expansion, 1400–1800* (Cambridge, 2007)을 보라.

28 G. Scammell, *The First Imperial Age: European Overseas Expansion, c. 1400–1715* (London, 1989), p. 79.

29 A. Hamdani, 'An Islamic Background to the Voyages of Discovery', in S. Khadra Jayyusi (ed.), *The Legacy of Muslim Spain* (Leiden, 1992), p. 288. 포르투갈의 점령 이전의 말라카의 중요성에 관해서는 K. Hall, 'Local and International Trade and Traders in the Straits of Melaka Region: 600–1500', *Journal of Economic and Social History of the Orient* 47.2 (2004), 213–60.

30 S. Subrahmanyam, 'Commerce and Conflict: Two Views of Portuguese Melaka in the 1620s', *Journal of Southeast Asian Studies* 19.1 (1988), 62–79.

31 Atwell, 'Time, Money and the Weather', 100.

32 P. de Vos, 'The Science of Spices: Empiricism and Economic Botany in the Early Spanish Empire', *Journal of World History* 17.4 (2006), 410.

33 'Umar ibn Muḥammad, *Rawḍ al-ʿāṭir fī nuz'hat al-khāṭir*, tr. R. Burton, *The Perfumed Garden of the Shaykh Nefzawi* (New York, 1964), p. 117.

34 F. Lane, 'The Mediterranean Spice Trade: Further Evidence of its Revival in the Sixteenth

Century', *American Historical Review* 45.3 (1940), 584–5; M. Pearson, *Spices in the Indian Ocean World* (Aldershot, 1998), p. 117.

35 Lane, 'Mediterranean Spice Trade', 582–3.

36 S. Halikowski Smith, '"Profits Sprout Like Tropical Plants": A Fresh Look at What Went Wrong with the Eurasian Spice Trade, c. 1550–1800', *Journal of Global History* 3 (2008), 390–1.

37 알베르토 피오 다 카르피(Alberto Pio da Carpi)의 편지. K. Setton, *The Papacy and the Levant, 1204–1571*, 4 vols (Philadelphia, 1976–84), 3, p. 172, n. 3.

38 P. Allen, *Opus Epistolarum Desiderii Erasmi Roterodami*, 12 vols (Oxford, 1906–58), 9, p. 254; J. Tracy, *Emperor Charles V, Impresario of War* (Cambridge, 2002), p. 27.

39 A. Clot, *Suleiman the Magnificent: The Man, his Life, his Epoch*, tr. M. Reisz (New York, 1992), p. 79. Also R. Finlay, 'Prophecy and Politics in Istanbul: Charles V, Sultan Suleyman and the Habsburg Embassy of 1533–1534', *Journal of Modern History* 3 (1998), 249–72.

40 G. Casale, 'The Ottoman Administration of the Spice Trade in the Sixteenth Century Red Sea and Persian Gulf', *Journal of the Economic and Social History of the Orient* 49.2 (2006), 170–98.

41 L. Riberio, 'O Primeiro Cerco de Diu', *Studia* 1 (1958), 201–95; G. Casale, *The Ottoman Age of Exploration* (Oxford, 2010), pp. 56–75.

42 G. Casale, 'Ottoman *Guerre de Course* and the Indian Ocean Spice Trade: The Career of Sefer Reis', *Itinerario* 32.1 (2008), 66–7.

43 *Corpo diplomatico portuguez*, ed. J. da Silva Mendes Leal and J. de Freitas Moniz, 14 vols (Lisbon, 1862–1910), 9, pp. 110–11.

44 Halikowski Smith, 'Eurasian Spice Trade', 411; J. Boyajian, *Portuguese Trade in Asia under the Habsburgs, 1580–1640* (Baltimore, 1993), pp. 43–4, and Table 3.

45 Casale, 'Ottoman Administration of the Spice Trade', 170–98. 또한 N. Stensgaard, *The Asian Trade Revolution of the Seventeenth Century: The East India Companies and the Decline of Caravan Trade* (Chicago, 1974)를 보라.

46 S. Subrahmanyam, 'The Trading World of the Western Indian Ocean, 1546–1565: A Political Interpretation', in A. de Matos and L. Thomasz (eds), *A Carreira da India e as Rotas dos Estreitos* (Braga, 1998), pp. 207–29.

47 S. Pamuk, 'In the Absence of Domestic Currency: Debased European Coinage in the Seventeenth-Century Ottoman Empire', *Journal of Economic History* 57.2 (1997), 352–3.

48 H. Crane, E. Akin and G. Necipoğlu, *Sinan's Autobiographies: Five Sixteenth-Century Texts* (Leiden, 2006), p. 130.

49 R. McChesney, 'Four Sources on Shah 'Abbas's Building of Isfahan', *Muqarnas* 5 (1988), 103–34; Iskandar Munshī, *'Tārīk-e 'ālamārā-ye 'Abbāsī*, tr. R. Savory, *History of Shah 'Abbas the Great*, 3 vols (Boulder, CO, 1978), p. 1038; S. Blake, 'Shah 'Abbās and the Transfer of the Safavid Capital from Qazvin to Isfahan', in A. Newman (ed.), *Society and Culture in the Early Modern Middle East: Studies on Iran in the Safavid Period* (LeȘiden, 2003), pp. 145–64.

50 M. Dickson, 'The Canons of Painting by ādiqī Bek', in M. Dickson and S. Cary Welch (eds), *The Houghton Shahnameh*, 2 vols (Cambridge, MA, 1989), 1, p. 262. 51 A. Taylor, *Book Arts*

of Isfahan: Diversity and Identity in Seventeenth-Century Persia (Malibu, 1995).

52 H. Cross, 'South American Bullion Production and Export, 1550–1750', in Richards, *Precious Metals*, pp. 402–4.

53 A. Jara, 'Economia minera e historia eonomica hispano-americana', in *Tres ensayos sobre economia minera hispano-americana* (Santiago, 1966).

54 A. Attman, *American Bullion in European World Trade, 1600–1800* (Gothenburg, 1986), pp. 6, 81; 全汉升, 明清间美洲白银的输入中国, 香港中文大学 中国文化研究所学报 2 (1969), 61–75.

55 B. Karl, '"Galanterie di cose rare . . .": Filippo Sassetti's Indian Shopping List for the Medici Grand Duke Francesco and his Brother Cardinal Ferdinando', *Itinerario* 32.3 (2008), 23–41. 아즈텍 사회에 대한 당대의 기록은 Diego Durán, *Book of the Gods and Rites and the Ancient Calendar*, tr. F. Horcasitas and D. Heyden (1971), pp. 273–4.

56 J. Richards, *The Mughal Empire* (Cambridge, 1993), pp. 6–8.

57 *Bābur-Nāma*, pp. 173–4. Also D. F. Ruggles, *Islamic Gardens and Landscapes* (Philadelphia, PA, 2008), p. 70.

58 *Bābur-Nāma*, p. 359.

59 Ibn Baṭūṭṭa, *Travels*, 8, 2, p. 478.

60 J. Gommans, *Mughal Warfare: Indian Frontiers and High Roads to Empire, 1500–1700* (London, 2002), pp. 112–13. 인도 말의 크기에 관해서는 J. Tavernier, *Travels in India*, ed. V. Ball, 2 vols (London, 1889), 2, p. 263. 중앙아시아 말에 관해서는 J. Masson Smith, 'Mongol Society and Military in the Middle East: Antecedents and Adaptations', in Y. Lev (ed.), *War and Society in the Eastern Mediterranean, 7th–15th Centuries* (Leiden, 1997), pp. 247–64.

61 L. Jardine and J. Brotton, *Global Interests: Renaissance Art between East and West* (London, 2005), pp. 146–8.

62 J. Gommans, 'Warhorse and Post-Nomadic Empire in Asia, c. 1000–1800', *Journal of Global History* 2 (2007), 1–21.

63 S. Dale, *Indian Merchants and Eurasian Trade, 1600–1750* (Cambridge, 1994), pp. 41–2.

64 M. Alam, 'Trade, State Policy and Regional Change: Aspects of Mughal– Uzbek Commercial Relations, c. 1550–1750', *Journal of the Economic and Social History of the Orient* 37.3 (1994), 221에서 재인용. 또한 C. Singh, *Region and Empire: Punjab in the Seventeenth Century* (New Delhi, 1991), pp. 173–203을 보라.

65 J. Gommans, *Mughal Warfare: Indian Frontiers and Highroads to Empire, 1500–1700* (London, 2002), p. 116.

66 D. Washbrook, 'India in the Early Modern World Economy: Modes of Production, Reproduction and Exchange', *Journal of Global History* 2 (2007), 92–3.

67 Letter of Duarte de Sande, in *Documenta Indica*, ed. J. Wicki and J. Gomes, 18 vols (Rome, 1948–88), 9, p. 676.

68 R. Foltz, 'Cultural Contacts between Central Asia and Mughal India', in S. Levi (ed.), *India and Central Asia* (New Delhi, 2007), pp. 155–75.

69 M. Subtelny, 'Mirak-i Sayyid Ghiyas and the Timurid Tradition of Landscape Architecture', *Studia Iranica* 24.1 (1995), 19–60.

70 J. Westcoat, 'Gardens of Conquest and Transformation: Lessons from the Earliest Mughal

Gardens in India', *Landscape Journal* 10.2 (1991), 105–14; F. Ruggles, 'Humayun's Tomb and Garden: Typologies and Visual Order', in A. Petruccioli (ed.), *Gardens in the Time of the Great Muslim Empires* (Leiden, 1997), pp. 173–86. 중앙아시아의 영향에 관해서는 특히 M. Subtelny, 'A Medieval Persian Agricultural Manual in Context: The Irshad al-Zira'a in Late Timurid and Early Safavid Khorasan', *Studia Iranica* 22.2 (1993), 167–217을 보라.

71 J. Westcoat, M. Brand and N. Mir, 'The Shedara Gardens of Lahore: Site Documentation and Spatial Analysis', *Pakistan Archaeology* 25 (1993), 333–66.

72 M. Brand and G. Lowry (eds), *Fatephur Sikri* (Bombay, 1987).

73 *The Shah Jahan Nama of 'Inayat Khan*, ed. and tr. W. Begley and Z. Desai (Delhi, 1990), pp. 70–1.

74 J. Hoil, *The Book of Chilam Balam of Chumayel*, tr. R. Roys (Washington, DC, 1967), pp. 19–20.

75 Letter of John Newbery, in J. Courtney Locke (ed.), *The First Englishmen in India* (London, 1930), p. 42.

76 Samuel Purchas, *Hakluytus posthumus, or, Purchas His Pilgrimes*, 20 vols (Glasgow, 1905–7), 3, p. 93; G. Scammell, 'European Exiles, Renegades and Outlaws and the Maritime Economy of Asia, c.1500–1750', *Modern Asian Studies* 26.4 (1992), 641–61.

77 L. Newsom, 'Disease and Immunity in the Pre-Spanish Philippines', *Social Science & Medicine* 48 (1999), 1833–50; idem, 'Conquest, Pestilence and Demographic Collapse in the Early Spanish Philippines', *Journal of Historical Geography* 32 (2006), 3–20.

78 Antonio de Morga, in W. Schurz, *The Manila Galleon* (New York, 1959), pp. 69–75. 또한 Brook, *Confusions of Pleasure*, pp. 205–6을 보라.

79 D. Irving, *Colonial Counterpoint: Music from Early Modern Manila* (Oxford, 2010), p. 19.

80 오스만제국의 위기에 관해서는 Pamuk, 'In the Absence of Domestic Currency', 353–8.

81 W. Barrett, 'World Bullion Flows, 1450–1800', in J. Tracy (ed.), *The Rise of Merchant Empires: Long-Distance Trade in the Early Modern Worlds, 1350–1750* (Cambridge, 1990), pp. 236–7; D. Flynn and A Giráldez, 'Born with a "Silver Spoon": The Origin of World Trade in 1571', *Journal of World History* 6.2 (1995), 201–21; J. TePaske, 'New World Silver, Castile, and the Philippines, 1590–1800', in Richards, *Precious Metals*, p. 439.

82 P. D'Elia, *Documenti originali concernenti Matteo Ricci e la storia delle prime relazioni tra l'Europa e la Cina (1579–1615)*, 4 vols (Rome, 1942), 1, p. 91.

83 Brook, *Confusions of Pleasure*, pp. 225–6. 중국인들의 고대와 과거에 대한 태도에 관해서는 C. Clunas, *Superfluous Things: Material Culture and Social Status in Early Modern China* (Cambridge, 1991), pp. 91–115.

84 W. Atwell, 'International Bullion Flows and the Chinese Economy *circa* 1530–1650', *Past & Present* 95 (1982), 86.

85 Richard Hakluyt, *The Principal Navigation, Voyages, Traffiques, & Discoveries of the English Nations*, 12 vols (Glasgow, 1903–5), 5, p. 498.

86 C. Boxer, *The Christian Century in Japan, 1549–1650* (Berkeley, 1951), pp. 425–7. 특히 R. von Glahn, 'Myth and Reality of China's Seventeenth-Century Monetary Crisis', *Journal of Economic History* 56.2 (1996), 429–54; D. Flynn and A Giráldez, 'Arbitrage, China and

World Trade in the Early Modern Period', *Journal of the Economic and Social History of the Orient* 6.2 (1995), 201–21.

87 C. Clunas, *Empire of Great Brightness: Visual and Material Cultures of Ming China, 1368–1644* (London, 2007); Brook, *Confusions of Pleasure*.

88 *The Plum in the Golden Vase, or, Chin P'ing Mei*, tr. D. Roy, 5 vols (Princeton, 1993–2013). 또한 N. Ding, *Obscene Things: Sexual Politics in Jin Ping Mei* (Durham, NC, 2002)를 보라.

89 C. Cullen, 'The Science/Technology Interface in Seventeenth-Century China: Song Yingxing(宋應星) on *Qi*(氣) and the *Wu Xing*(五行)', *Bulletin of the School of Oriental and African Studies* 53.2 (1990), 295–318.

90 W. de Bary, 'Neo-Confucian Cultivation and the Seventeenth-Century Enlightenment', in de Bary (ed.), *The Unfolding of Neo-Confucianism* (New York, 1975), pp. 141–216.

91 셀던 지도 자체는 이런 식으로 획득한 것이었을 수 있다. R. Batchelor, 'The Selden Map Rediscovered: A Chinese Map of East Asian Shipping Routes, c. 1619', *Imago Mundi: The International Journal for the History of Cartography* 65.1 (2013), 37–63.

92 W. Atwell, 'Ming Observations of Ming Decline: Some Chinese Views on the "Seventeenth Century Crisis" in Comparative Perspective', *Journal of the Royal Asiatic Society* 2 (1988), 316–48.

93 A. Smith, *An Inquiry into the Nature and Causes of the Wealth of Nations*, 4.7, ed. R. Campbell and A. Skinner, 2 vols (Oxford, 1976), 2, p. 626.

13. 북유럽으로 가는 길

1 José de Acosta, *Historia natural y moral de las Indias*, tr. E. Mangan, *Natural and Moral History of the Indies* (Durham, NC, 2002), p. 179.

2 *Regnans in excelsis*, in R. Miola (ed.), *Early Modern Catholicism: An Anthology of Primary Sources* (Oxford, 2007), pp. 486–8. 또한 P. Holmes, *Resistance and Compromise: The Political Thought of the Elizabethan Catholics* (Cambridge, 2009)를 보라.

3 D. Loades, *The Making of the Elizabethan Navy 1540–1590: From the Solent to the Armada* (London, 2009).

4 C. Knighton, 'A Century on: Pepys and the Elizabethan Navy', *Transactions of the Royal Historical Society* 14 (2004), pp. 143–4; R. Barker, 'Fragments from the Pepysian Library', *Revista da Universidade de Coimbra* 32 (1986), 161–78.

5 M. Oppenheim, *A History of the Administration of the Royal Navy, 1509–1660* (London, 1896), pp. 172–4; N. Williams, *The Maritime Trade of the East Anglian Ports, 1550–1590* (Oxford, 1988), pp. 220–1.

6 C. Martin and G. Parker, *The Spanish Armada* (Manchester, 1988); G. Mattingly, *The Armada* (New York, 2005).

7 E. Bovill, 'The *Madre de Dios*', *Mariner's Mirror* 54 (1968), 129–52; G. Scammell, 'England, Portugal and the Estado da India, c. 1500–1635', *Modern Asian Studies* 16.2 (1982), 180.

8 *The Portable Hakluyt's Voyages*, ed. R. Blacker (New York, 1967), p. 516; J. Parker, *Books to*

Build an Empire (Amsterdam, 1965), p. 131; N. Matar, *Turks, Moors, and Englishmen in the Age of Discovery* (New York, 1999).

9 N. Matar, *Britain and Barbary, 1589–1689* (Gainesville, FL, 2005), p. 21; *Merchant of Venice*, I.1.

10 C. Dionisotti, 'Lepanto nella cultura italiana del tempo', in G. Benzoni (ed.), *Il Mediterraneo nella seconda metà del '500 alla luce di Pepanto* (Florence, 1974), pp. 127–51; I. Fenlon, '"In destructione Turcharum": The Victory of Lepanto in Sixteenth-Century Music and Letters', in E. Degreda (ed.), *Andrea Gabrieli e il suo tempo: Atti del Convengo internazionale (Venezia 16–18 settembre 1985)* (Florence, 1987), pp. 293–317; I. Fenlon, 'Lepanto: The Arts of Celebration in Renaissance Venice', *Proceedings of the British Academy* 73 (1988), 201–36.

11 S. Skilliter, 'Three Letters from the Ottoman "Sultana" Safiye to Queen Elizabeth I', in S. Stern (ed.), *Documents from Islamic Chanceries* (Cambridge, MA, 1965), pp. 119–57.

12 G. Maclean, *The Rise of Oriental Travel: English Visitors to the Ottoman Empire, 1580–1720* (London, 2004), pp. 1–47; L. Jardine, 'Gloriana Rules the Waves: Or, the Advantage of Being Excommunicated (and a Woman)', *Transactions of the Royal Historical Society* 14 (2004), 209–22.

13 A. Artner (ed.), *Hungary as 'Propugnaculum' of Western Christianity: Documents from the Vatican Secret Archives (ca.1214–1606)* (Budapest, 2004), p. 112.

14 Jardine, 'Gloriana Rules the Waves', 210.

15 S. Skilliter, *William Harborne and the Trade with Turkey 1578–1582: A Documentary Study of the First Anglo-Ottoman Relations* (Oxford, 1977), p. 69.

16 Ibid., p. 37.

17 L. Jardine, *Worldly Goods: A New History of the Renaissance* (London, 1996), pp. 373–6.

18 *Merchant of Venice*, II.7; Othello, I.3.

19 J. Grogan, *The Persian Empire in English Renaissance Writing, 1549–1622* (London, 2014).

20 A. Kapr, *Johannes Gutenberg: Persönlichkeit und Leistung* (Munich, 1987).

21 E. Shaksan Bumas, 'The Cannibal Butcher Shop: Protestant Uses of Las Casas's "Brevísima Relación" in Europe and the American Colonies', *Early American Literature* 35.2 (2000), 107–36.

22 A. Hadfield, 'Late Elizabethan Protestantism, Colonialism and the Fear of the Apocalypse', *Reformation* 3 (1998), 311–20.

23 R. Hakluyt, 'A Discourse on Western Planting, 1584', in *The Original Writings and Correspondence of the Two Richard Hakluyts*, ed. E. Taylor, 2 vols (London, 1935), 2, pp. 211–326.

24 M. van Gelderen, *The Political Thought of the Dutch Revolt, 1555–1590* (Cambridge, 2002).

25 'The First Voyage of the right worshipfull and valiant knight, Sir John Hawkins', in *The Hawkins Voyages*, ed. C. Markham (London, 1878), p. 5. 또한 Kelsey, *Sir John Hawkins*, pp. 52–69.

26 Hakluyt, 'A Discourse on Western Planting', 20, p. 315.

27 J. McDermott, *Martin Frobisher: Elizabethan Privateer* (New Haven, 2001).

28 *Calendar of State Papers and Manuscripts*, Venice, 6.i, p. 240.

29 P. Bushev, *Istoriya posol'tv i diplomaticheskikh otnoshenii russkogo i iranskogo gosudarstv v 1586–1612gg* (Moscow, 1976), pp. 37–62.

30 R. Hakluyt, *The principal navigations, voyages, traffiques and discoveries of the English nations*, 12 vols (Glasgow, 1903–5), 3, pp. 15–16; R. Ferrier, 'The Terms and Conditions under which English Trade was Transacted with Safavid Persia', *Bulletin of the School of Oriental and African Studies* 49.1 (1986), 50–1; K. Meshkat, 'The Journey of Master Anthony Jenkinson to Persia, 1562–1563', *Journal of Early Modern History* 13 (2009), 209–28.

31 S. Cabot, 'Ordinances, instructions and aduertisements of and for the direction of the intended voyage for Cathaye', 22, in Hakluyt, *Principal navigations*, 2, p. 202.

32 Vilches, *New World Gold*, p. 27.

33 A. Romero, S. Chilbert and M. Eisenhart, 'Cubagua's Pearl-Oyster Beds: The First Depletion of a Natural Resource Caused by Europeans in the American Continent', *Journal of Political Ecology* 6 (1999), 57–78.

34 M. Drelichman and H.-J. Voth, 'The Sustainable Debts of Philip II: A Reconstruction of Spain's Fiscal Position, 1560–1598', *Centre for Economic Policy Research*, Discussion Paper DP6611 (2007).

35 D. Fischer, *The Great Wave: Price Revolutions and the Rhythm of History* (Oxford, 1996). Also D. Flynn, 'Sixteenth-Century Inflation from a Production Point of View', in E. Marcus and N. Smukler (eds), *Inflation through the Ages: Economic, Social, Psychological, and Historical Aspects* (New York, 1983), pp. 157–69.

36 O. Gelderblom, *Cities of Commerce: The Institutional Foundations of International Trade in the Low Countries, 1250–1650* (Princeton, 2013).

37 J. Tracy, *A Financial Revolution in the Habsburg Netherlands: Renten and Renteniers in the County of Holland, 1515–1565* (Berkeley, 1985).

38 O. van Nimwegen, *'Deser landen crijchsvolck'. Het Staatse leger en de militarie revoluties 1588–1688* (Amsterdam, 2006).

39 J. Israel, *The Dutch Republic: Its Rise, Greatness and Fall 1477–1806* (Oxford, 1995), pp. 308–12.

40 W. Fritschy, 'The Efficiency of Taxation in Holland', in O. Gelderblom (ed.), *The Political Economy of the Dutch Republic* (2003), pp. 55–84.

41 C. Koot, *Empire at the Periphery: British Colonists, Anglo-Dutch Trade, and the Development of the British Atlantic, 1621–1713* (New York, 2011), pp. 19–22; E. Sluitter, 'Dutch–Spanish Rivalry in the Caribbean Area', *Hispanic American Historical Review* 28.2 (1948), 173–8.

42 Israel, *Dutch Republic*, pp. 320–1.

43 M. Echevarría Bacigalupe, 'Un notable episodio en la guerra económica hispano-holandesa: El decreto Guana 1603', *Hispania: Revista española de historia* 162 (1986), 57–97; J. Israel, *Empires and Entrepots: The Dutch, the Spanish Monarchy and the Jews, 1585–1713* (London, 1990), p. 200.

44 R. Unger, 'Dutch Ship Design in the Fifteenth and Sixteenth Centuries', *Viator* 4 (1973), 387–415.

45 A. Saldanha, 'The Itineraries of Geography: Jan Huygen van Linschoten's Itinerario and

Dutch Expeditions to the Indian Ocean, 1594–1602', *Annals of the Association of American Geographers* 101.1 (2011), 149–77.

46 K. Zandvliet, *Mapping for Money: Maps, Plans and Topographic Paintings and their Role in Dutch Overseas Expansion during the 16th and 17th Centuries* (Amsterdam, 1998), pp. 37–49, 164–89.

47 E. Beekman, *Paradijzen van Weeler. Koloniale Literatuur uit Nederlands-Indië, 1600–1950* (Amsterdam, 1988), p. 72.

48 D. Lach, *Asia in the Making of Europe*, 3 vols (Chicago, 1977), 2, 492–545.

49 O. Gelderblom, 'The Organization of Long-Distance Trade in England and the Dutch Republic, 1550–1650', in Gelderblom, *Political Economy of the Dutch Republic*, pp. 223–54.

50 J.-W. Veluwenkamp, 'Merchant Colonies in the Dutch Trade System (1550–1750)', in K. Davids, J. Fritschy and P. Klein (eds), *Kapitaal, ondernemerschap en beleid. Studies over economie en politiek in Nederland, Europe en Azië van 1500 tot heden* (Amsterdam, 1996), pp. 141–64.

51 Cited by C. Boxer, *The Dutch in Brazil 1624–1654* (Oxford, 1957), pp. 2–3.

52 17세기 초의 고아에 관해서는 A. Gray and H. Bell (eds), *The Voyage of François Pyrard of Laval to the East Indies, the Maldives, the Moluccas and Brazil*, 2 vols (London, 1888), 2, pp. 2–139.

53 J. de Jong, *De waaier van het fortuin. De Nederlands in Asië de Indonesiche archipel, 1595–1950* (Zoetermeer, 1998), p. 48.

54 K. Zandvliet, *The Dutch Encounter with Asia, 1600–1950* (Amsterdam, 2002), p. 152.

55 J. Postma (ed.), *Riches from Atlantic Commerce: Dutch Transatlantic Trade and Shipping, 1585–1817* (Leiden, 2003)에 실린 에세이들을 보라.

56 J. van Dam, *Gedateerd Delfts aardwek* (Amsterdam, 1991); idem, *Dutch Delftware 1620–1850* (Amsterdam, 2004).

57 A. van der Woude, 'The Volume and Value of Paintings in Holland at the Time of the Dutch Republic', in J. de Vries and D. Freedberg (eds), *Art in History, History in Art: Studies in Seventeenth-Century Dutch Culture* (Santa Monica, 1991), pp. 285–330.

58 전체적으로 S. Schama, *The Embarrassment of Riches* (New York, 1985); S. Slive, *Dutch Painting, 1600–1800* (New Haven, 1995)을 보라.

59 T. Brook, *Vermeer's Hat: The Seventeenth Century and the Dawn of the Global World* (London, 2008), pp. 5–83.

60 *The Travels of Peter Mundy in Europe and Asia, 1608–1667*, ed. R. Temple, 5 vols (Cambridge, 1907–36), pp. 70–1; J. de Vries, *The Industrious Revolution: Consumer Behavior and the Household Economy, 1650 to the Present* (Cambridge, 2008), p. 54.

61 J. Evelyn, *Diary of John Evelyn*, ed. E. de Beer, 6 vols (Oxford, 1955), 1, pp. 39–40.

62 C. van Strien, *British Travellers in Holland during the Stuart Period: Edward Browne and John Locke as Tourists in the United Provinces* (Leiden, 1993).

63 G. Scammell, 'After da Gama: Europe and Asia since 1498', *Modern Asian Studies* 34.3 (2000), 516.

64 Pedro de Cieza de Léon, *The Incas of Pedro de Cieza de Léon*, tr. H de Onis (1959), 52, p. 171.

65 Ibid., 55, pp. 177–8.

66 S. Hill (ed.), *Bengal in 1756–7: A Selection of Public and Private Papers Dealing with the Affairs of the British in Bengal during the Reign of Siraj-uddaula*, 3 vols (London, 1905), 1, pp. 3–5.

67 P. Perdue, 'Empire and Nation in Comparative Perspective: Frontier Administration in Eighteenth-Century China', *Journal of Early Modern History* 5.4 (2001), 282; C. Tilly (ed.), *The Formation of National States in Western Europe* (Princeton, 1975), p. 15.

68 P. Hoffman, 'Prices, the Military Revolution, and Western Europe's Comparative Advantage in Violence', *Economic History Review*, 64.1 (2011), 49–51.

69 A. Hall, *Isaac Newton: Adventurer in Thought* (Cambridge, 1992), pp. 152, 164–6, 212–16; L. Debnath, *The Legacy of Leonhard Euler: A Tricentennial Tribute* (London, 2010), pp. 353–8; P-L. Rose, 'Galileo's Theory of Ballistics', *The British Journal for the History of Science* 4.2 (1968), 156–9, and in general S. Drake, *Galileo at work: His Scientific Biography* (Chicago, 1978).

70 T. Hobbes, *Leviathan*, ed. N. Malcolm (Oxford, 2012).

71 A. Carlos and L. Neal, 'Amsterdam and London as Financial Centers in the Eighteenth Century', *Financial History Review* 18.1 (2011), 21–7.

72 M. Bosker, E. Buringh and J. van Zanden, 'From Baghdad to London: The Dynamics of Urban Growth and the Arab World, 800–1800', *Centre for Economic Policy Research*, Paper 6833 (2009), 1–38; W. Fritschy, 'State Formation and Urbanization Trajectories: State Finance in the Ottoman Empire before 1800, as Seen from a Dutch Perspective', *Journal of Global History* 4 (2009), 421–2.

73 E. Kuipers, *Migrantenstad: Immigratie en Sociale Verboudingen in 17e-Eeuws Amsterdam* (Hilversum, 2005).

74 W. Fritschy, A "Financial Revolution" Reconsidered: Public Finance in Holland during the Dutch Revolt, 1568–1648', *Economic History Review* 56.1 (2003), 57–89; L. Neal, *The Rise of Financial Capitalism: International Capitalism in the Age of Reason* (Cambridge, 1990).

75 P. Malanima, *L'economia italiana: dalla crescita medievale alla crescita contemporanea* (Bologna, 2002); idem, 'The Long Decline of a Leading Economy: GDP in Central and Northern Italy, 1300–1913', *European Review of Economic History* 15 (2010), 169–219.

76 S. Broadberry and B. Gupta, 'The Early Modern Great Divergence: Wages, Prices and Economic Development in Europe and Asia, 1500–1800', *Economic History Review* 59.1 (2006), 2–31; J. van Zanden, 'Wages and the Standard of Living in Europe, 1500–1800', *European Review of Economic History* 3 (1999), 175–97.

77 Sir Dudley Carleton, 'The English Ambassador's Notes, 1612', in D. Chambers and B. Pullan (eds), *Venice: A Documentary History, 1450–1630* (Oxford, 1992), pp. 3–4.

78 G. Bistort (ed.), *Il magistrato alle pompe nella repubblica di Venezia* (Venice, 1912), pp. 403–5, 378–81.

79 E. Chaney, *The Evolution of the Grand Tour: Anglo-Italian Cultural Relations since the Renaissance* (Portland, OR, 1998). 미술품 가격에 관해서는 F. Etro and L. Pagani, 'The Market for Paintings in Italy during the Seventeenth Century', *Journal of Economic History* 72.2 (2012), 414–38을 보라.

80 예를 들어 C. Vout, 'Treasure, Not Trash: The Disney Sculpture and its Place in the History of Collecting', *Journal of the History of Collections* 24.3 (2012), 309–26을 보라. 또한 V. Coltman, *Classical Sculpture and the Culture of Collecting in Britain since* 1760 (Oxford, 2009).

81 C. Hanson, *The English Virtuoso: Art, Medicine and Antiquarianism in the Age of Empiricism* (Chicago, 2009).

82 전체적으로 P. Ayres, *Classical Culture and the Ideas of Rome in Eighteenth-Century England* (Cambridge, 1997)를 보라.

14. 제국으로 가는 길

1 D. Panzac, 'International and Domestic Maritime Trade in the Ottoman Empire during the 18th Century', *International Journal of Middle East Studies* 24.2 (1992), 189–206; M. Genç, 'A Study of the Feasibility of Using Eighteenth-Centurİy Ottomanİ Financial Records as an Indicator of Economic Activity', in H. İslamoğlu-İnan (ed.), *The Ottoman Empire and the World-Economy* (Cambridge, 1987), pp. 345–73.

2 S. White, *The Climate of Rebellion in the Early Modern Ottoman Empire* (Cambridge, 2011).

3 T. Kuran, 'The Islamic Commercial Crisis: Institutional Roots of Economic Underdevelopment in the Middle East', *Journal of Economic History* 63.2 (2003), 428–31.

4 M. Kunt, *The Sultan's Servants: The Transformation of Ottoman Provincial Government, 1550–1650* (New York, 1983), pp. 44–56.

5 Schama, *Embarrassment of Riches*, pp. 330–5.

6 Thomas Mun, *England's Treasure by Foreign Trade* (London, 1664). de Vries, *Industrious Revolution*, p. 44에서 재인용.

7 C. Parker, *The Reformation of Community: Social Welfare and Calvinist Charity in Holland, 1572–1620* (Cambridge, 1998).

8 S. Pierson, 'The Movement of Chinese Ceramics: Appropriation in Global History', *Journal of World History* 23.1 (2012), 9–39; S. Iwanisziw, 'Intermarriage in Late-Eighteenth-Century British Literature: Currents in Assimilation and Exclusion', *Eighteenth-Century Life* 31.2 (2007), 56–82; F. Dabhoiwala, *The Origins of Sex: A History of the First Sexual Revolution* (London, 2012).

9 W. Bradford, *History of Plymouth Plantation, 1606–1646*, ed. W. Davis (New York, 1909), pp. 46–7.

10 북아메리카로의 탈출에 관해서는 A. Zakai, *Exile and Kingdom: History and Apocalypse in the Puritan Migration to America* (Cambridge, 1992), 추수감사절의 기원에 관한 논쟁에 대해서는 G. Hodgson, *A Great and Godly Adventure: The Pilgrims and the Myth of the First Thanksgiving* (New York, 2006).

11 K. Chaudhari, *The Trading World of Asia and the English East India Company* (Cambridge, 2006).

12 Gelderblom, 'The Organization of Long-Distance Trade', 232–4.

13 S. Groenveld, 'The English Civil Wars as a Cause of the First Anglo-Dutch War, 1640–1652',

Historical Journal 30.3 (1987), 541–66. 이 시기의 잉글랜드와 네덜란드의 경쟁에 대해서는 L. Jardine, *Going Dutch: How England Plundered Holland's Glory* (London, 2008).

14 S. Pincus, *Protestantism and Patriotism: Ideologies and the Making of English Foreign Policy, 1650–1668* (Cambridge, 1996). 또한 C. Wilson, *Profit and Power: A Study of England and the Dutch Wars* (London, 1957).

15 J. Davies, *Gentlemen and Tarpaulins: The Officers and Men of the Restoration Navy* (Oxford, 1991), p. 15.

16 J. Glete, *Navies and Nations: Warships, Navies and State Building in Europe and America, 1500–1860*, 2 vols (Stockholm, 1993), pp. 192–5.

17 1671년 출판된 비첸의 *Aeloude en Hedendaegsche Scheeps-bouw en Bestier*는 이 시기에 가장 영향력 있는 책이었다. 피프스의 사본에 관해서는 N. Smith et al., *Catalogue of the Pepys Library at Magdalene College, Cambridge*, vol. 1 (1978), p. 193. 이 일기 작가는 아직도 영국의 명문인 그리스도 자선학교(Christ's Hospital)를 설립하는 데 중요한 역할을 했다. E. Pearce, *Annals of Christ's Hospital* (London, 1901), pp. 99–126. 새로운 디자인에 관해서는 B. Lavery (ed.), *Deane's Doctrine of Naval Architecture, 1670* (London, 1981)을 보라.

18 D. Benjamin and A. Tifrea, 'Learning by Dying: Combat Performance in the Age of Sail', *Journal of Economic History* 67.4 (2007), 968–1000.

19 E. Lazear and S. Rosen, 'Rank-Order Tournaments as Optimum Labor Contracts', *Journal of Political Economy* 89.5 (1981), 841–64. 또한 D. Benjamin and C. Thornberg, 'Comment: Rules, Monitoring and Incentives in the Age of Sail', *Explorations in Economic History* 44.2 (2003), 195–211을 보라.

20 J. Robertson, 'The Caribbean Islands: British Trade, Settlement, and Colonization', in L. Breen (ed.), *Converging Worlds: Communities and Cultures in Colonial America* (Abingdon, 2012), pp. 176–217.

21 P. Stern, 'Rethinking Institutional Transformation in the Making of Empire: The East India Company in Madras', *Journal of Colonialism and Colonial History* 9.2 (2008), 1–15.

22 H. Bowen, *The Business of Empire: The East India Company and Imperial Britain, 1756–1833* (Cambridge, 2006).

23 H. Bingham, 'Elihu Yale, Governor, Collector and Benefactor', *American Antiquarian Society. Proceedings* 47 (1937), 93–144; idem, *Elihu Yale: The American Nabob of Queen Square* (New York, 1939).

24 J. Osterhammel, *China und die Weltgesellschaft* (1989), p. 112.

25 예를 들어 F. Perkins, *Leibniz and China: A Commerce of Light* (Cambridge, 2004)를 보라.

26 S. Mentz, *The English Gentleman Merchant at Work: Madras and the City of London 1660–1740* (Copenhagen, 2005), p. 162에서 재인용.

27 Procopius, *The Wars*, 8.20, 5, pp. 264–6.

28 K. Matthews, 'Britannus/Britto: Roman Ethnographies, Native Identities, Labels and Folk Devils', in A. Leslie, *Theoretical Roman Archaeology and Architecture: The Third Conference Proceedings* (1999), p. 15.

29 R. Fogel, 'Economic Growth, Population Theory, and Physiology: The Bearing of Long-Term Processes on the Making of Economic Policy', *American Economic Review* 84.3 (1994),

369–95; J. Mokyr, 'Why was the Industrial Revolution a European Phenomenon?', *Supreme Court Economic Review* 10 (2003), 27–63.

30 J. de Vries, 'Between Purchasing Power and the World of Goods: Understanding the Household Economy in Early Modern Europe', in J. Brewer and R. Porter (eds), *Consumption and the World of Goods* (1993), pp. 85–132; idem, *The Industrious Revolution*; H.-J. Voth, 'Time and Work in Eighteenth-Century London', *Journal of Economic History* 58 (1998), 29–58.

31 N. Voigtländer and H.-J. Voth, 'Why England? Demographic Factors, Structural Change and Physical Capital Accumulation during the Industrial Revolution', *Journal of Economic Growth* 11 (2006), 319–61; L. Stone, 'Social Mobility in England, 1500–1700', *Past & Present* 33 (1966), 16–55. 또한 종교와 장자상속제의 관계에 대한 평가를 위해서는 P. Fichtner, *Protestantism and Primogeniture in Early Modern Germany* (London, 1989)를 보라.

32 K. Karaman and S. Pamuk, 'Ottoman State Finances in European Perspective, 1500–1914', *Journal of Economic History* 70.3 (2010), 611–12.

33 G. Ames, 'The Role of Religion in the Transfer and Rise of Bombay', *Historical Journal* 46.2 (2003), 317–40.

34 J. Flores, 'The Sea and the World of the Mutasaddi: A Profile of Port Officials from Mughal Gujarat (c.1600–1650)', *Journal of the Royal Asiatic Society* 3.21 (2011), 55–71.

35 *Tūzuk-i-Jahāngīrī*, tr. W. Thackston, *The Jahangirnama: Memoirs of Jahangir, Emperor of India* (Oxford, 1999), p. 108.

36 A. Loomba, 'Of Gifts, Ambassadors, and Copy-cats: Diplomacy, Exchange and Difference in Early Modern India', in B. Charry and G. Shahani (eds), *Emissaries in Early Modern Literature and Culture: Mediation, Transmission, Traffic, 1550–1700* (Aldershot, 2009), pp. 43–5 and passim.

37 Rev. E. Terry, *A Voyage to East India* (London, 1655), p. 397. T. Foster, *The Embassy of Sir Thomas Roe to India* (London, 1926), pp. 225–6에서 재인용. 여행자 피터 먼디는 수라트를 방문했을 때 도도새 두 마리를 보았다. 이것 역시 자한기르의 호의를 얻으려고 열심이던 상인들이 선물한 것일 수 있다. *Travels of Peter Mundy*, 2, p. 318.

38 L. Blussé, *Tribuut aan China. Vier eeuwen Nederlands–Chinese betrekkingen* (Amsterdam, 1989), pp. 84–7.

39 선물 목록에 관해서는 J. Vogel (ed.), *Journaal van Ketelaar's hofreis naar den Groot Mogol te Lahore* (The Hague, 1937), pp. 357–93; A. Topsfield, 'Ketelaar's Embassy and the Farengi Theme in the Art of Udaipur', *Oriental Art* 30.4 (1985), 350–67.

40 저울질의 상세한 내용에 대해서는 *Shah Jahan Nama*, p. 28을 보라. 17세기에 인도를 여행한 장 드 테브노(Jean de Thévenot)는 저울질 의식에 관한 생생한 기록을 제공한다. S. Sen, *Indian Travels of Thevenot and Careri* (New Delhi, 1949), 26, pp. 66–7.

41 P. Mundy, *Travels*, pp. 298–300.

42 N. Manucci, *A Pepys of Mogul India, 1653–1708: Being an Abridged Edition of the 'Storia do Mogor' of Niccolao Manucci* (New Delhi, 1991), pp. 197, 189.

43 J. Gommans, 'Mughal India and Central Asia in the Eighteenth Century: An Introduction to a Wider Perspective', *Itinerario* 15.1 (1991), 51–70. 공물 납부에 관해서는 J. Spain,

The Pathan Borderland (The Hague, 1963), pp. 32–4. 또한 C. Noelle, *State and Tribe in Nineteenth-Century Afghanistan: The Reign of Amir Dost Muhamad Khan (1826–1863)* (London, 1997), p. 164.

44 S. Levi, 'The Ferghana Valley at the Crossroads of World History: The Rise of Khoqand 1709–1822', *Journal of Global History* 2 (2007), 213–32.

45 S. Levi, 'India, Russia and the Eighteenth-Century Transformation of the Central Asian Caravan Trade', *Journal of the Economic and Social History of the Orient* 42.4 (1999), 519–48.

46 I. McCabe, *Shah's Silk for Europe's Silver: The Eurasian Trade of the Julfa Armenians in Safavid Iran and India, 1530–1750* (Atlanta, 1999). 또한 B. Bhattacharya, 'Armenian European Relationship in India, 1500–1800: No Armenian Foundation for European Empire?', *Journal of the Economic and Social History of the Orient* 48.2 (2005), 277–322를 보라.

47 S. Delgoda, '"Nabob, Historian and Orientalist": Robert Orme: The Life and Career of an East India Company Servant (1728–1801)', *Journal of the Royal Asiatic Society* 2.3 (1992), 363–4.

48 T. Nechtman, 'A Jewel in the Crown? Indian Wealth in Domestic Britain in the Late Eighteenth Century', *Eighteenth-Century Studies* 41.1 (2007), 73 재인용.

49 A. Bewell, *Romanticism and Colonial Disease* (Baltimore, 1999), p. 13.

50 T. Bowrey, *Geographical Account of Countries around the Bay of Bengal 1669 to 1679*, ed. R Temple (London 1905), pp. 80–1.

51 C. Smylitopoulos, 'Rewritten and Reused: Imagining the Nabob through "Upstart Iconography"', *Eighteenth-Century Life* 32.2 (2008), 39–59.

52 P. Lawson, *The East India Company: A History* (London 1993), p. 120.

53 Nechtman, 'Indian Wealth in Domestic Britain', 76.

54 E. Burke, *The Writings and Speeches of Edmund Burke*, ed. W. Todd, 9 vols (Oxford, 2000), 5, p. 403.

55 D. Forrest, *Tea for the British: The Social and Economic History of a Famous Trade* (London, 1973), Tea Consumption in Britain, Appendix II, Table 1, p. 284.

56 벵골에 관해서는 R. Datta, *Society, Economy and the Market: Commercialization in Rural Bengal, c. 1760–1800* (New Delhi, 2000); R. Harvey, *Clive: The Life and Death of a British Emperor* (London, 1998).

57 P. Marshall, *East India Fortunes: The British in Bengal in the Eighteenth Century* (Oxford, 1976), p. 179.

58 J. McLane, *Land and Local Kingship in Eighteenth-Century Bengal* (Cambridge, 1993), pp. 194–207.

59 N. Dirks, *Scandal of Empire: India and the Creation of Imperial Britain* (Cambridge, MA, 2006), pp. 15–17.

60 P. Lawson, *The East India Company: A History* (New York, 1993).

61 J. Fichter, *So Great a Proffit: How the East Indies Trade Transformed Anglo-American Capitalism* (Cambridge, MA, 2010), pp. 7–30.

62 보스턴 주민들에게서 온 편지들은 이후 몇 달 동안 "생선 맛이 변했다"고 불평했다. 홍차가 "항구의 물을 크게 오염시켜 물고기들이 인체의 신경 질환과 같은 병에 걸렸을 수 있다"는

공포를 주었다. *Virginia Gazette*, 5 May 1774.

63 Dirks, *Scandal*, p. 17에서 재인용.

15. 위기로 가는 길

1 K. Marx, *Secret Diplomatic History of the Eighteenth Century*, ed. L. Hutchinson (London, 1969).

2 A. Kappeler, 'Czarist Policy toward the Muslims of the Russian Empire', in A. Kappeler, G. Simon and G. Brunner (eds), *Muslim Communities Reemerge: Historical Perspectives on Nationality, Politics, and Opposition in the Former Soviet Union and Yugoslavia* (Durham, NC, 1994), pp. 141–56. 또한 D. Brower and E. Lazzerini, *Russia's Orient: Imperial Borderlands and Peoples, 1700–1917* (Bloomington, IN, 1997).

3 러시아의 팽창에 관한 포괄적인 연구는 M. Khodarkovsky, *Russia's Steppe Frontier: The Making of a Colonial Empire, 1500–1800* (Bloomington, IN, 2002); J. Kusber, '"Entdecker" und "Entdeckte": Zum Selbstverständnis von Zar und Elite im frühneuzeitlichen Moskauer Reich zwischen Europa und Asien', *Zeitschrift für Historische Forschung* 34 (2005), 97–115.

4 J. Bell, *Travels from St Petersburg in Russia to Various Parts of Asia* (Glasgow, 1764), p. 29; M. Khodarkovsky, *Where Two Worlds Met: The Russian State and the Kalmyk Nomads 1600–1771* (London, 1992).

5 A. Kahan, 'Natural Calamities and their Effect upon the Food Supply in Russia', *Jahrbücher für Geschichte Osteuropas* 16 (1968), 353–77; J. Hittle, *The Service City: State and Townsmen in Russia, 1600–1800* (Cambridge, MA, 1979), pp. 3–16; P. Brown, 'How Muscovy Governed: Seventeenth-Century Russian Central Administration', *Russian History* 36 (2009), 467–8.

6 L. de Bourrienne, *Memoirs of Napoleon Bonaparte*, ed. R. Phipps, 4 vols (New York, 1892), 1, p. 179.

7 J. Cole, *Napoleon's Egypt: Invading the Middle East* (New York, 2007), pp. 213–15.

8 C. de Gardane, *Mission du Général Gardane en Perse* (Paris, 1865). 이 시기의 프랑스와 페르시아의 관계 일반 및 페르시아를 인도로 가는 다리로 활용하려던 시도에 관해서는 I. Amini, *Napoléon et la Perse: les relations franco-persanes sous le Premier Empire dans le contexte des rivalités entre la France et la Russie* (Paris, 1995).

9 Ouseley to Wellesley, 30 April 1810, FO 60/4.

10 Ouseley to Wellesley, 30 November 1811, FO 60/6.

11 이 에피소드에 관해서는 A. Barrett, 'A Memoir of Lieutenant-Colonel Joseph d'Arcy, R.A., 1780–1848', *Iran* 43 (2005), 241–7을 보라.

12 Ibid., 248–53.

13 Ouseley to Castlereagh, 16 January 1813, FO 60/8.

14 Abul Hassan to Castlereagh, 6 June 1816, FO 60/11.

15 A. Postnikov, 'The First Russian Voyage around the World and its Influence on the Exploration and Development of Russian America', *Terrae Incognitae* 37 (2005), 60–1.

16 S. Fedorovna, *Russkaya Amerika v 'zapiskakh' K. T. Khlebnikova* (Moscow, 1985).
17 M. Gammer, 'Russian Strategy in the Conquest of Chechnya and Dagestan, 1825–59', in M. Broxup (ed.), *The North Caucasus Barrier: The Russian Advance towards the Muslim World* (New York, 1992), pp. 47–61. 샤밀에 관해서는 S. Kaziev, *Imam Shamil* (Moscow, 2001).
18 이 시들의 번역에 대해서는 M. Pushkin, *Eugene Onegin and Four Tales from Russia's Southern Frontier*, tr. R. Clark (London, 2005), pp. 131–40; L. Kelly, *Lermontov: Tragedy in the Caucasus* (London, 2003), pp. 207–8을 보라.
19 M. Orlov, *Kapituliatsiia Parizha. Politicheskie sochinenniia. Pis'ma* (Moscow, 1963), p. 47.
20 P. Chaadev, *Lettres philosophiques*, 3 vols (Paris, 1970), pp. 48–57.
21 S. Becker, 'Russia between East and West: The Intelligentsia, Russian National Identity and the Asian Borderlands', *Central Asian Survey* 10.4 (1991), 51–2.
22 T. Levin, *The Hundred Thousand Fools of God: Musical Travels in Central Asia* (Bloomington, IN, 1996), pp. 13–15. 보로딘의 교향시는 〈중앙아시아의 초원에서〉로 불리는 경우가 많다.
23 J. MacKenzie, *Orientalism: History, Theory and the Arts* (Manchester, 1995), pp. 154–6.
24 F. Dostoevskii, *What is Asia to Us?*, ed. and tr. M. Hauner (London, 1992), p. 1.
25 Broxup, *North Caucasus Barrier*, p. 47; J. Baddeley, *The Russian Conquest of the Caucasus* (London, 1908), pp. 152–63.
26 L. Kelly, *Diplomacy and Murder in Teheran: Alexandre Griboyedov and Imperial Russia's Mission to the Shah of Persia* (London, 2002). 그리보예도프의 관점에 대해서는 S. Shostakovich, *Diplomatischeskaia deiatel'nost'* (Moscow, 1960).
27 'Peridskoe posol'stvo v Rossii 1828 goda', *Russkii Arkhiv* 1 (1889), 209–60.
28 W. Dalrymple, *Return of a King: The Battle for Afghanistan* (London, 2013), pp. 50–1에서 재인용.
29 J. Norris, *The First Afghan War 1838–42* (Cambridge, 1967); M. Yapp, *Strategies of British India: Britain, Iran and Afghanistan 1798–1850* (Oxford, 1980), pp. 96–152; C. Allworth, *Central Asia: A Century of Russian Rule* (New York, 1967), pp. 12–24.
30 Palmerston to Lamb, 22 May 1838, Beauvale Papers, MS 60466; D. Brown, *Palmerston: A Biography* (London, 2010), p. 216.
31 Palmerston to Lamb, 22 May 1838, cited in D. Brown, *Palmerston: A Biography* (London, 2010), p. 216.
32 Palmerston to Lamb, 23 June 1838, in ibid., pp. 216–7.
33 S. David, *Victoria's Wars: The Rise of Empire* (London, 2006), pp. 15–47; A. Burnes, *Travels into Bokhara. Being an account of a Journey from India to Cabool, Tartary and Persia*, 3 vols (London 1834). 번스의 피살에 관해서는 Dalrymple, *Return of a King*, pp. 30–5.
34 W. Yapp, 'Disturbances in Eastern Afghanistan, 1839–42', *Bulletin of the School of Oriental and African Studies* 25.1 (1962), 499–523; idem, 'Disturbances in Western Afghanistan, 1839–42', *Bulletin of the School of Oriental and African Studies* 26.2 (1963), 288–313; Dalrymple, *Return of a King*, pp. 378–88.
35 A. Conoly to Rawlinson 1839. S. Brysac and K. Mayer, *Tournament of Shadows: The Great Game and the Race for Empire in Asia* (London, 2006).
36 'Proceedings of the Twentieth Anniversary Meeting of the Society', *Journal of the Royal Asiatic*

Society 7 (1843), x–xi. 스토다트, 코놀리와 그 밖의 사람들에 관해서는 P. Hopkirk, *The Great Game: On Secret Service in High Asia* (London, 2001).

37 H. Hopkins, *Charles Simeon of Cambridge* (London, 1977), p. 79.

38 J. Wolff, *Narrative of a Mission to Bokhara: In the Years 1843–1845*, 2 vols (London, 1845). 볼프 자신에 관해서는 H. Hopkins, *Sublime Vagabond: The Life of Joseph Wolff—Missionary Extraordinary* (Worthing, 1984), pp. 286–322.

39 A. Levshin, *Opisanie Kirgiz-Kazach'ikh, ili Kirgiz-kaisatskikh, ord i stepei* (Almaty, 1996) 13, p. 297.

40 Burnes, *Travels into Bokhara*, 11, 2, p. 381.

41 R. Shukla, *Britain, India and the Turkish Empire, 1853–1882* (New Delhi, 1973), p. 27.

42 O. Figes, *Crimea: The Last Crusade* (London, 2010), p. 52.

43 프랑스에 관해서는 M. Racagni, 'The French Economic Interests in the Ottoman Empire', *International Journal of Middle East Studies* 11.3 (1980), 339–76을 보라.

44 W. Baumgart, *The Peace of Paris 1856: Studies in War, Diplomacy and Peacemaking*, tr. A. Pottinger Saab (Oxford, 1981), pp. 113–16, 191–4.

45 K. Marx, *The Eastern Question: A Reprint of Letters Written 1853–1856 Dealing with the Events of the Crimean War* (London, 1969); idem, *Dispatches for the New York Tribune: Selected Journalism of Karl Marx*, ed. F. Wheen and J. Ledbetter (London, 2007).

46 G. Ameil, I. Nathan and G.-H. Soutou, *Le Congrès de Paris (1856): un événement fondateur* (Brussels, 2009).

47 P. Levi, 'Il monumento dell'unità Italiana', *La Lettura*, 4 April 1904; T. Kirk, 'The Political Topography of Modern Rome, 1870–1936: Via XX Septembre to Via dell'Impero', in D. Caldwell and L. Caldwell (eds), *Rome: Continuing Encounters between Past and Present* (Farnham, 2011), pp. 101–28.

48 Figes, *Crimea*, pp. 411–24; Baumgart, *Peace of Paris*, pp. 113–16.

49 D. Moon, *The Abolition of Serfdom in Russia, 1762–1907* (London, 2001), p. 54.

50 E. Brooks, 'Reform in the Russian Army, 1856–1861', *Slavic Review* 43.1 (1984), 63–82.

51 러시아의 농노제에 관해서는 T. Dennison, *The Institutional Framework of Russian Serfdom* (Cambridge, 2011)을 보라. 금융위기에 관해서는 S. Hoch, 'Bankovskii krizis, krest'ianskaya reforma i vykupnaya operatsiya v Rossii, 1857–1861', in L. Zakharova, B. Eklof and J. Bushnell (eds), *Velikie reformy v Rossii*, 1856–1874 (Moscow, 1991), pp. 95–105.

52 내무부 차관 니콜라이 밀류틴(Nikolai Miliutin)은 1856년 농노제 폐지가 그저 우선 과제가 아니라 필수라고 경고했다. 조치가 취해지지 않으면 농촌 지역에서 불안 상태나 어쩌면 혁명이 일어나리라는 것이었다. *Gosudarstvennyi arkhiv Rossiiskoi Federatsii*, 722, op. 1, d. 230. L. Zakharova, 'The Reign of Alexander II: A Watershed?', in *The Cambridge History of Russia*, ed. D. Lieven (Cambridge, 2006), p. 595에서 재인용.

53 V. Fedorov, *Istoriya Rossii XIX–nachala XX v.* (Moscow, 1998), p. 295; P. Gatrell, 'The Meaning of the Great Reforms in Russian Economic History', in B. Eklof, J. Bushnell and L. Zakharovna (eds), *Russia's Great Reforms, 1855–1881* (Bloomington, IN, 1994), p. 99.

54 N. Ignat'ev, *Missiya v' Khivu i Bukharu v' 1858 godu* (St Petersburg, 1897), p. 2.

55 Ibid.

56 Alcock to Russell, 2 August 1861, FO Confidential Print 1009 (3), FO 881/1009.

57 A. Grinev, 'Russian Politarism as the Main Reason for the Selling of Alaska', in K. Matsuzato (ed.), *Imperiology: From Empirical Knowledge to Discussing the Russian Empire* (Sapporo, 2007), pp. 245–58.

16. 전쟁으로 가는 길

1 W. Mosse, 'The End of the Crimean System: England, Russia and the Neutrality of the Black Sea, 1870–1', *Historical Journal* 4.2 (1961), 164–72.

2 *Spectator*, 14 November 1870.

3 W. Mosse, 'Public Opinion and Foreign Policy: The British Public and the War-Scare of November 1870', *Historical Journal* 6.1 (1963), 38–58.

4 Rumbold to Granville, 19 March 1871, FO 65/820, no. 28, p. 226; Mosse, 'End to the Crimean System', 187.

5 Lord Granville, House of Lords, 8 February 1876, Hansard, 227, 19.

6 Queen Victoria to Disraeli, Hughenden Papers, 23 July 1877; L. Knight, 'The Royal Titles Act and India', *Historical Journal* 11.3 (1968), 493.

7 Robert Lowe, House of Commons, 23 March 1876, Hansard, 228, 515–16.

8 Sir William Fraser, House of Commons, 16 March 1876, Hansard, 228, 111; Benjamin Disraeli, House of Commons, 23 March, Hansard, 227, 500.

9 Knight, 'Royal Titles Act', 494.

10 L. Morris, 'British Secret Service Activity in Khorasan, 1887–1908', *Historical Journal* 27.3 (1984), 662–70.

11 Disraeli to Salisbury, 1 April 1877, W. Monypenny and G. Buckle (eds), *The Life of Benjamin Disraeli, Earl of Beaconsfield* (London, 1910–20), 6, p. 379.

12 B. Hopkins, 'The Bounds of Identity: The Goldsmid Mission and Delineation of the Perso-Afghan Border in the Nineteenth Century', *Journal of Global History* 2.2 (2007), 233–54.

13 R. Johnson, '"Russians at the Gates of India"? Planning the Defence of India, 1885–1900', *Journal of Military History* 67.3 (2003), 705.

14 Ibid., 714–18.

15 General Kuropatkin's Scheme for a Russian Advance Upon India, June 1886, CID 7D, CAB 6/1.

16 Johnson, '"Russians at the Gates of India"', 734–9.

17 G. Curzon, *Russia in Central Asia in 1889 and the Anglo-Russian Question* (London, 1889), pp. 314–15.

18 A. Morrison, 'Russian Rule in Turkestan and the Example of British India, c. 1860–1917', *Slavonic and East European Review* 84.4 (2006), 674–6.

19 B. Penati, 'Notes on the Birth of Russian Turkestan's Fiscal System: A View from the Fergana Oblast'', *Journal of the Economic and Social History of the Orient* 53 (2010), 739–69.

20 D. Brower, 'Russian Roads to Mecca: Religious Tolerance and Muslim Pilgrimage in the

Russian Empire', *Slavic Review* 55.3 (1996), 569–70.

21 M. Terent'ev, *Rossiya i Angliya v Srednei Azii* (St Petersburg, 1875), p. 361.

22 Morrison, 'Russian Rule in Turkestan', 666–707.

23 *Dnevnik P. A. Valueva, ministra vnutrennikh del*, ed. P. Zaionchkovskii, 2 vols (Moscow, 1961), 2, pp. 60–1.

24 M. Sladkovskii, *History of Economic Relations between Russia and China: From Modernization to Maoism* (New Brunswick, 2008), pp. 119–29; C. Paine, *Imperial Rivals: China, Russia and their Disputed Frontier, 1858–1924* (New York, 1996), p. 178.

25 B. Anan'ich and S. Beliaev, 'St Petersburg: Banking Center of the Russian Empire', in W. Brumfield, B. Anan'ich and Y. Petrov (eds), *Commerce in Russian Urban Culture, 1861–1914* (Washington, DC, 2001), pp. 15–17.

26 P. Stolypin, *Rechy v Gosudarstvennoy Dume* (1906–11) (Petrograd, 1916), p. 132.

27 E. Backhouse and J. Blood, *Annals and Memoirs of the Court of Peking* (Boston, 1913), pp. 322–31.

28 M. Mosca, *From Frontier Policy to Foreign Policy: The Question of India and the Transformation of Geopolitics in Qing China* (Stanford, CA, 2013).

29 R. Newman, 'Opium Smoking in Late Imperial China: A Reconsideration', *Modern Asian Studies* 29.4 (1995), 765–94.

30 J. Polachek, *The Inner Opium War* (Cambridge, MA, 1991).

31 C. Pagani, 'Objects and the Press: Images of China in Nineteenth-Century Britain', in J. Codell (ed.), *Imperial Co-Histories: National Identities and the British and Colonial Press* (Madison, NJ, 2003), p. 160.

32 Memorandum by Lord Northbrook for the Cabinet, 20 May 1885, FO 881/5207, no. 29, p. 11. 또한 I. Nish, 'Politics, Trade and Communications in East Asia: Thoughts on Anglo-Russian Relations, 1861–1907', *Modern Asian Studies* 21.4 (1987), 667–78을 보라.

33 D. Drube, *Russo-Indian Relations, 1466–1917* (New York, 1970), pp. 215–16.

34 Lord Roberts, 'The North-West Frontier of India. An Address Delivered to the Officers of the Eastern Command on 17th November, 1905', *Royal United Services Institution Journal* 49.334 (1905) 1355.

35 Summary of Rittich Pamphlet on 'Railways in Persia', Part I, p. 2, Sir Charles Scott to the Marquess of Salisbury, St Petersburg, 2 May 1900, FO 65/1599. 또한 P. Kennedy and J. Siegel, *Endgame: Britain, Russia and the Final Struggle for Central Asia* (London, 2002), p. 4를 보라.

36 'Memorandum by Mr. Charles Hardinge', p. 9, to the Marquess of Salisbury, St Petersburg, 2 May 1900, FO 65/1599.

37 Foreign Secretary, Simla, to Political Resident, Persian Gulf, July 1899, FO 60/615.

38 R. Greaves, 'British Policy in Persia, 1892–1903 II', Bulletin of the School of Oriental and African Studies 28.2 (1965), 284–8.

39 Durand to Salisbury, 27 January 1900, FO 60/630.

40 Minute by the Viceroy on Seistan, 4 September 1899, FO 60/615, p. 7. 제안된 새 통신망에 관해서는 'Report on preliminary survey of the Route of a telegraph line from Quetta to the Persian frontier', 1899, FO 60/615.

41 R. Greaves, 'Sistan in British Indian Frontier Policy', *Bulletin of the School of Oriental and African Studies* 49.1 (1986), 90–1.

42 Lord Curzon to Lord Lansdowne, 15 June 1901, Lansdowne Papers, cited by Greaves, British Policy in Persia', 295.

43 Lord Salisbury to Lord Lansdowne, 18 October 1901, Lansdowne Papers, cited by Greaves, 'British Policy in Persia', 298.

44 Lord Ellenborough, House of Lords, 5 May 1903, Hansard, 121, 1341.

45 Lord Lansdowne, House of Lords, 5 May 1903, Hansard, 121, 1348.

46 Greaves, 'Sistan in British Indian Frontier Policy', 90–102.

47 British Interests in Persia, 22 January 1902, Hansard, 101, 574–628; Earl of Ronaldshay, House of Commons, 17 February 1908, Hansard, 184, 500–1.

48 King Edward VII to Lansdowne, 20 October 1901, cited by S. Lee, *King Edward VII*, 2 vols (New York, 1935–7), 2, pp. 154–5.

49 S. Gwynn, *The Letters and Friendships of Sir Cecil Spring-Rice*, 2 vols (Boston, 1929), 2, p. 85; M. Habibi, 'France and the Anglo-Russian Accords: The Discreet Missing Link', *Iran* 41 (2003), 292.

50 Report of a Committee Appointed to Consider the Military Defence of India, 24 December 1901, CAB 6/1; K. Neilson, *Britain and the Last Tsar: British Policy and Russia, 1894–1917* (Oxford, 1995), p. 124.

51 Stevens to Lansdowne, 12 March 1901, FO 248/733.

52 Morley to Minto, 12 March 1908, cited by S. Wolpert, *Morley and India, 1906–1910* (Berkeley, 1967), p. 80.

53 W. Robertson to DGMI, secret, 10 November 1902, Robertson Papers, I/2/4, in Neilson, *Britain and the Last Tsar*, p. 124.

54 S. Cohen, 'Mesopotamia in British Strategy, 1903–1914', *International Journal of Middle East Studies* 9.2 (1978), 171–4.

55 Neilson, *Britain and the Last Tsar*, pp. 134–5.

56 *The Times*, 21 October 1905.

57 H.-U. Wehler, *Deutsche Gesellschaftsgeschichte*, 5 vols (Munich, 2008), 3, pp. 610–12.

58 C. Clark, *The Sleepwalkers: How Europe Went to War in 1914* (London, 2012), p. 130.

59 F. Tomaszewski, *A Great Russia: Russia and the Triple Entente, 1905–1914* (Westport, CT, 2002); M. Soroka, *Britain, Russia and the Road to the First World War: The Fateful Embassy of Count Aleksandr Benckendorff* (1903–16) (Farnham, 2011).

60 Minute of Grey, FO 371/371/26042.

61 G. Trevelyan, *Grey of Fallodon* (London, 1937), p. 193.

62 Hardinge to de Salis, 29 December 1908, Hardinge MSS, vol. 30.

63 K. Wilson, 'Imperial Interests in the British Decision for War, 1914: The Defence of India in Central Asia', *Review of International Studies* 10 (1984), 190–2.

64 Nicolson to Hardinge, 18 April 1912, Hardinge MSS, vol. 92.

65 Grey to Nicholson, 19 March 1907; Memorandum, Sir Edward Grey, 15 March 1907, FO 418/38.

66 Clark, *Sleepwalkers*, pp. 85, 188; H. Afflerbach, *Der Dreibund. Europäische Grossmacht-und Allianzpolitik vor dem Ersten Weltkrieg* (Vienna, 2002), pp. 628–32.

67 Grey to Nicolson, 18 April 1910, in G. Gooch and H. Temperley (eds), *British Documents on the Origins of the War, 1898–1914*, 11 vols (London, 1926–38), 6, p. 461.

68 B. de Siebert, *Entente Diplomacy and the World* (New York, 1921), p. 99에서 재인용.

69 I. Klein, 'The Anglo-Russian Convention and the Problem of Central Asia, 1907–1914', *Journal of British Studies* 11.1 (1971), esp. 140–3.

70 Grey to Buchanan, 18 March 1914, Grey MSS, FO 800/74, pp. 272–3.

71 Nicolson to Grey, 24 March 1909, FO 800/337, p. 312; K. Wilson, *The Policy of the Entente: Essays on the Determinants of British Foreign Policy* (Cambridge, 1985), p. 38.

72 Nicolson to Grey, 24 March 1909, FO 800/337, p. 312.

73 N. Ferguson, *The Pity of War* (London, 1998), p. 73에서 재인용.

74 K. Wilson, *Empire and Continent: Studies in British Foreign Policy from the 1880s to the First World War* (London, 1987), pp. 144–5; G. Schmidt, 'Contradictory Postures and Conflicting Objectives: The July Crisis', in G. Schöllgen, *Escape into War? The Foreign Policy of Imperial Germany* (Oxford, 1990), p. 139 재인용.

75 R. MacDaniel, *The Shuster Mission and the Persian Constitutional Revolution* (Minneapolis, 1974), p. 108에서 재인용.

76 T. Otte, *The Foreign Office Mind: The Making of British Foreign Policy, 1865–1914* (Cambridge, 2011), p. 352.

77 Bertie to Mallet, 11 June 1904 replying to Mallet to Bertie, 2 June 1904, FO 800/176.

78 슐리펜의 계획은 그 정황과 정확한 작성 시기, 1차 세계대전을 앞두고 군비 증강에 사용한 부분 등에 대해 논란이 있다. G. Gross, 'There was a Schlieffen Plan: New Sources on the History of German Military Planning', *War in History* 15 (2008), 389–431; T. Zuber, *Inventing the Schlieffen Plan* (Oxford, 2002); and idem, *The Real German War Plan* (Stroud, 2011)을 보라.

79 J. Sanborn, *Imperial Apocalypse: The Great War and the Destruction of the Russian Empire* (Oxford, 2014), p. 25. '19호 계획'과 그 변종에 관해서는 또한 I. Rostunov, *Russki front pervoi mirovoi voiny* (Moscow, 1976), pp. 91–2를 보라.

80 Kaiser Wilhelm to Morley, 3 November 1907, cited by Cohen, 'British Strategy in Mesopotamia', 176. 카이저가 철도에 관여한 일에 대해서는 J. Röhl, *Wilhelm II: Into the Abyss of War and Exile, 1900–1941*, tr. S. de Bellaigue and R. Bridge (Cambridge, 2014), pp. 90–5를 보라.

81 R. Zilch, *Die Reichsbank und die finanzielle Kriegsvorbereitung 1907 bis 1914* (Berlin, 1987), pp. 83–8.

82 A. Hitler, *Mein Kampf* (London, repr. 2007), p. 22. 또한 B. Rubin and W. Schwanitz, *Nazis, Islamists, and the Making of the Modern Middle East* (New Haven, 2014), pp. 22–5를 보라.

83 D. Hoffmann, *Der Sprung ins Dunkle oder wie der I. Weltkrieg entfesselt wurde* (Leipzig, 2010), pp. 325–30; also A. Mombauer, *Helmuth von Moltke and the Origins of the First World War* (Cambridge, 2001), pp. 172–4.

84 R. Musil, 'Europäertum, Krieg, Deutschtum', *Die neue Rundschau* 25 (1914), 1303.

85 W. Le Queux, *The Invasion of 1910* (London, 1906); Andrew, *Defence of the Realm*, p. 8; Ferguson, Pity of War, pp. 1–11.

86 'Britain scared by Russo-German deal', New York Times, 15 January 1911. 또한 D. Lee, *Europe's Crucial Years: The Diplomatic Background of World War 1, 1902–1914* (Hanover, NH, 1974), pp. 217–20을 보라.

87 A. Mombauer, *Helmuth von Moltke and the Origins of the First World War* (Cambridge, 2001), p. 120.

88 R. Bobroff, *Roads to Glory: Late Imperial Russia and the Turkish Straits* (London, 2006), pp. 52–5.

89 Grigorevich to Sazonov, 19 January 1914, in Die Internationalen Beziehungen im Zeitalter des Imperialismus, 8 vols (Berlin, 1931–43), Series 3, 1, pp. 45–7, cited by Clark, Sleepwalkers, p. 485. 또한 M. Aksakal, *The Ottoman Road to War in 1914: The Ottoman Empire and the First World War* (Cambridge, 2008), pp. 42–56을 보라.

90 S. McMeekin, *The Russian Origins of the First World War* (Cambridge, MA, 2011), pp. 29, 36–8.

91 Girs to Sazonov, 13 November 1913, cited by McMeekin, Russian Origins, pp. 30–1.

92 W. Kampen, Studien zur deutschen Türkeipolitik in der Zeit Wilhelms II (Kiel, 1968), 39–57; M. Fuhrmann, Der Traum vom deutschen Orient: Zwei deutsche Kolonien im Osmanischen Reich, 1851–1918 (Frankfurt-am-Main, 2006).

93 J. Röhl, *The Kaiser and his Court: Wilhelm II and the Government of Germany*, tr. T. Cole (Cambridge, 1996), pp. 162–89을 보라.

94 Nicolson to Goschen, 5 May 1914, FO 800/374.

95 수혈에 관해서는 A. Hustin, 'Principe d'une nouvelle méthode de transfusion muqueuse', *Journal Médical de Bruxelles* 2 (1914), 436. 산불에 관해서는 Z. Frenkel, 'Zapiski o zhiznennom puti', *Voprosy istorii* 1 (2007), 79. 독일 축구에 관해서는 C. Bausenwein, *Was ist Was: Fußballbuch* (Nuremberg, 2008), p. 60. 메이넬의 시는 A. Meynell, 'Summer in England, 1914', in *The Poems of Alice Meynell: Complete Edition* (Oxford, 1940), p. 100.

96 H. Pogge von Strandmann, 'Germany and the Coming of War', in R. Evans and H. Pogge von Strandmann (eds), *The Coming of the First World War* (Oxford, 2001), pp. 87–8.

97 T. Ashton and B. Harrison (eds), *The History of the University of Oxford*, 8 vols (Oxford, 1994), 8, pp. 3–4.

98 암살범 훈련과 프란츠 페르디난트 암살 시도 및 암살에 관해서는 프린치프와 그 공범들에 대한 심리 내용을 적은 법정 기록을 보라. *The Austro-Hungarian Red Book*, Section II, Appendices 1-13, nos. 20–34 (1914–15).

99 Clark, *Sleepwalkers*, p. 562.

100 E. Grey, *Twenty-Five Years, 1892–1916* (New York, 1925), p. 20.

101 I. Hull, 'Kaiser Wilhelm II and the "Liebenberg Circle"', in J. Röhl and N. Sombart (eds), *Kaiser Wilhelm II: New Interpretations* (Cambridge, 1982), pp. 193–220; H. Herwig, 'Germany', in R. Hamilton and H. Herwig, *The Origins of the First World War* (Cambridge, 2003), pp. 150–87.

102 블라디미르 코콥초프(Vladimir Kokovtsov)가 전한 사조노프와의 대화. *Out of my Past: The*

Memoirs of Count Kokovtsov, Russian Minister of Finance, 1904–1914, ed. H. Fisher (Oxford, 1935), p. 348.

103 Bureau du Levant to Lecomte, 2 July 1908, *Archives des Ministres des Affaires Etrangères: correspondance politique et commerciale (nouvelle série) 1897–1918. Perse*, vol. 3, folio 191.

104 Clark, *Sleepwalkers*, pp. 325–6.

105 Clerk, 'Anglo-Persian Relations in Persia', 21 July 1914, FO 371/2076/33484.

106 Buchanan to Nicolson, 16 April 1914, in Gooch and Temperley, *British Documents*, 10.2, pp. 784–5.

107 Buchanan to Grey, 25 July 1914, in Gooch and Temperley, *British Documents*, 11, p. 94.

108 'Memorandum communicated to Sir G. Buchanan by M. Sazonof', 11 July 1914, in FO 371/2076; M. Paléologue, *La Russie des tsars pendant la grande guerre*, 3 vols (Paris, 1921), 1, p. 23.

109 K. Jarausch, 'The Illusion of Limited War: Bethmann Hollweg's Calculated Risk, July 1914', *Central European History* 2 (1969), 58; idem, *The Enigmatic Chancellor: Bethmann Hollweg and the Hubris of Imperial Germany* (London, 1973), p. 96.

110 J. McKay, *Pioneers for Profit: Foreign Entrepreneurship and Russian Industrialization, 1885–1913* (Chicago, 1970), pp. 28–9. 또한 D. Lieven, *Russia and the Origins of the First World War* (London, 1983); O. Figes, A *People's Tragedy: The Russian Revolution, 1891–1924* (London, 1996), 특히 pp. 35–83을 보라.

111 D. Fromkin, 'The Great Game in Asia', *Foreign Affairs* (1980), 951; G. D. Clayton, *Britain and the Eastern Question: Missolonghi to Gallipoli* (London, 1971), p. 139.

112 E. Vandiver, *Stand in the Trench, Achilles: Classical Receptions in British Poetry of the Great War* (Oxford, 2010), pp. 263–9.

113 H. Strachan, *The Outbreak of the First World War* (Oxford, 2004), pp. 181ff.

114 W. Churchill, *The World Crisis, 1911–1918, with New Introduction by Martin Gilbert* (New York, 2005), pp. 667–8. 처칠 일가에 대한 관점에 대해서는 Hardinge to O'Beirne, 9 July 1908, Hardinge MSS 30.

115 E. Campion Vaughan, *Some Desperate Glory* (Edinburgh, 1982), p. 232.

116 HM Stationery Office, *Statistics of the Military Efforts of the British Empire during the Great War, 1914–1920* (London, 1922), p. 643.

117 Grey to Goschen, 5 November 1908, FO 800/61, p. 2.

118 Rupert Brooke to Jacques Raverat, 1 August 1914, in G. Keynes (ed.), *The Letters of Rupert Brooke* (London, 1968), p. 603.

119 W. Letts, 'The Spires of Oxford', in *The Spires of Oxford and Other Poems* (New York, 1917), pp. 3–4.

120 *The Treaty of Peace between the Allied and Associated Powers and Germany* (London, 1919).

121 Sanborn, *Imperial Apocalypse*, p. 233.

122 H. Strachan, *Financing the First World War* (Oxford, 2004), p. 188.

123 Ibid. 또한 K. Burk, *Britain, America and the Sinews of War, 1914–1918* (Boston, 1985); M. Horn, *Britain, France and the Financing of the First World War* (Montreal, 2002), pp. 57–75를 보라.

124 특히 Strachan, *Financing the First World War*. 또한 Ferguson, *Pity of War*, 특히 pp. 318ff., 그리고 B. Eichengreen, *Golden Fetters: The Gold Standard and the Great Depression, 1919–1939* (Oxford, 1992)를 보라.

17. 석유의 길

1 D. Carment, 'D'Arcy, William Knox', in B. Nairn and G. Serle (eds), *Australian Dictionary of Biography* (Melbourne, 1981), 8, pp. 207–8.

2 J. Banham and J. Harris (eds), *William Morris and the Middle Ages* (Manchester, 1984), pp. 187–92; L. Parry, 'The Tapestries of Sir Edward Burne-Jones', Apollo 102 (1972), 324–8.

3 National Portrait Gallery, NPG 6251 (14), (15).

4 배경에 관해서는 R. Ferrier and J. Bamburg, *The History of the British Petroleum Company*, 3 vols (London, 1982–2000), 1, pp. 29ff를 보라.

5 S. Cronin, 'Importing Modernity: European Military Missions to Qajar Iran', *Comparative Studies in Society and History* 50.1 (2008), 197–226.

6 Lansdowne to Hardinge, 18 November 1902, in A. Hardinge, *A Diplomatist in the East* (London, 1928), pp. 286–96. 또한 R. Greaves, 'British Policy in Persia, 1892–1903 II', *Bulletin of the School of Oriental and African Studies* 28.2 (1965), 302–3을 보라.

7 Wolff to Kitabgi, 25 November 1900, D'Arcy Concession; Kitabgi Dossier and Correspondence regarding Kitabgi's claims, BP 69454.

8 전반적으로 Th. Korres, Hygron pyr: ena hoplo tes Vizantines nautikes taktikes (Thessaloniki, 1989); J. Haldon, 'A Possible Solution to the Problem of Greek Fire', Byzantinische Zeitschrift 70 (1977), 91–9; J. Partington, A History of Greek Fire and Gunpowder (Cambridge, 1960), pp. 1–41을 보라.

9 W. Loftus, 'On the Geology of Portions of the Turco-Persian Frontier and of the Districts Adjoining', Quarterly Journal of the Geological Society 11 (1855), 247–344.

10 M. Elm, *Oil, Power, and Principle: Iran's Oil Nationalization and its Aftermath* (Syracuse, 1992), p. 2.

11 Letter of Sayyid Jamêl al-Dên al-Afghênê to Mujtahid, in E. Browne, The Persian Revolution of 1905–1909 (London, 1966), pp. 18–19.

12 P. Kazemzadeh, Russia and Britain in Persia, 1864–1914: A Study in Imperialism (New Haven, 1968), pp. 122, 127.

13 Griffin to Rosebery, 6 December 1893, FO 60/576.

14 Currie Minute, 28 October 1893, FO 60/576.

15 J. de Morgan, 'Notes sur les gîtes de Naphte de Kend-e-Chirin (Gouvernement de Ser-i-Paul)', Annales des Mines (1892), 1–16; idem, *Mission scientifique en Perse*, 5 vols (Paris, 1894–1905); B. Redwood, *Petroleum: Its Production and Use* (New York, 1887); J. Thomson and B. Redwood, *Handbook on Petroleum for Inspectors under the Petroleum Acts* (London, 1901).

16 Kitabgi to Drummond-Wolff, 25 December 1900, Kitabgi Dossier and Correspondence

regarding Kitabgi's claims, BP 69454.

17 Gosselin to Hardinge, 12 March 1901, FO 248/733. 매리엇은 자신의 일기에서 소개 편지를 언급한다. 17 April 1901, BP 70298.

18 Marriott Diary, pp. 16, 25, BP 70298.

19 Hardinge to Lansdowne, 12 May 1901, FO 60/640; Marriott Diary, BP 70298.

20 Marriott to Knox D'Arcy, 21 May, BP 70298; Knox D'Arcy to Marriott, 23 May, BP 70298.

21 Ferrier and Bamberg, *History of the British Petroleum Company*, pp. 33–41.

22 Ibid., Appendix 1, pp. 640–3.

23 N. Fatemi, *Oil Diplomacy: Powder Keg in Iran* (New York, 1954), p. 357.

24 Hardinge to Lansdowne, 30 May 1900, FO 60/731.

25 Marriott Diary, 23 May 1901, BP 70298.

26 Knox D'Arcy to Lansdowne, 27 June 1901, FO 60/731; Greaves, 'British Policy in Persia', 296–8.

27 Hardinge to Lansdowne, 30 May 1900, FO 60/731.

28 Ferrier and Bamberg, *British Petroleum*, pp. 54–9.

29 D'Arcy to Reynolds, 15 April 1902, BP H12/24, p. 185.

30 Letter Book, Persian Concession 1901 to 1902, BP 69403.

31 Bell to Jenkin, 13 July, Cash Receipt Book, BP 69531.

32 A. Marder (ed.), *Fear God and Dread Nought: The Correspondence of Admiral the First Sea Lord Lord Fisher of Kilverstone*, 3 vols (Cambridge, MA, 1952), 1, p. 185. 이 일과 1차 세계대전 전 영국이 해군 연료를 석유로 바꾼 것에 관해서는 Yergin, *The Prize*, pp. 134ff를 보라.

33 Kitabgi Dossier and Correspondence regarding Kitabgi's claims, BP 69454; Hardinge to Grey, 23 December 1905, FO 416/26; T. Corley, *A History of the Burmah Oil Company, 1886–1924* (London, 1983), pp. 95–111.

34 Ferrier and Bamberg, *British Petroleum*, pp. 86–8.

35 Ibid.

36 A. Wilson, *South West Persia: Letters and Diary of a Young Political Officer, 1907–1914* (London, 1941), p. 42.

37 Ibid.

38 Ibid., p. 103; Corley, *Burmah Oil Company*, pp. 128–45.

39 Fisher, *Fear God and Dread Nought*, 2, p. 404.

40 Churchill, *World Crisis*, pp. 75–6.

41 'Oil Fuel Supply for His Majesty's Navy', 19 June 1913, CAB 41/34.

42 Asquith to King George V, 12 July 1913, CAB 41/34.

43 Churchill, House of Commons, 17 July 1913, Hansard, 55, 1470.

44 Slade to Churchill, 8 November 1913, 'Anglo-Persian Oil Company. Proposed Agreement, December 1913', ADM 116/3486.

45 D. Yergin, *The Prize: The Epic Quest for Oil, Money and Power* (3rd edn, New York, 2009), p. 167에서 재인용.

46 M. Aksakal, '"Holy War Made in Germany?" Ottoman Origins of the Jihad', *War in History* 18.2 (2011), 196에서 재인용.

47 F. Moberly, *History of the Great War Based on Official Documents: The Campaign in Mesopotamia 1914–1918*, 4 vols (London, 1923), 1, pp. 130–1.

48 Kitchener to HH The Sherif Abdalla, Enclosure in Cheetham to Grey, 13 December 1914, FO 371/1973/87396. 또한 E. Karsh and I. Karsh, 'Myth in the Desert, or Not the Great Arab Revolt', *Middle Eastern Studies* 33.2 (1997), 267–312.

49 J. Tomes, *Balfour and Foreign Policy: The International Thought of a Conservative Statesman* (Cambridge, 1997), p. 218.

50 Soroka, *Britain, Russia and the Road to the First World War*, pp. 201–36; Aksakal, *Ottoman Road to War*.

51 'Russian War Aims', Memo from British Embassy in Petrograd to the Russian government, 12 March 1917, in F. Golder, *Documents of Russian History 1914–1917* (New York, 1927), pp. 60–2.

52 Grey to McMahon, 8 March 1915, FO 800/48. 전쟁 전의 프랑스의 투자에 관해서는 M. Raccagni, 'The French Economic Interests in the Ottoman Empire', *International Journal of Middle East Studies* 11.3 (198), 339–76; V. Geyikdagi, 'French Direct Investments in the Ottoman Empire Before World War I', *Enterprise & Society* 12.3 (2011), 525–61을 보라.

53 E. Kedourie, *In the Anglo-Arab Labyrinth: The McMahon–Husayn Correspondence and its Interpretations, 1914–1939* (Abingdon, 2000), pp. 53–5.

54 이 작전에 관해서는 P. Hart, *Gallipoli* (London, 2011)를 보라.

55 *The Times*, 7 January 1918.

56 *The Times*, 12 January 1917.

57 C. Seymour (ed.), *The Intimate Papers of Colonel House*, 4 vols (Cambridge, MA, 1928), 3, p. 48.

58 Yergin, *The Prize*, pp. 169–72.

59 'Petroleum Situation in the British Empire and the Mesopotamia and Persian Oilfields', 1918, CAB 21/119.

60 Hankey to Balfour, 1 August 1918, FO 800/204.

61 Hankey to Prime Minister, 1 August 1918, CAB 23/119; V. Rothwell, 'Mesopotamia in British War Aims, 1914–1918', *The Historical Journal* 13.2 (1970), 289–90.

62 War Cabinet minutes, 13 August 1918, CAB 23/42.

63 G. Jones, 'The British Government and the Oil Companies 1912–24: The Search for an Oil Policy', *Historical Journal* 20.3 (1977), 655.

64 Petrol Control Committee, Second Report, 19 December 1916, Board of Trade, POWE 33/1.

65 'Reserves of Oil Fuel in U.K. and general position 1916 to 1918', minute by M. Seymour, 1 June 1917, MT 25/20; Jones, 'British Government and the Oil Companies', 657.

66 B. Hendrick, *The Life and Letters of Walter H. Page*, 2 vols (London, 1930), 2, p. 288.

67 'Eastern Report, No 5', 28 February 1917, CAB 24/143.

68 Balfour to Lloyd George, 16 July 1918, Lloyd George Papers F/3/3/18.

18. 화해로 가는 길

1 Marling to Foreign Office, 24 December 1915, FO 371/2438/198432.

2 Hardinge to Gertrude Bell, 27 March 1917, Hardinge MSS 30.

3 Slade, 'The Political Position in the Persian Gulf at the End of the War', 4 November 1916, CAB 16/36.

4 Europäische Staats und Wirtschafts Zeitung, 18 Aug 1916, CAB 16/36.

5 Hankey Papers, 20 December 1918; 4 December 1918 entry, 1/6, Churchill Archives Centre, Cambridge; E. P. Fitzgerald, 'France's Middle Eastern Ambitions, the Sykes–Picot Negotiations, and the Oil Fields of Mosul, 1915–1918', *Journal of Modern History* 66.4 (1994), 694–725; D. Styan, *France and Iraq: Oil, Arms and French Policy-Making in the Middle East* (London, 2006), pp. 9–21.

6 A. Roberts, *A History of the English-Speaking Peoples since 1900* (London, 2006), p. 132.

7 *The Times*, 7 November 1917. 허버트 새뮤얼에 관해서는 S. Huneidi, *A Broken Trust: Herbert Samuel, Zionism and the Palestinians* (London, 2001).

8 Lord Balfour, House of Lords, 21 June 1922, Hansard, 50, 1016–17.

9 'Report by the Sub-Committee', Imperial Defence, 13 June 1928, CAB 24/202.

10 *Time*, 21 April 1941; J. Barr, *A Line in the Sand: Britain, France and the Struggle that shaped the Middle East* (London, 2011), p. 163.

11 A. Arslanian, 'Dunstersville's Adventures: A Reappraisal', *International Journal of Middle East Studies* 12.2 (1980), 199–216; A. Simonian, 'An Episode from the History of the Armenian–Azerbaijani Confrontation (January–February 1919)', *Iran & the Caucasus* 9.1 (2005), 145–58.

12 Sanborn, *Imperial Apocalypse*, pp. 175–83.

13 Secretary of State to Viceroy, 5 January 1918, cited by L. Morris, 'British Secret Missions in Turkestan, 1918–19', *Journal of Contemporary History* 12.2 (1977), 363–79.

14 Morris, 'British Secret Missions', 363–79.

15 L. Trotsky, Central Committee, Russian Communist Party, 5 August 1919, in J. Meijer (ed.), *The Trotsky Papers*, 2 vols (The Hague, 1964), 1, pp. 622, 624.

16 *Congress of the East, Baku, September 1920*, tr. B. Pearce (London, 1944), pp. 25–37.

17 L. Murawiec, *The Mind of Jihad* (Cambridge, 2008), pp. 210–23. 보다 전반적으로는 Ansari, 'Pan-Islam and the Making of Early Indian Socialism', *Modern Asian Studies* 20 (1986), 509–37을 보라.

18 Corp. Charles Kavanagh, Unpublished diary, Cheshire Regiment Museum.

19 *Pobeda oktyabr'skoi revoliutsii v Uzbekistane: sbornik dokumentov*, 2 vols (Tashkent, 1963–72), 1, p. 571.

20 이 포스터의 사본은 D. King, *Red Star over Russia: A Visual History of the Soviet Union from 1917 to the Death of Stalin* (London, 2009), p. 180에 나온다.

21 M. MacMillan, *Peacemakers: Six Months that Changed the World* (London, 2001), p. 408.

22 Treaty with HM King Faisal, 20 October 1922, Command Paper 1757; Protocol of 30 April 1923 and Agreements Subsidiary to the Treaty with King Faisal, Command Paper 2120. 새

로운 의식에 관해서는 E. Podeh, 'From Indifference to Obsession: The Role of National State Celebrations in Iraq, 1921–2003', *British Journal of Middle Eastern Studies* 37.2 (2010), 185–6을 보라.

23 B. Busch, *Britain, India and the Arabs, 1914–1921* (Berkeley, 1971), pp. 408–10.

24 H. Katouzian, 'The Campaign against the Anglo-Iranian Agreement of 1919', *British Journal of Middle Eastern Studies* 25.1 (1998), p. 10.

25 H. Katouzian, 'Nationalist Trends in Iran, 1921–6', *International Journal of Middle Eastern Studies* 10.4 (1979), 539.

26 H. Katouzian, *Iranian History and Politics: The Dialectic of State and Society* (London, 2003), p. 167에서 재인용.

27 Curzon to Cambon, 11 March 1919, FO 371/3859.

28 Katouzian, 'The Campaign against the Anglo-Iranian Agreement', p. 17을 보라.

29 Marling to Foreign Office, 28 February 1916, FO 371/2732. 또한 D. Wright, 'Prince 'Abd ul-Husayn Mirza Framan-Farma: Notes from British Sources', *Iran* 38 (2000), 107–14를 보라.

30 Loraine to Curzon, 31 January 1922, FO 371/7804.

31 M. Zirinsky, 'Imperial Power and Dictatorship: Britain and the Rise of Reza Shah, 1921–1926', *International Journal of Middle East Studies* 24.4 (1992), 639–63.

32 Caldwell to Secretary of State, 5 April 1921, in M. Gholi Majd, *From Qajar to Pahlavi: Iran, 1919–1930* (Lanham, MA, 2008), pp. 96–7.

33 'Planning Committee, Office of Naval Operations to Benson', 7 October 1918, in M. Simpson (ed.), *Anglo-American Naval Relations, 1917–19* (Aldershot, 1991), pp. 542–3.

34 Yergin, *The Prize*, p. 178에서 재인용.

35 M. Rubin, 'Stumbling through the "Open Door": The US in Persia and the Standard-Sinclair Oil Dispute, 1920–1925', *Iranian Studies* 28.3/4 (1995), 206에서 재인용.

36 Ibid., 210.

37 Ibid.

38 Ibid., 209.

39 Ibid., 213.

40 M. Gilbert, *Winston S. Churchill*, 8 vols (London, 1966–88), 4, p. 638.

41 M. Zirinsky, 'Imperial Power and Dictatorship: Britain and the Rise of Reza Shah, 1921–1926', *International Journal of Middle East Studies* 24.4 (1992), 650; H. Mejcher, *Imperial Quest for Oil: Iraq 1910–1928* (London, 1976), p. 49.

42 이집트에 관해서는 A. Maghraoui, *Liberalism without Democracy: Nationhood and Citizenship in Egypt, 1922–1936* (Durham, NC, 2006), pp. 54–5를 보라.

43 M. Fitzherbert, *The Man Who was Greenmantle: A Biography of Aubrey Herbert* (London, 1985), p. 219에서 재인용.

44 S. Pedersen, 'Getting Out of Iraq—in 1932: The League of Nations and the Road to Normative Statehood', *American Historical Review* 115.4 (2010), 993–1000.

45 Y. Ismael, *The Rise and Fall of the Communist Party of Iraq* (Cambridge, 2008), p. 12.

46 푸르나 스와라지 선언에 관해서는 M. Gandhi, *The Collected Works of Mahatma Gandhi*, 90 vols (New Delhi, 1958–84), 48, p. 261.

47 Ferrier and Bamberg, *British Petroleum*, pp. 593–4에서 재인용.

48 'A Record of the Discussions Held at Lausanne on 23rd, 24th and 25th August, 1928', BP 71074.

49 Cadman to Teymourtache, 3 January 1929, BP 71074.

50 Young report of Lausanne discussions, BP H16/20. 또한 Ferrier and Bamberg, *British Petroleum*, pp. 601–17을 보라.

51 Vansittart minute, 29 November 1932, FO 371/16078.

52 Hoare to Foreign Office, 29 November 1932, FO 371/16078.

53 Lord Cadman's Private Diary, BP 96659/002.

54 Cadman, Notes, Geneva and Teheran, BP 96659.

55 G. Bell, *Gertrude Bell: Complete Letters* (London, 2014), p. 224.